# Um amanhã de vingança

## OBRAS DO AUTOR PUBLICADAS PELA EDITORA RECORD

*As areias do tempo*
*Um capricho dos deuses*
*O céu está caindo*
*Escrito nas estrelas*
*Um estranho no espelho*
*A herdeira*
*A ira dos anjos*
*Juízo final*
*Lembranças da meia-noite*
*Manhã, tarde & noite*
*Nada dura para sempre*
*A outra face*
*O outro lado da meia-noite*
*O plano perfeito*
*Quem tem medo de escuro?*
*O reverso da medalha*
*Se houver amanhã*

INFANTOJUVENIS

*Conte-me seus sonhos*
*Corrida pela herança*
*O ditador*
*Os doze mandamentos*
*O estrangulador*
*O fantasma da meia-noite*
*A perseguição*

MEMÓRIAS

*O outro lado de mim*

COM TILLY BAGSHAWE

*Um amanhã de vingança* (sequência de *Em busca de um novo amanhã*)
*Anjo da escuridão*
*Depois da escuridão*
*Em busca de um novo amanhã* (sequência de *Se houver amanhã*)
*Sombras de um verão*
*A senhora do jogo* (sequência de *O reverso da medalha*)
*A viúva silenciosa*
*A fênix*

SIDNEY SHELDON
e TILLY BAGSHAWE

# Um amanhã de vingança

*Tradução de*
Ângelo Lessa

9ª edição

EDITORA RECORD
RIO DE JANEIRO • SÃO PAULO

2023

CIP-BRASIL. CATALOGAÇÃO NA PUBLICAÇÃO
SINDICATO NACIONAL DOS EDITORES DE LIVROS, RJ

---

Sheldon, Sidney, 1917-2007
S548a Um amanhã de vingança / Sidney Sheldon e Tilly Bagshawe
9ª ed. – tradução de Ângelo Lessa. – 9. ed.-Rio de Janeiro: Record, 2023.

Tradução de: Reckless
Sequência de: Em busca de um novo amanhã
ISBN 978-85-01-10809-8

1. Romance americano. I. Bagshawe, Tilly. II. Lessa, Ângelo.
III. Título.

16-36311 CDD: 813
CDU: 821.111(73)-3

TÍTULO ORIGINAL:
RECKLESS



Texto revisado segundo o Acordo Ortográfico da Língua Portuguesa de 1990.



Editoração eletrônica: Abreu's System

Direitos exclusivos de publicação em língua portuguesa somente para o Brasil adquiridos pela
EDITORA RECORD LTDA.
Rua Argentina, 171 – Rio de Janeiro, RJ – 20921-380 – Tel.: (21) 2585-2000,
que se reserva a propriedade literária desta tradução.

---

Impresso no Brasil

ISBN 978-85-01-10809-8

*Para Belen.*
*Com amor.*

# PARTE UM

# Capítulo 1

REAL ACADEMIA MILITAR DE SANDHURST, INGLATERRA
SÁBADO, 22 DE NOVEMBRO, 9 DA NOITE

— SENHOR!

O cadete Sebastian Williams invadiu o escritório do general de divisão Frank Dorrien. Williams estava pálido quando chegou, tinha o cabelo desgrenhado e sua farda era uma vergonha. Frank Dorrien contraiu o lábio superior. Se fechasse os olhos, conseguiria praticamente ouvir os padrões deslizando como bostas em uma rocha úmida.

— O que é isso?

— É o príncipe Achileas, senhor.

— *Príncipe Achileas?* Você está falando do cadete Constantinos?

Williams olhou para o chão.

— Sim, senhor.

— Bom, e o que tem ele?

Por um apavorante momento, o general Dorrien pensou que Williams iria desatar a chorar.

— Ele morreu, senhor.

O general de divisão tirou um fiapo de sua camisa. Alto e magro, com uma silhueta esguia de maratonista e um rosto tão definido e ossudo que parecia esculpido em pedra, Frank Dorrien manteve uma expressão impassível.

— Morreu?

— Sim, senhor. Eu o encontrei... enforcado. Agora mesmo. Foi horrível, senhor!

O cadete Williams começou a tremer. Meu Deus, ele era um ultraje.

— Me mostre.

Frank Dorrien pegou sua maleta maltratada e seguiu o aflito cadete por um corredor sem janelas em direção ao alojamento. Enquanto Williams meio caminhava, meio trotava, seus braços e suas pernas balançavam tal qual uma marionete com os fios emaranhados. Frank Dorrien balançou a cabeça. Soldados como o cadete Sebastian Williams representavam tudo o que havia de errado com o exército atual.

Disciplina zero. Sem ordem alguma. E porra nenhuma de coragem.

Uma geração inteira de palermas.

Achileas Constantinos, príncipe da Grécia, era igualmente ruim. Mimado, achava-se superior. A impressão era de que, para esses garotos, ingressar no Exército tratava-se de uma espécie de jogo.

— Ali dentro, senhor. — Williams gesticulou na direção do banheiro masculino. — Ele ainda está... eu não sabia se devia cortar a corda.

— Obrigado, Williams.

O rosto talhado em granito de Frank Dorrien não demonstrava emoção alguma. Com 50 e poucos anos, grisalho e a postura ereta, Frank já nascera soldado. Seu corpo era o resultado de uma vida de disciplina física rigorosa que complementava à perfeição sua mente disciplinada e regrada.

— Dispensado.

— Senhor?

Sem saber o que fazer, o cadete Williams zanzava de um lado para outro. Será que o general queria mesmo que ele fosse embora?

Não que ele quisesse ver Achileas outra vez. A imagem do corpo do amigo já estava gravada em sua memória. O rosto inchado que emoldurava os olhos arregalados, o corpo pendurado nas vigas balançando de forma grotesca, parecendo um boneco inchado. Williams ficou apavorado quando o encontrou. Ele podia ser soldado oficialmente, mas a verdade é que nunca tinha visto um cadáver antes.

— Você é surdo? — perguntou Frank Dorrien em tom ríspido. — Eu disse "dispensado".

— Senhor. Sim, senhor.

Frank Dorrien esperou o cadete Williams ir embora, só então abriu a porta do banheiro.

A primeira coisa que viu foi os coturnos do jovem príncipe grego balançando na altura de seus olhos, em frente a uma cabine aberta. Estavam de acordo com as normas: pretos e perfeitamente polidos. Aos olhos do general Dorrien, um objeto de contemplação.

Todo cadete de Sandhurst deveria usar coturnos como aqueles.

Dorrien olhou para cima. A calça da farda do príncipe estava suja. Era uma lástima, mas não uma surpresa. Infelizmente, o intestino costumava ceder no momento da morte, uma indignidade final. Ao ser agredido pelo fedor, Dorrien franziu o nariz.

Ergueu o olhar e chegou ao rosto do jovem morto.

O príncipe Achileas Constantinos o encarava, os olhos castanhos e vidrados arregalados pela morte, como se ele estivesse eternamente abismado com a crueldade do mundo.

*Garoto idiota*, pensou Frank Dorrien.

O general estava bastante familiarizado com a crueldade. Não ficava nem um pouco chocado.

Ele suspirou, não pelo corpo que balançava à sua frente, mas pela tempestade de merda que estava prestes a engolir todos eles. Um membro da realeza grega. Suicídio. Em Sandhurst! E, acima de tudo, enforcado, como se fosse um ladrão qualquer. Como se fosse um covarde. Como se fosse um zé-ninguém.

Os gregos não iriam gostar nada disso. Tampouco o governo britânico.

Frank Dorrien girou nos calcanhares, voltou calmamente para seu escritório e pegou o telefone.

— Sou eu. Infelizmente, temos um problema.

EX-REPÚBLICA SOVIÉTICA DA BRATISLAVA
DOMINGO, 23 DE NOVEMBRO, 2 DA MANHÃ

O CAPITÃO BOB Daley, dos Reais Fuzileiros Galeses, encarou a câmera e proferiu o breve discurso que havia recebido na noite anterior. Estava cansado e com frio, e não entendia por que seus sequestradores mantinham aquela farsa. Eles não eram idiotas. Provavelmente sabiam que as exigências feitas ao governo britânico eram absurdas.

Desmantelar o Banco da Inglaterra.

Confiscar os ativos de todos os cidadãos britânicos com patrimônio líquido superior a 1 milhão de libras.

Fechar a bolsa de valores.

Ninguém no Grupo 99 — a organização radical de esquerda que sequestrara Bob Daley em uma rua de Atenas — acreditava de fato que essas coisas iriam acontecer. O sequestro de Bob e o discurso que ele estava proferindo claramente não passavam de um grande golpe publicitário. Em questão de semanas, os sequestradores o libertariam e pensariam em outra maneira de estampar manchetes internacionais. Se dava para dizer alguma coisa sobre os membros do Grupo 99, era que eles haviam se tornado mestres na arte da autopromoção.

Batizado em homenagem aos 99 por cento da população global que controla menos de meio por cento da riqueza mundial, o Grupo 99 se descrevia como uma organização de "Hackers Robin Hood" que atacava os grandes interesses comerciais em favor dos "desfavorecidos". Jovens, peritos em informática e sem hierarquia alguma, até então eles haviam se restringido a lançar ataques virtuais contra alvos que consideravam corruptos. Isso incluía multinacionais como a rede McDonald's, além de qualquer agência governamental considerada defensora dos ricos, que correspondiam ao odiado um por cento. O grupo havia invadido os sistemas da CIA e divulgado centenas de e-mails particulares bastante constrangedores. E o Ministério da Defesa britânico havia sido exposto com as calças arriadas ao aceitar propinas para abrir vagas em Sandhurst para os herdeiros da elite econômica europeia. Após cada ataque, os monitores do alvo se enchiam de imagens de balões vermelhos flutuantes — símbolo do grupo e referência irônica à música pop dos anos 1980, "99 Red Balloons". Detalhes como esse, junto ao senso de humor e ao desprezo pela autoridade, haviam tornado o Grupo 99 praticamente algo a ser venerado pelos jovens do mundo inteiro.

Há um ano e meio, o grupo voltara sua atenção para o ramo global do fraturamento hidráulico — método mais econômico de extração de petróleo e gás, mas que agride gravemente o meio ambiente —, lançando ataques devastadores contra a Exxon Mobil e a British Petroleum, e a duas das maiores empresas chinesas. O viés ambiental dera ao grupo ainda mais moral entre os jovens e o fizera conquistar defensores famosos em Hollywood.

Mesmo não concordando com a política do grupo, o próprio capitão Bob Daley o admirava. No entanto, após três semanas em uma montanha, trancafiado em uma cabana que ficava em alguma floresta erma da Bratislava, a piada já não tinha mais graça. E agora eles o haviam acordado às duas da manhã e o arrastado para fora da cabana para gravar um vídeo ridículo a uma temperatura abaixo de zero. Fazia tanto frio que Bob Daley sentiu os dentes doerem.

*Pelo menos depois disso vou voltar para casa*, pensou ele.

Os sequestradores já haviam lhe revelado isso. Ele seria o primeiro a ir embora. Então, semanas depois, seria a vez do americano. O jornalista Hunter Drexel fora capturado em uma rua de Moscou na mesma semana da emboscada a Bob em Atenas. O sequestro de Hunter parecera quase aleatório, um ato para gerar publicidade para a organização nos Estados Unidos. Já o de Bob fora planejado com mais cuidado. Era sua primeira viagem para fora do país pelo MI6 — o Serviço Secreto de Inteligência britânico —, um exercício de treinamento, e alguém do Grupo 99 claramente sabia exatamente onde ele estaria. Bob tinha certeza de que a organização contava com alguém infiltrado no MI6. Não podia haver outra explicação racional. O sequestro dele fora esquematizado de forma a constranger ao máximo tanto o Exército quanto o MI6. O fato de Bob ser o Honorável Robert Daley — de uma família britânica rica e bem relacionada de classe alta — também ajudava a causa do Grupo 99. Ninguém gosta de figurões.

— Não leve isso para o lado pessoal — pedira um dos sequestradores em um inglês perfeito e com um sorriso estampado no rosto. — Mas você é quase um garoto-propaganda dos privilegiados. Pense nisso aqui como uma experiência. Você está fazendo sua parte para promover a igualdade.

Bem, de fato *havia* sido uma experiência. Hunter Drexel se tornara um bom amigo. Os dois vinham de extremos opostos. Bob Daley era tradicional, conservador e patriota até o último fio de cabelo, ao passo que Hunter era um inconformista, um individualista que adorava correr riscos de todas as formas. Mas nada como três meses de confinamento numa cabana no meio do nada para unir as pessoas. Quando enfim voltasse para casa, Bob poderia publicar sua biografia, largar o Exército e se aposentar de sua malograda carreira de espião. Claire, sua mulher, ficaria satisfeita.

— Olhe para a câmera, por favor. E atenha-se ao roteiro.

Era o grego falando, aquele a quem chamavam de Apollo. Todos no Grupo 99 tinham um codinome grego, o qual também usavam na internet, embora seus integrantes viessem de todas as partes do mundo. No entanto, Apollo era grego de verdade, além de um dos fundadores do Grupo 99. A organização dera seus primeiros passos em Atenas, na euforia que se seguiu à eleição do primeiro-ministro mais esquerdista da história do país, o ativista sindicalista Elias Calles. Talvez por isso os codinomes gregos tivessem emplacado.

Nem Bob Daley nem Hunter Drexel gostavam de Apollo, um homem arrogante e sem senso de humor, ao contrário dos outros. Naquele momento, Apollo estava de roupa preta e o rosto coberto por uma balaclava de tricô.

*Está se fazendo de soldado*, pensou Bob Daley. *Se achando o maioral.*

Na verdade, era patético. O que aquelas crianças iriam fazer quando crescessem? Quando a aventura do Grupo 99 chegasse ao fim? Quando Apollo fosse apanhado — e Bob tinha certeza de que isso iria acontecer —, passaria um bom tempo na cadeia. Será que ele sequer havia considerado essa hipótese?

— Meu nome é capitão Robert Daley — começou Bob.

Encarando a câmera, ele recitou o texto com perfeição. Quanto antes aquilo acabasse, mais rápido ele voltaria para a cabana, para sua cama quente. Até os roncos de Hunter Drexel eram preferíveis a ficar ali fora, na neve, obedecendo aos comandos daquele idiota.

Quando terminou, olhou para Apollo.

— Tudo certo?

— Muito bom — respondeu o homem de balaclava.

— Acabou?

Bob Daley viu o grego sorrir pela abertura da boca na balaclava.

— Sim, capitão Daley. Acabou.

Então, com a câmera ainda ligada, Apollo sacou uma pistola e fez os miolos de Bob Daley explodirem.

MANHATTAN

SÁBADO, 22 DE NOVEMBRO, 9 DA NOITE

PELO LAPTOP, ALTHEA viu o tiro dilacerar a cabeça de Bob Daley. Com as longas pernas cruzadas, ela estava sentada no sofá de camurça, em seu apartamento avaliado em 5 milhões de dólares. Lá fora, nevava fraco no Central Park. Era uma noite de outono com cara de inverno em Nova York, fria e de céu limpo.

O sangue e o tecido cerebral do capitão Bob Daley respingaram na lente da câmera.

*Que maravilha assistir a isso em tempo real, no conforto da minha sala de estar*, pensou Althea, com uma onda de satisfação percorrendo seu corpo. *A tecnologia é realmente algo impressionante.*

Ela tocou a tela com os dedos com unhas perfeitamente bem-cuidadas, como se esperasse senti-la úmida. O sangue de Daley ainda estaria quente.

*Que bom. Ele morreu.*

O corpo do inglês tombou para a frente e caiu no chão da floresta como se fosse um saco. Em seguida, Apollo surgiu diante da câmera, tirou a balaclava, limpou a lente e sorriu para ela.

Althea percebeu o volume na calça do grego. Nitidamente, matar o deixava excitado.

— Feliz? — perguntou ele.

— Muito.

Ela desligou o computador, foi à geladeira e pegou uma garrafa de Clos d'Ambonnay, safra de 1996. Tirou a rolha, serviu-se de uma taça e brindou o cômodo vazio.

— A você, meu querido.

Em poucas horas, a execução do capitão Daley iria estampar a primeira página dos jornais do mundo todo. Sequestro e assassinato haviam se tornado um clichê no Oriente Médio. Mas agora era no Ocidente. Na Europa. Algo orquestrado pelo Grupo 99, os Hackers Robin Hood. Os mocinhos.

Todos ficariam chocados e estarrecidos!

Althea alisou seu longo cabelo escuro.

Ela mal podia esperar por isso.

# Capítulo 2

— Isso é um pesadelo.

Julia Cabot, a nova primeira-ministra do Reino Unido, deixou a cabeça cair entre as mãos. Estava sentada à sua mesa, em seu gabinete no número 10 da Downing Street, residência oficial e escritório dos líderes do governo britânico. Também estavam presentes Jamie MacIntosh, chefe do MI6, e o general de divisão Frank Dorrien. Altamente condecorado, Dorrien também era agente sênior do MI6, fato conhecido por apenas alguns poucos escolhidos, entre os quais não constava sua mulher.

— Por favor, me diga que vou acordar.

— É Bob Daley quem não vai acordar, primeira-ministra — comentou Frank Dorrien friamente. — Odeio dizer isso, mas... eu avisei.

— Então não diga — interveio Jamie MacIntosh. Frank era um homem corajoso e um agente brilhante, mas às vezes sua tendência a mostrar superioridade moral era extremamente cansativa. — Nenhum de nós poderia prever uma coisa dessas. Estamos na União Europeia, não em Alepo.

— E é um monte de adolescentes nerds usando moletons com estampa de balões vermelhos, não o Estado Islâmico — acrescentou Julia Cabot, inconsolável. — O Grupo 99 não *mata pessoas*. Simplesmente não mata!

— Bom, até começarem a matar — comentou Frank. — E agora matam. E você é a responsável pela morte de Daley.

Era difícil não levar o assassinato de Bob Daley para o lado pessoal, em parte porque Frank Dorrien conhecia Bob Daley. Eles haviam servido juntos no Iraque, sob circunstâncias que nem Julia Cabot nem Jamie MacIntosh poderiam imaginar, que dirá entender. E em parte porque Frank *de fato* advertira sobre o perigo de tratar o Grupo 99 como uma piada. Esses grupos sempre começavam com ideais elevados e, na experiência de Frank, quase sempre acabavam descambando para a violência. Entre os integrantes surgia uma dissidência mais radical e sedenta por sangue, e ela acabaria tomando o poder dos mais comedidos. Foi assim com os comunistas na Rússia após a revolução. Com o verdadeiro IRA, o Exército Republicano Irlandês, e o mesmo havia acontecido com o Estado Islâmico. A ideologia não tinha a menor importância. Bastava haver jovens enfurecidos, sem posses, cheios de testosterona e com sede de poder e atenção para que, no fim das contas, coisas muito, muito ruins, acontecessem.

Por semanas, o MI6 estava sentado na informação sobre a possível localização do cativeiro de Daley e Hunter Drexel. Mas ninguém arregaçou as mangas, e isso porque ninguém acreditou que os reféns corriam realmente perigo. Na verdade, quando Frank propusera enviar o SAS — Serviço Aéreo Especial — em uma missão de resgate armado, a ideia foi enfaticamente rejeitada tanto pelo governo quanto pelos serviços de inteligência.

— Perdeu a cabeça? — retrucara Jamie MacIntosh. — A Bratislava é um país da União Europeia, Frank.

— E daí?

— E daí que não podemos invadir outro país soberano com tropas. Um *aliado*, caramba. Isso está fora de questão.

Então, nada foi feito, e agora centenas de milhões de pessoas ao redor do mundo tinham visto os miolos de Bob Daley respingarem numa tela. Celebridades que até a semana anterior faziam fila para serem fotografadas com bótons de balões vermelhos em seus smokings — mostrando apoio aos objetivos grandiosos de igualdade econômica propagados pelo grupo — estavam afoitas para se distanciar o máximo possível daquele horror. Sequestro e assassinato, bem ali, na Europa.

— Entendo sua raiva, Frank — disse Julia Cabot em tom severo. — Mas preciso de ideias construtivas. Os americanos estão histéricos, com medo de que o próximo seja o refém deles.

— E deveriam estar com medo mesmo — disse Frank.

— Todos nós queremos pegar esses desgraçados. — Julia Cabot se virou para o chefe da inteligência. — Jamie, o que nós temos de informação?

— Grupo 99. Fundado em 2015 na cidade de Atenas por um grupo de jovens gregos cientistas da computação. Espalhou-se rapidamente pela Europa, e depois para a América do Sul, a Ásia, a África e o resto do mundo. Eles declaram que sua pauta é econômica, que querem acabar com a pobreza e com a desigualdade na riqueza mundial. São considerados comunistas moderados, apesar de não terem nenhuma aliança política, nacional ou religiosa declarada. Usam codinomes gregos na internet e são muito, muito inteligentes.

— E quanto aos líderes? — indagou Cabot.

— Um ou dois nomes se destacam. Acreditamos que o sujeito de codinome "Hyperion" seja um venezuelano de 27 anos chamado Jose Hernandez. Foi ele quem vazou os e-mails particulares do ex-chefe da Exxon.

— O cara que tem uma amante transexual e é viciado em cocaína? — Julia Cabot se lembrou da operação do Grupo 99 contra o azarado executivo do ramo petrolífero. Apesar do pedido de demissão do CEO, as ações da empresa se desvalorizaram em centenas de milhões de dólares.

— Exatamente. A ironia é que Hernandez vem de uma família rica da Venezuela. Talvez isso o tenha ajudado a evitar que as autoridades o detectassem. Mas parte do problema é que não *existem* líderes claros. O Grupo 99 desaprova todas as formas de hierarquia tradicional. Como é baseado na internet e no anônimo, o grupo é mais uma vaga afiliação do que uma organização terrorista nos moldes que conhecemos. Os indivíduos e as células atuam de forma independente, e o grupo é como um grande guarda-chuva.

Julia Cabot suspirou.

— Então é uma hidra com mil cabeças. Ou sem cabeça.

— Exatamente.

— E quanto ao financiamento? Sabemos de onde eles conseguem dinheiro?

— É aí que a coisa fica mais interessante. Para um grupo que se diz contra o acúmulo de riqueza, eles lavam muito dinheiro por aí aparentemente. Eles investem em tecnologia para financiar os ataques virtuais. Gasta-se muito para ficar um passo à frente de sistemas sofisticados como o da Microsoft e o do Pentágono.

— Imagino — comentou a primeira-ministra.

— Também acreditamos que eles estão por trás de várias doações anônimas de milhões de dólares para grupos de caridade e partidos políticos de esquerda. Diversas fontes apontam para uma americana que faz parte do grupo. Ela seria uma das maiores doadoras e uma força motriz dos objetivos estratégicos do Grupo 99. Vocês se lembram do ataque à CIA no ano passado, quando eles publicaram um monte de e-mails pessoais comprometedores de funcionários do alto escalão alocados na sede deles, em Langley?

A primeira-ministra assentiu com a cabeça.

— Os americanos acham que isso é obra dela. Ela opera com o codinome Althea, mas basicamente isso é tudo o que se sabe a respeito dela.

Julia Cabot se levantou e caminhou até a janela, ciente do olhar penetrante de Frank Dorrien grudado em suas costas. Ela enxergava o velho soldado como um sujeito difícil. Apenas uma semana antes, eles se encontraram para discutir o suicídio trágico e diplomaticamente constrangedor do jovem príncipe grego em Sandhurst. Julia ficou impressionada com a falta de compaixão do general Dorrien pelo garoto, além de seu total desdém pelas consequências políticas da morte do jovem em solo britânico e sob os cuidados do Exército britânico.

— Talvez ele tivesse depressão — arriscou ele no dia, e isso foi o mais perto que conseguiu chegar de oferecer qualquer explicação. Além de tudo, quando pressionado, ele se mostrou nitidamente irritado. — Com todo o respeito, primeira-ministra, eu era o comandante dele, não o terapeuta.

*Verdade*, pensara Julia Cabot, com raiva. *E eu sou sua comandante.*

Julia tinha dúvidas se Dorrien estava se mostrando tão grosseiro porque ela era mulher ou se ele sempre havia sido daquele jeito.

Ali, porém, o general tinha razão. A morte de Bob Daley *era* culpa de Julia Cabot. Se o jornalista americano Hunter Drexel também morresse, ela nunca conseguiria se perdoar.

— Precisamos trabalhar com os americanos nisso — anunciou ela. — Transparência total.

Jamie MacIntosh ergueu uma sobrancelha em uma expressão lacônica. "Transparência total" não era um termo que o fazia se sentir à vontade. Nem um pouco.

— Os americanos precisam resgatar o homem deles, esse Drexel. Quero que você forneça à CIA tudo o que tiver, Jamie. Possíveis localizações e tudo o que for importante.

— Então vamos ajudar os americanos a resgatar o homem deles depois de abandonar o nosso? — Frank Dorrien parecia devidamente indignado.

— Vamos fazer o melhor possível dentro das piores circunstâncias, general — rebateu a primeira-ministra. — E, em troca, vamos esperar que a CIA compartilhe todas as informações de que dispõe sobre a rede global do Grupo 99. Até agora, os ataques virtuais se voltaram especialmente contra alvos americanos. As empresas e as agências governamentais dos Estados Unidos foram muito mais atingidas do que nós. Com certeza elas estão abarrotadas de informações sobre esses desgraçados.

— Tenho certeza de que sim, primeira-ministra — concordou Frank Dorrien friamente. Sua capacidade de fazer qualquer comentário soar como crítica era fantástica.

— Alguma coisa fez essa gente mudar de tática — prosseguiu Julia, ignorando Dorrien. — Alguma coisa transformou um grupo que pregava peças na internet em sequestradores e assassinos. E eu preciso saber que o que foi.

— NÃO GOSTEI. Não gostei *nada* disso.

O presidente Jim Havers fechou a cara para os três homens sentados diante de sua mesa no Salão Oval. Os homens eram Greg Walton, o baixinho careca comandante da CIA; Milton Buck, principal agente do FBI no combate ao terrorismo; e o general Teddy MacNamee, chefe do Estado-Maior Conjunto dos Estados Unidos.

— Nenhum de nós gostou, senhor presidente — constatou Greg Walton. — Mas quais são as alternativas? Se não tirarmos Drexel de lá agora, agora mesmo, podemos acabar vendo o cérebro dele respingar na tela. Se não fizermos alguma coisa com a informação que recebemos...

— Eu sei, eu sei. Mas e se ele não estiver lá? Quer dizer, se os britânicos tinham tanta certeza, por que não foram lá resgatar o homem deles?

O presidente Havers fechou ainda mais a cara. Vinha sofrendo enorme pressão para salvar Hunter Drexel, tanto do Congresso quanto da opinião pública. Mas, se a informação que eles tinham acabado de receber dos britânicos estivesse correta, o salvamento de Drexel desencadearia uma ofensiva militar contra um país membro da União Europeia. Os Estados Unidos já haviam recebido críticas suficientes por enviar tropas à caça de Bin Laden no Paquistão. E essa nova situação era completamente diferente, um jogo bem mais pesado.

A Bratislava era um país aliado, uma democracia ocidental. Seu presidente e a população local não reagiriam bem ao ver helicópteros Chinook americanos invadindo seu espaço aéreo e lançando tropas do Exército em suas montanhas — montanhas que os próprios bratislavos negavam categoricamente serem usadas como refúgio pelo Grupo 99 ou quaisquer outros terroristas.

E se os bratislavos estivessem certos e o serviço de inteligência britânico, errado? E se Havers enviasse as tropas, mas, no fim das contas, não encontrasse Drexel lá? Se um único cidadão bratislavo sequer entornasse o café por causa disso, o presidente Havers seria arrastado até a Assembleia Geral das Nações Unidas com a cabeça coberta de ovos antes de alguém conseguir dizer "violação do direito internacional".

— Talvez ele seja libertado — disse o presidente, quase que para si mesmo.

Os três homens o encararam com um olhar que dizia algo como *nem que a vaca tussa.*

— Só estou dizendo que é uma possibilidade.

— Imagino que os britânicos estivessem pensando exatamente isso até semana passada — afirmou Greg Walton.

— Mas talvez o que aconteceu com o capitão Daley tenha sido uma situação pontual — retrucou o presidente, numa tentativa desesperada de se aferrar a qualquer coisa. — Uma aberração. Afinal, o Grupo 99 nunca havia usado de violência.

— Bom, sem dúvida agora usou, senhor — disse o general MacNamee friamente. — Será que podemos mesmo correr o risco?

— O que eu não entendo é por que eles sequestraram Hunter Drexel, para começo de conversa. — O presidente Havers passou a mão pelo cabelo, aparentemente frustrado. — Quer dizer, para quê? Um jornalista de meia-tigela viciado em jogatina, demitido do *Washington Post* e do *New York Times*, o que, aliás, é uma honra por si só. Mas como esse homem representa o um por cento que o grupo diz desprezar? Pelo que eu sei, ele mal consegue pagar as próprias contas. Como poderia representar qualquer coisa?

— Ele é americano — comentou baixo o homem do FBI, Milton Buck.

— E isso basta?

— Para alguns, sim — respondeu Greg Walton. — Essas pessoas não são necessariamente racionais, senhor.

— Não brinca. — Com raiva, o presidente balançou a cabeça. — Em um minuto eles colocam balões nas telas dos computadores das pessoas e invadem o palco da cerimônia do Oscar. No outro, se filmam matando gente. Quer dizer... meu *Deus*! E depois? Vão começar a queimar pessoas enjauladas? Isso parece um pesadelo, porra. Aquilo lá é a Europa.

— Auschwitz também era lá — disse o general.

Fez-se um silêncio tenso no Salão Oval.

Se enviasse as tropas e a operação fosse bem-sucedida, o presidente Jim Havers seria um herói, ao menos no próprio país. É claro que estaria em enorme débito com os britânicos. Julia Cabot já estava exigindo mais informações — que a CIA se mostrava muito relutante em compartilhar — sobre a rede global e as fontes de financiamento do Grupo 99, especialmente sobre Althea. Se a operação desse certo, ao presidente Havers não restaria escolha senão passar as informações. Mas valeria a pena. Seus índices de popularidade subiriam à estratosfera.

Por outro lado, se Drexel não estivesse onde os britânicos disseram que estava, seria Havers quem ficaria em maus lençóis, não Julia Cabot. A reputação dos Estados Unidos despencaria no mundo todo. Ele poderia dar adeus à chance de um segundo mandato.

O presidente fechou os olhos e soltou o ar lentamente. Naquele momento, Jim Havers odiava Hunter Drexel quase tanto quanto odiava o Grupo 99.

*Como foi que a porra da situação chegou a esse ponto?*

— Ah, que se foda. Vamos em frente. Vamos entrar lá e pegar aquele filho da puta.

# Capítulo 3

Hunter Drexel encostou o ouvido no rádio e escutou com atenção. A voz do locutor da BBC World Service crepitou na escuridão:

— Cresce a preocupação com o bem-estar de Hunter Drexel, o jornalista americano sequestrado. Hoje, fez-se um minuto de silêncio na Academia Militar de Sandhurst, em Berkshire, em memória do capitão Robert Daley, brutalmente assassinado na semana passada pela organização terrorista Grupo 99, em um crime que chocou o mundo.

*Hum, então só agora eles são uma organização terrorista*, pensou Hunter e deu uma risada amargurada. *Incrível como um assassinato de nada faz tudo mudar de perspectiva.*

Duas semanas antes, a BBC não parava de falar do Grupo 99. Assim como o restante dos veículos de comunicação do mundo inteiro, eles bajulavam os Hackers Robin Hood como tietes num show do One Direction.

Mas, pensando bem, será que Hunter estava mesmo acima do restante das pessoas? Afinal, ele também havia cometido um erro de julgamento sobre o Grupo 99.

Quando foi sequestrado, ele estava trabalhando em um artigo freelance sobre a corrupção na indústria global do fraturamento hidráulico. Estava particularmente interessado nos bilhões de dólares que circulavam entre Estados Unidos, Rússia e China e no sigilo que rondava a concessão dos contratos de perfuração, em que gigantes do ramo petrolífero dividiam lucros estratosféricos nos três países. Acordos discutidos e fechados por apertos de mão em Houston, Moscou e Pequim vinham claramente infringindo as legislações comerciais internacionais. Na época, Hunter via o Grupo 99 como um aliado que se opunha à corrupção desenfreada no ramo da energia. Por ironia do destino, ele estava a caminho do escritório de Cameron Crewe — fundador e dono do grupo Crewe Oil, um dos pouquíssimos "mocinhos" do setor do fraturamento hidráulico —, quando foi levado para um beco, apagado com clorofórmio e enfiado no porta-malas de uma Mercedes, não por bandidos do Kremlin, mas pelas pouquíssimas pessoas que ele acreditava estarem a seu lado.

Ele não se lembrava de quase nada da longa viagem até a cabana. Trocou de carro pelo menos uma vez. Também houve um breve percurso de helicóptero. Por fim, chegou. Poucos dias depois, Bob Daley, que foi apresentado como "colega de quarto" de Hunter, apareceu. Tudo era muito civilizado. Camas quentes, um rádio, refeições razoáveis e, para deleite de Hunter, um baralho. Ele conseguiria sobreviver sem liberdade, se necessário fosse. Até o sexo era um luxo sem o qual ele poderia aprender a viver. Mas uma vida sem pôquer não fazia sentido. Ele e Bob jogavam todos os dias, às vezes por horas a fio, apostando pedrinhas de cascalho, como se fossem crianças. Se não fosse pelos guardas armados à porta da cabana, talvez Hunter tivesse acreditado que estava sendo vítima de algum tipo de trote, ou até mesmo participando de um reality show. Até os guardas pareciam meio hesitantes e um pouco constrangidos, como se tivessem noção de que a brincadeira havia passado dos limites e não soubessem como desistir sem passar vergonha.

Exceto por Apollo.

Hunter detestava usar aquele codinome grego idiota. Era pretensioso ao extremo. No entanto, como era o único nome que ele conhecia do desgraçado que havia matado Bob, teria de servir. Desde o começo, Apollo foi diferente. Era o mais irritado, rabugento e arrogante de todos. A princípio, Hunter o via como um valentão irritante. Mas nunca, nem em um milhão de anos, achou que Apollo tinha a intenção de matar.

A execução de Bob deixara todos no acampamento em total estado de choque, e não apenas Hunter. Os guardas pareciam realmente horrorizados com o ocorrido. Pessoas choravam, vomitavam. Mas ninguém tomava a iniciativa de encarar Apollo.

Era isso. Uma nova realidade.

Todos estavam envolvidos naquilo até o pescoço.

O sinal do rádio estava sumindo. Apavorado, Hunter girou o botão desesperadamente, procurando captar alguma coisa, qualquer coisa, para esquecer o medo. Ele já havia enfrentado situações perigosas em sua carreira como jornalista. Já havia sido alvejado em Alepo e Bagdá, e escapado por pouco de um acidente de helicóptero no leste da Ucrânia. No entanto, em uma zona de guerra, a adrenalina serve de estímulo para seguir em frente. Não há *tempo* para medo. É fácil ter coragem.

Mas ali, no silêncio da cabana, sem nenhuma companhia além de seus pensamentos febris e da cama vazia de seu amigo, o medo se assentou sobre Hunter como um gigantesco sapo preto, expulsando-lhe o fôlego do corpo e a esperança da alma.

*Eles vão me matar.*

*Eles vão me matar e me enterrar aqui na floresta, ao lado de Bob.*

No começo, nos primeiros dias e nas horas logo após a morte de Bob, Hunter ousara ter esperanças. *Alguém vai me encontrar. Agora todos vão me procurar. Os britânicos. Os americanos. Alguém vai chegar aqui e me resgatar.*

Mas os dias se passaram, ninguém apareceu, e a esperança morreu.

O rádio de Hunter crepitou alto, então o sinal sumiu por completo. Relutante, ele se enfiou de volta nas cobertas e tentou dormir. Mas era impossível. Seus membros estavam exaustos, porém seu cérebro estava acelerado. As imagens passavam por sua cabeça como flashes.

Sua mãe, no apartamento em Chicago, morrendo de preocupação em sua poltrona esfarrapada.

Sua última namorada, Fiona, do *New York Times*, gritando com ele por tê-la traído no dia do voo para Moscou: "Tomara que um capanga de Putin te pegue e te mate de porrada com um pé de cabra. Seu babaca!"

Bob Daley, fazendo alguma piadinha idiota na noite antes da gravação do vídeo.

Na noite antes de Apollo meter um tiro em sua cabeça.

Será que eles também o fariam gravar um vídeo? Será que ainda haveria manchas do sangue de Bobby na lente da câmera?

*Não!*

Ele sentiu uma pontada gélida de pavor, como se agulhas estivessem perfurando sua pele.

*Tenho que sair daqui!*

Ofegante, Hunter se sentou ereto na cama, lutando para controlar suas entranhas. *Por favor, meu Deus, me ajude! Me mostre o caminho para sair daqui.*

Até então, ele não havia percebido o quanto estava desesperado para não morrer, talvez porque nesse momento tenha compreendido que era esse seu destino. Àquela altura, qualquer missão de resgate já teria acontecido.

*Ninguém sabe do meu paradeiro.*

*Ninguém virá me resgatar.*

E, na verdade, por que alguém se daria ao trabalho? Hunter Drexel nunca sentira ou demonstrara qualquer lealdade à sua pátria. Que direito teria de esperar lealdade em troca?

Hunter nunca havia entendido o conceito de patriotismo. A lealdade a um país, ou a uma ideologia, o deixava completamente perplexo. Ele se sentia fascinado por pessoas como os integrantes do Grupo 99, que devotavam a vida a uma causa. *Por quê?* Hunter Drexel só via o mundo pelo ponto de vista das pessoas. Dos indivíduos. As pessoas importavam, não os ideais. Hunter tinha mais em comum com a visão de mundo e as crenças políticas do Grupo 99 do que com Bob Daley. Ainda assim, Bob era uma boa pessoa. E Apollo, ou qualquer que fosse o nome verdadeiro do sujeito, era uma pessoa ruim. No fim das contas, era só isso que importava, e não os rótulos sob os quais os dois viviam:

Soldado.

Radical.

Terrorista.

Espião.

Tudo isso não passava de palavras vazias.

Se Hunter Drexel se identificava com alguma coisa, era com o jornalismo. A escrita tinha significado. A verdade tinha significado. As ideologias de Hunter não iam além disso.

Tentando respirar devagar, ele olhou ao redor da cabana de madeira que havia se tornado o seu lar nos últimos meses. A pesada porta de madeira estava presa por um tronco partido ao meio e era vigiada por guardas armados que se revezavam do lado de fora. Depois da morte de Bob, duas barras de ferro haviam sido pregadas na janela. Do outro lado dela, estendiam-se quilômetros de uma floresta impenetrável, um exército de pinheiros altos que balançavam sombriamente acima de um espesso cobertor branco de neve. Em seus momentos mais fantasiosos, Hunter e Bob imaginaram planos de fuga. Todos insanamente arriscados, puro devaneio. O tipo de coisa que funcionaria em um desenho animado. E todos envolviam duas pessoas. Sozinho, a fuga era impossível — o único caminho para sair dali era o que Bob Daley já tinha tomado.

Hunter se deitou de costas, não estava exatamente calmo, mas já havia parado de hiperventilar. Aceitação era a palavra-chave. Desistir. Mas como alguém aceita a própria morte?

Sua mente vagou para a história que ele havia escutado no rádio no dia anterior, sobre o príncipe grego que tinha se enforcado em Sandhurst. Achileas. Parecia um dos nomes idiotas que os membros do Grupo 99 atribuíam a si mesmos. Houve muita preocupação em torno da morte do garoto, e um "inquérito oficial" foi instalado.

Como sempre, o que prendia a atenção de Hunter era o lado humano da história.

O caso de um jovem com a vida toda pela frente, mas que havia *escolhido* morrer.

Talvez, se Hunter conseguisse compreender *esse* impulso, o impulso que levou um jovem príncipe a abraçar a morte como se fosse uma amante, sentisse menos medo.

Aos poucos, Hunter Drexel caiu num sono perturbado.

NO COMEÇO, o barulho não passava de um zumbido baixo. Como o de uma nuvem de insetos.

Mas então começou a aumentar. O som inconfundível de hélices de helicóptero.

— Dimitri — chamou um dos guardas na frente da cabana de Hunter, ao segurar o ombro do companheiro. — Escute.

Com muito custo, Dimitri foi acordando aos poucos. Ambos os guardas tinham apenas 19 anos e eram franceses. Àquela altura, no ano anterior, estudavam ciências da computação em Paris. Eles haviam se unido ao Grupo 99 por diversão, uma vez que vários de seus amigos tinham feito a mesma coisa, e porque apoiavam a ideia de baixar um pouco a crista dos podres de rico. Nenhum dos dois tinha muita certeza de como haviam parado numa floresta da Bratislava congelando de frio e armados com uma submetralhadora.

Quando ficaram de pé, luzes estroboscópicas tomaram conta do céu. O acampamento inteiro estava coberto por um brilho ofuscante. Foi então que os primeiros tiros começaram a ressoar.

— Merda! — começou a gritar Dimitri. — O que a gente faz?

Os helicópteros já estavam fazendo tanto barulho que eles mal se escutavam.

— Corre! — gritou o outro.

Dimitri correu. Ele ouviu os tiros vindos de trás e viu o amigo tombar na floresta. Seguiu em frente. Sentiu as pernas bambas e moles, como gelatina, como se toda a força delas tivesse sido sugada.

Tendas de lona formavam uma ferradura em volta da cabana. Também havia duas estruturas de concreto, uma usada como depósito de armas e outra como centro de controle, equipada com um gerador, um telefone por satélite e um laptop personalizado. A segunda estrutura estava mais próxima. Dimitri correu cambaleando na direção dela. Por todos os lados, integrantes do grupo saíam dos abrigos, com as vistas embaçadas e em pânico. Os que estavam armados empunhavam suas semimetralhadoras e as apontavam de um lado para o outro. Atlas e Kronos, dois rapazes alemães, estavam com as mãos para o alto, mas, mesmo assim, foram fuzilados por uma saraivada de tiros, agitando os braços de forma grotesca enquanto morriam, como se fossem marionetes dançando. Dimitri viu a cena toda, horrorizado.

Então, algo o atingiu por trás. Não um tiro nem uma pedra, e sim uma rajada de vento tão poderosa que o derrubou. Os helicópteros haviam pousado. De repente, tudo se tornou caos, luz e barulho. Vozes que falavam inglês gritavam:

— NO CHÃO! ABAIXEM!

Dimitri soltou um gemido. Parecia uma criança aterrorizada. Então, de repente, alguém o segurou por baixo dos braços e o arrastou para o centro de controle.

— Você está bem. — A voz de Apollo soou firme e calma. Dimitri se agarrou ao grego como se ele como fosse um bote salva-vidas.

— Eles vão matar a gente! — gritou o garoto.

— Não, não vão. Nos é que vamos acabar com eles.

Dimitri observou Apollo arrancar o pino de uma granada de mão com os dentes e jogá-la por cima da cabeça, na direção dos homens que haviam acabado de matar seus amigos. Os soldados americanos voaram pelos ares, suas pernas arrancadas na explosão.

— Pegue essa aqui — disse Apollo, entregando uma granada a Dimitri. — Mire nos helicópteros.

DENTRO DA CABANA, Hunter Drexel se enfiou debaixo de uma mesa.

O barulho dos Chinooks era a coisa mais linda que ele já tinha ouvido na vida.

*Eles estão aqui! Eles me encontraram!*

Até o som dos tiros — o tão familiar *pop pop pop pop* de submetralhadoras que o fazia recordar o Iraque e a Síria — parecia música para seus ouvidos, uma canção de ninar, como a voz de sua mãe.

*Bum!* A porta da cabana fez mais do que se abrir, ela explodiu, e estilhaços de madeira voaram para todos os lados. Em questão de segundos, o quarto estava tomado por fumaça, o que deixou Drexel desorientado. Seus ouvidos zumbiam e os olhos ardiam. Ele escutou vozes, gritos, mas tudo abafado, como se ele estivesse submerso. Esperou alguém entrar, um soldado, ou até um dos sequestradores, mas ninguém chegou. Rastejando, Hunter começou a tatear na direção de onde antes ficava a porta.

Do lado de fora, ele logo se reorientou. Estrelas acima. Neve embaixo. Os americanos — presumia ele — estavam, em sua maioria, à frente, mais à direita, de frente para o acampamento. À sua esquerda, o que restava do Grupo 99 se entrincheirava nas estruturas de concreto e revidava o fogo. Balas reluziam na escuridão como vaga-lumes. De vez em quando, uma luz estroboscópica ou uma labareda iluminava toda a área. Nesses momentos, dava para ver homens correndo. Hunter observou três soldados americanos serem alvejados a poucos metros. Estava claro que seus sequestradores não iriam se render sem lutar.

Um choramingo que lembrava o de um animal ferido o fez virar-se para a esquerda.

— Me ajude!

Arrastando-se na direção da voz, Hunter encontrou o garoto inglês de codinome Perseu estatelado na neve. Hunter tinha um apreço especial por Perseu, com suas pernas magrelas, seu sotaque dos bairros pobres de Londres e seus óculos fundo de garrafa. Hunter o apelidara de Nerdeu. Eles costumavam jogar pôquer. Era um bom garoto.

Mas ali estava ele, desamparado no chão frio, os olhos arregalados, em estado de choque. Havia uma mancha vermelho-escura em volta dele. Hunter baixou o olhar e viu que Perseu havia perdido as pernas.

— Eu vou morrer? — perguntou ele, aos soluços.

— Não — mentiu Hunter, deitando-se a seu lado.

— Não consigo sentir minhas pernas.

— É o frio. E o choque. Você vai ficar bem.

Os olhos de Perseu abriram e fecharam. Não demoraria muito.

— Desculpe — sussurrou. — Eu nunca quis que tudo isso... acontecesse.

— Eu sei. Não é culpa sua. Qual é o seu nome? Digo, seu nome verdadeiro.

O garoto não parava de bater os dentes.

— J-James.

— De que bairro de Londres você é, James?

— Hackney.

— Hackney. Ok. — Hunter passou a mão pelo cabelo do garoto. — E como é lá em Hackney?

Os olhos do garoto se fecharam.

— Você tem irmãos, James? James?

Ele soltou um suspiro longo e entrecortado, então ficou imóvel.

Hunter sentiu os olhos ficarem marejados e o corpo se encher de raiva.

Raiva, não. Ira.

James era seu amigo. E era só uma porra de um garoto.

— *NÃO!*

Ele começou a gritar, liberando todo o medo reprimido que se acumulara nos últimos dias em um uivo selvagem e animal causado pela fúria e pela perda. Naquele momento, Hunter não ligaria se morresse. Nem um pouco. Ele acariciou com ternura a testa fria de James, levantou-se e correu em direção à luz dos Chinooks.

Foi então que aconteceu.

Um dos helicópteros explodiu, e uma bola de fogo ascendeu dezenas de metros rumo ao céu, como se fosse um cometa. Hunter observou a cena em estado de choque, então se deu conta de que os americanos poderiam perder a batalha. Aquele não era o resgate limpo que eles pretendiam efetuar. Tudo estava dando errado. Soldados estavam morrendo. Os integrantes do Grupo 99 estavam revidando, lutando pela própria vida.

Hunter continuou correndo, porque, na verdade, o que mais ele poderia fazer? Iria correr até que algo o parasse.

Até que algo explodisse suas pernas, como as de James, ou que um tiro acertasse seus miolos, como acontecera com Bob Daley, ou até que ele se visse livre para escrever a verdade do que havia acontecido naquela noite. A verdade sobre tudo.

As luzes se intensificaram. Ficaram ofuscantes. Hunter achava que já havia passado do centro de controle do Grupo 99, mas já não tinha mais certeza. Foi então que, bem próximo a ele, um segundo Chinook rugiu e ganhou vida, as hélices girando a toda velocidade. Um a um, ele viu homens camuflados saltarem para dentro do helicóptero, que pairava a centímetros do chão. Alguns tiros passaram zunindo sobre sua cabeça. Então, logo à frente, a mão de alguém se estendeu em meio à carnificina.

— Entre!

O soldado americano havia se inclinado para fora do Chinook e oferecia a mão a Hunter. Ele era mais jovem do que o jornalista, mas se mostrava confiante. Aquilo era uma ordem, não um pedido.

Paralisado de medo, Hunter hesitou.

Ele pensou no enredo que levara a seu sequestro.

Pensou na verdade, na verdade intragável, que tanta gente queria suprimir.

Será que um dia ele seria capaz de contar essa história se entrasse no helicóptero? Será que um dia ele seria capaz de completar sua missão?

Hunter olhou para trás. Dezenas de corpos espalhados pelos restos carbonizados do acampamento que fora seu mundo durante os últimos meses. Tudo havia acontecido em questão de minutos. Bandidos, mocinhos e garotos inocentes abatidos como gado. Inclusive o pobre Bob Daley.

E ali estava um jovem e confiante americano, estendendo a mão a Hunter, oferecendo-lhe uma saída. Era tudo por que ele vinha rezando.

*Entre!*

Hunter Drexel encarou seu salvador com um olhar de gratidão.

Então deu meia-volta e correu rumo à escuridão da noite.

# Capítulo 4

— Como assim "ele saiu correndo"?

Incrédulo, o presidente Jim Havers afastou o telefone do ouvido.

— Ele saiu correndo, senhor — repetiu o general Teddy MacNamee. — Drexel se recusou a entrar no helicóptero.

Fez-se um longo silêncio.

— Porra! — xingou o presidente.

— Como assim "ele saiu correndo"?

Esgotada, a primeira-ministra britânica coçou os olhos.

— Não conheço muitas outras formas de explicar, Julia — retrucou o presidente dos Estados Unidos. — Ele não entrou no helicóptero. Fugiu para a porra da floresta. Estamos *fodidos*.

*Quer dizer, você está fodido, Jim*, pensou Julia Cabot.

Sua cabeça estava a mil enquanto ela tentava descobrir a melhor maneira de lidar com aquilo.

— Já falei com o presidente da Bratislava por telefone, e ele estava possesso, berrando no meu ouvido — esbravejou o presidente Havers. — O secretário-geral das Nações Unidas pediu que eu faça uma declaração urgente.

— E o que você disse a ele?

— Nada, ainda.

— E o que vai dizer?

— Que Drexel não estava lá, que já havia sido levado. Mas que os nossos soldados conseguiram matar um monte de terroristas.

— Bom.

— Posso contar com o seu apoio?

— Claro, Jim. Sempre.

O presidente Havers suspirou.

— Obrigado, Julia. Precisamos organizar uma reunião conjunta dos serviços de inteligência para definir o que fazer a partir de agora.

— De acordo.

— Em quanto tempo seus homens conseguem chegar a Washington?

— Eu acho que, diante dessas circunstâncias, Jim, faz mais sentido os *seus* homens virem a Londres. Não acha?

Julia Cabot sorriu. Era boa a sensação de ter controle sobre os americanos pelo menos uma vez. Naquele momento, ela era a única aliada de Jim Havers no mundo inteiro, e ele sabia disso. Julia precisava valorizar ao máximo todas as suas cartadas.

— Vou ver o que posso fazer — disse Jim Havers, de forma ríspida.

— Ótimo. — Julia Cabot desligou.

* * *

EXATAMENTE UMA SEMANA depois, quatro homens se sentavam ao redor de uma mesa no Palácio de Whitehall, encarando uns aos outros com muita cautela.

— Que bom que vocês vieram, senhores. — Jamie MacIntosh subiu as mangas da camisa, se inclinou para a frente e sorriu amigavelmente para suas contrapartes americanas. — Sei que vocês dois devem ter tido uma semana difícil.

— Difícil é pouco. — Greg Walton, comandante da CIA, parecia exausto. Ressentira-se do fato de ter de ir a Londres, ainda mais no momento em que o Congresso americano vinha estraçalhando sua amada agência. Mas ele se esforçou para ser educado, ao contrário de seu colega de FBI, Milton Buck.

— Espero que vocês tenham algo importante para acrescentar a esta operação — resmungou Buck virando para Jamie MacIntosh. — Porque, francamente, não temos tempo a perder para ficar ensinando tudo a vocês, britânicos.

Ao lado de Jamie MacIntosh, Frank Dorrien enrijeceu.

— Bom, concordo — disse ele em tom de ironia. — Depois da confusão que vocês criaram no que deveria ter sido uma missão de resgate perfeitamente simples, baseada na *nossa* informação precisa, creio eu que vocês queiram passar o maior tempo possível treinando seus próprios homens. Deus sabe que eles precisam muito.

Milton Buck parecia a ponto de dar um soco no general de divisão.

— Está bem, chega. — Jamie MacIntosh encarou Frank Dorrien. — Ninguém aqui tem tempo para ficar se vangloriando de nada. Vamos deixar isso para os políticos. Esta reunião é para unirmos recursos e compartilharmos informações sobre o Grupo 99, e é isso que vamos fazer. Podemos começar?

Greg Walton se recostou na cadeira.

— Ótimo. O que vocês sabem?

— Para início de conversa, temos o nome do assassino do capitão Daley.

Walton e Buck se entreolharam em estado de choque.

— Sério?

Frank Dorrien empurrou uma pasta para o outro lado da mesa.

No canto esquerdo superior havia a foto de um homem bonito, moreno, com maxilar proeminente, longo nariz aquilino e um olhar semicerrado e suspeito. Ele aparentava ser negligente, mas, ao mesmo tempo, atento como uma ave de rapina.

— Alexis Argyros — anunciou Jamie MacIntosh. — Codinome Apollo. Um dos membros fundadores do Grupo 99 e um sujeitinho bem detestável. Cresceu em um orfanato em Atenas e é bem possível que tenha sofrido abusos. Largou os estudos no ensino médio, mas é um gênio operando um computador e é obcecado pelos jogos violentos de quando era adolescente. Odeia mulheres. É sádico. Narcisista. Tudo isso foi extraído dos relatórios dos assistentes sociais que tiveram contato com ele.

— Algum antecedente criminal? — perguntou Greg Walton.

— Ah, sim. Pequenos roubos, casos de vandalismo, incêndios criminosos. Dois anos de detenção por estupro quando ainda era menor de idade. E foi apontado como suspeito em um caso hediondo de crueldade com animais em que uma gata e os filhotes foram queimados vivos.

— Estupro só dá dois anos de cadeia na Grécia? — perguntou Greg Walton.

— Eles não têm dinheiro para manter as prisões — respondeu MacIntosh. — Não desde o início das políticas de austeridade. De qualquer forma, achamos que foi Argyros quem puxou o gatilho no vídeo em que Daley é executado. Ele comandava o acampamento que vocês invadiram e tem cada vez mais destaque dentro do Grupo 99. Há meses vem batalhando com os membros mais moderados da organização para tentar convencer o grupo a usar métodos mais violentos. Ele apela para os homens jovens e insatisfeitos com a liderança do grupo do mesmo jeito que os grupos jihadistas treinaram garotos ocidentais desde que começou a guerra da Síria. Argyros oferece a esses garotos uma causa e um sentido de pertencimento, empacota tudo num lindo embrulho de justiça social...

— E então mata pessoas — interrompeu Greg Walton.

— Exatamente. Nosso medo é de que a morte do capitão Daley marque o início de uma nova era de terrorismo global. Foi uma grande pena vocês não terem conseguido matar Argyros quando tiveram a chance.

— E como sabem que não o matamos? — perguntou Greg Walton.

Dessa vez foi Frank Dorrien quem respondeu.

— Nós interceptamos um tráfego de dados on-line entre Apollo e um contato desconhecido nos Estados Unidos. Alexis Argyros está são e salvo, e à procura de Drexel, assim como nós. Não se enganem. O Grupo 99 quer Hunter Drexel morto.

— E como vocês sabem disso tudo? — perguntou Milton Buck com acidez, em um tom exigente. Atarracado, bonito, dono de um cabelo castanho-escuro e do que devia ter sido um rosto atraente, Buck era um homem de meia-idade que escondia quaisquer encantos que porventura tivesse sob uma grossa camada de arrogância.

— Nossos métodos não são da conta de vocês — rebateu Frank Dorrien. — Estamos aqui para compartilhar informações, não para dizer como chegamos a elas. Agora, o que *vocês* têm para *nós*?

Milton Buck olhou para Greg Walton, que assentiu com a cabeça. Buck colocou um antigo ditafone em cima da mesa.

— Enquanto vocês tentavam pescar o peixinho, nós estávamos indo atrás do tubarão — zombou Milton Buck.

Jamie MacIntosh suspirou. Estava começando a ficar irritado com a postura do agente do FBI.

— O homem de vocês, Apollo, pode ter puxado o gatilho, mas estava obedecendo a ordens de superiores — prosseguiu Buck.

Ele apertou o play. Uma voz feminina tomou a sala. Tinha sotaque americano, era educada e suave. A gravação era excelente, parecia que a mulher estava sentada ali com eles.

— *Tudo pronto?*

— *Tudo* — respondeu uma voz masculina. — *Tudo conforme as suas instruções.*

— *E eu vou assistir por streaming, certo?*

— *Certo. Você vai estar lá com a gente. Não se preocupe.*

— *Que bom.* — Dava para perceber que a mulher estava sorrindo. — *Faça-o ler a mensagem antes.*

— *Claro. Como a gente combinou.*

— *E, precisamente às nove da noite no fuso de Nova York, você vai atirar na cabeça dele.*

— *Sim, Althea.*

Milton Buck apertou o STOP e abriu um sorriso presunçoso.

— *Isso*, senhores, foi a autorização para a execução do capitão Daley. A mulher na gravação, de codinome Althea, é o verdadeiro cérebro por trás do Grupo 99. Estamos seguindo o rastro dela há um ano e meio.

— Nós já sabíamos sobre Althea — desdenhou MacIntosh, o que deixou Buck visivelmente irritado.

— Mas não sabiam que ela havia ordenado diretamente o assassinato de Daley, sabiam? — rebateu Greg Walton.

— Não — admitiu Jamie. — O que mais vocês têm sobre ela? Conseguiram a identidade?

— Ainda não — foi a vez de Greg Walton admitir, um pouco sem jeito.

— Vocês estão seguindo o rastro dessa pessoa há 18 meses e ainda não sabem quem ela é? — perguntou Frank Dorrien, incrédulo. — O que vocês *de fato* sabem?

— Que ela reúne fundos para o Grupo 99 através de uma rede complicada de contas no exterior que conseguimos mapear amplamente — retorquiu Milton Buck.

— Temos algumas informações físicas ainda não confirmadas — acrescentou Greg Walton em tom mais calmo. — Relatos de testemunhas em vários bancos e hotéis que ela tem frequentado sugerem que ela é alta, bonita e tem cabelo castanho-escuro.

— Bom, isso, sim, restringe as coisas — murmurou Frank Dorrien em tom sarcástico.

Milton Buck parecia prestes a sofrer uma combustão espontânea.

— Sabemos que ela orquestrou o ataque aos sistemas da CIA e o apagão dos servidores da bolsa de valores em Wall Street há dois anos — comentou ele em tom ríspido. — Sabemos que ela organizou pessoalmente o sequestro e o assassinato de um de seus homens, general Dorrien. No fim das contas, eu diria que sabemos muito mais que vocês.

— Há quanto tempo vocês conseguiram essa gravação? — perguntou Jamie MacIntosh.

Greg Walton lançou um olhar de advertência a Milton Buck, mas já era tarde demais.

— Há três semanas — respondeu Buck, com ar presunçoso. — Mostrei a gravação ao presidente um dia após o assassinato de Daley.

Um músculo na mandíbula de Jamie se contraiu.

— Três semanas, e ninguém pensou em compartilhar conosco essa informação antes?

— Estamos compartilhando agora — respondeu Greg Walton.

Frank Dorrien deu um soco forte na mesa. Todos os copos d'água tremeram.

— Isso não está bom o suficiente, porra! — urrou ele. — Daley era um dos nossos. Com aliados como vocês, quem precisa de inimigos?

— Frank. — Jamie MacIntosh segurou o braço do velho soldado, mas Dorrien o afastou com raiva.

— Não, Jamie. Isso é uma farsa! Nós estamos aqui, dando uma informação valiosa, detalhada, fornecendo a localização *exata* do refém deles, tudo mastigadinho. E enquanto isso eles ocultam informações vitais sobre o assassino de Bob Daley? Isso é inaceitável.

Buck se inclinou para a frente de um modo agressivo.

— E quem é você para nos dizer o que é aceitável, general? Já lhe ocorreu que talvez não confiássemos no que os britânicos fariam com a informação? Afinal, nos últimos tempos, os homens de vocês não param de morrer.

— Como é?

— Pense. Primeiro um membro da realeza grega morre sob sua responsabilidade, general — continuou Buck em tom acusatório. — Um garoto que por acaso é amigo pessoal do capitão Daley. Então, dias depois, o próprio Daley é assassinado, e vamos dizer apenas que, pelo menos até o momento, isso não é do feitio do Grupo 99. Bom, talvez vocês digam que não existe ligação alguma entre os dois eventos...

— É claro que não existe ligação! — rebateu Frank Dorrien. — O príncipe Achileas cometeu suicídio.

Milton Buck ergueu uma sobrancelha.

— Suicídio? Porque a outra possibilidade é que o Grupo 99 tenha alguém infiltrado entre os militares britânicos. Talvez alguém em Sandhurst, ou no alto escalão do Ministério da Defesa, que também foi alvo de um ataque do Grupo 99, caso não se recordem.

— Assim como a CIA foi! — vociferou Dorrien. — O príncipe Achileas era gay. Ele se enforcou por vergonha, seu cretino.

— Do que foi que você me chamou? — Buck se levantou.

— BASTA. — Greg Walton finalmente perdeu as estribeiras. — Sente-se, Milton. AGORA.

Greg era o mais velho entre eles. Não havia feito um longo voo para assistir ao seu colega do FBI se atracar com o general Dorrien como se fossem dois cachorros raivosos.

Além disso, Greg Walton havia ficado irritado com o tom de Dorrien ao se referir ao príncipe grego. Greg também era homossexual e considerou desagradável e perturbadora a falta de compaixão do general pelo rapaz morto.

— No que diz respeito às informações compartilhadas, o que aconteceu no passado ficou no passado — disse ele, olhando de Buck para Dorrien, e de volta para Buck. — De agora em diante, temos ordens diretas da Casa Branca e de Downing Street para cooperar totalmentc, e é isso que vamos fazer. Isto é uma operação conjunta. Então, se algum de vocês tem qualquer problema com isso, sugiro que supere. Agora.

Frank Dorrien olhou para Jamie MacIntosh em busca de apoio, mas não encontrou nenhum. Lançou um último olhar de repugnância na direção de Milton Buck e se sentou novamente na cadeira, carrancudo, porém submisso. Buck fez a mesma coisa.

— Que bom. Agora nós temos outra informação importante para compartilhar — prosseguiu Greg Walton. — Algum de vocês já ouviu falar de uma tal Tracy Whitney?

Frank Dorrien notou que Milton Buck ficou tenso ao simplesmente ouvir o nome.

— Nunca ouvi falar dela — respondeu ele.

— Tracy Whitney, a vigarista? — perguntou Jamie MacIntosh, fechando a cara.

— Vigarista, ladra de joias, gênio da informática, gatuna — enumerou Greg Walton. — O currículo da Srta. Whitney é extenso e diversificado.

— Esse é um nome que eu não escuto faz muito tempo. Pensamos que ela havia morrido — comentou Jamie.

Ele explicou para Frank Dorrien que, juntamente com seu parceiro — Jeff Stevens —, Tracy Whitney tinha sido suspeita de cometer uma série de crimes ousados pela Europa na década anterior, roubando milhões de dólares em joias e obras de arte de ricos corruptos, e até levando do Prado, em Madri, um quadro de um grande mestre. No entanto, nem a Interpol, a CIA ou o MI5 — serviço secreto britânico — haviam conseguido provar sua culpa em um caso sequer.

— Eu fico apreensivo só de pensar nos recursos humanos e financeiros que jogamos no lixo tentando ser mais espertos do que essa mulher. — Jamie parecia quase nostálgico. — Mas, então, da noite para o dia, ela desapareceu, e a coisa acabou por aí. Jeff Stevens ainda perambula por Londres, até onde eu sei, mas ao que parece se aposentou. — Jamie se voltou para Greg Walton. — Estou perplexo. Não faço ideia da relação de Tracy Whitney com tudo isso.

— Também estamos — admitiu Greg. — No dia seguinte ao fracasso da incursão na Bratislava, recebemos uma mensagem criptografada no quartel-general, em Langley. Era de Althea, e ela fazia referência a Tracy Whitney.

— Foi mais do que uma referência — acrescentou Milton Buck. — As duas claramente se conheciam.

— E o que dizia a mensagem? — perguntou Jamie MacIntosh.

— Era basicamente uma provocação — respondeu Walton. — "Vocês nunca vão me pegar. Vou passar a perna em vocês, como Tracy Whitney fez. Aposto que ela conseguiria me encontrar. Por que não mandam o agente Buck convocá-la..." Enfim, foi por aí. Ficou nítido que ela conhecia Tracy, mas a coisa ia além. Ela sabia do histórico da agência com Tracy. Sabia que o agente Buck havia feito acordos com ela.

Greg Walton informou brevemente suas contrapartes britânicas sobre a operação realizada anos antes para rastrear e capturar o Assassino da Bíblia. Contou que Tracy e Jeff Stevens haviam reaparecido na época e que ela formara uma aliança incômoda com a Interpol e o FBI para levar Daniel Cooper ao tribunal.

— O agente Buck aqui dirigiu a operação. Foi bem-sucedida, mas seria correto dizer que a relação entre Milton e

Tracy foi... — ele procurou a palavra correta — tempestuosa. E Althea sabe disso.

— Compreendo — disse Frank Dorrien, com ar de malícia. — Então, talvez *vocês* tenham um informante do Grupo 99 infiltrado.

O comentário era direcionado a Milton Buck, mas foi Greg Walton quem respondeu.

— Tudo é possível, general. Atualmente, não estamos descartando nenhuma hipótese.

— Vocês já entraram em contato com a Srta. Whitney? — perguntou Jamie MacIntosh. — Digamos que estou curioso para saber o que ela tem a dizer sobre tudo isso.

— Ainda não — respondeu Walton. — Queremos abordar o assunto cara a cara. Tracy tem o hábito de desaparecer quando fica assustada. Se ela souber de antemão a respeito de Althea, pode simplesmente fugir.

— Estaríamos com ela agora mesmo se, em vez disso, não tivessem nos pressionado a vir aqui para esse encontro — acrescentou Milton Buck, sem a menor delicadeza. — Estamos desperdiçando um tempo valioso.

— Sabe, Tracy costumava ter um complexo de Robin Hood — disse Jamie, ignorando o escárnio. — Ela e Jeff só roubavam de gente que merecia, segundo o ponto de vista deles. E ela era um gênio da informática. Acho que as transações bancárias internacionais eram seu ponto forte. Eu não ficaria nada surpreso se descobrisse que ela e Jeff estão envolvidos com o Grupo 99.

— Disso eu duvido — comentou Greg Walton. — Não posso falar por Jeff Stevens, mas Tracy Whitney mudou. Da última vez, ela nos prestou uma ajuda inestimável. Acho que podemos confiar nela.

Frank Dorrien fez uma carranca, mas permaneceu quieto. Não gostava nem um pouco do que estava ouvindo sobre Tracy Whitney. A mulher era uma ladra, uma mentirosa profissional. Dificilmente seria o tipo de pessoa de quem eles precisariam na equipe.

— Acho que o Grupo 99 não é o elo. Meu palpite é que as duas se conhecem há bem mais tempo — continuou Greg Walton. — Althea pode ter conhecido Tracy na prisão. Ou através de Jeff Stevens. Talvez Althea tenha sido amante de Jeff, ou uma vigarista rival, ou até um alvo de Tracy e Jeff na época em que estavam no auge. Afinal, sabemos que ela é rica. Existe um milhão de possibilidades. Esperamos que, quando falarmos com Tracy pessoalmente, ela esclareça a situação.

— Algo mais que precisemos saber a esta altura? — perguntou Jamie, sugerindo, pelo tom de voz, que a reunião fosse encerrada.

— Acho que não. — Greg Walton se levantou para sair. — Nada de concreto. Encontrar Hunter Drexel e levá-lo para casa a salvo continua sendo o foco oficial da operação. Mas a identificação de Althea é nossa missão estratégica mais importante. Torcemos para que a Srta. Whitney possa nos ajudar nesse ponto. É claro que também seria bom colocarmos a cabeça desse cara, Argyros, numa bandeja. Talvez vocês possam assumir o comando dessa parte.

Jamie MacIntosh fez que sim.

Os dois americanos caminharam em direção à porta.

— Uma última coisa, Sr. Walton — disse Frank Dorrien às suas costas.

— Diga.

— É sobre Hunter Drexel. Por que acham que ele se recusou a aceitar o resgate? Por que ele saiu correndo?

Greg Walton e Milton Buck se entreolharam brevemente. Então, com uma expressão séria, Walton respondeu:

— Não faço ideia, general, mas, pode acreditar que, quando pusermos as mãos nele, essa vai ser nossa primeira pergunta.

QUARENTA MINUTOS DEPOIS, Jamie MacIntosh recebeu uma ligação da primeira-ministra.

— Consegue trabalhar com eles? — perguntou Julia Cabot, assim que Jamie lhe deu as informações obtidas no encontro com os americanos.

— Claro, primeira-ministra. Frank não se deu muito bem com o colega do FBI. Mas eles forneceram algumas informações bastante úteis.

— Confia neles?

Jamie MacIntosh deu uma gargalhada.

— Quer saber se confio neles? Que ideia bizarra! É claro que não confio neles.

Julia Cabot abriu um sorriso.

— Que bom. Só queria saber.

— Eles estão mentindo descaradamente sobre Drexel.

— Acha que eles sabem por que Drexel saiu correndo?

— Acho que sim e acredito que farão de tudo para evitar que *a gente* saiba o motivo. Eu adoraria encontrar o Sr. Drexel antes deles e descobrir o que estão escondendo.

— Bom, então vamos ter que fazer isso acontecer, certo?

* * *

— CONSEGUE TRABALHAR com eles? — perguntou o presidente Havers, com a voz esgotada.

— Sim, senhor — respondeu Greg Walton. — O agente Buck se estranhou com um deles. Mas a reunião foi boa. MacIntosh é um sujeito sensato.

— Vá com muito cuidado, Greg — advertiu o presidente. — Há lugares em que o MI6 pode fuçar e outros onde não é bem-vindo.

— Claro, senhor. Entendido. Vamos mantê-los sob controle.

— E quanto a Tracy Whitney?

— Vamos mantê-la sob controle também.

— Que bom. Certifique-se disso. Boa noite, Greg.

— Boa noite, senhor.

O GENERAL DE divisão Frank Dorrien estava em sua sala de estar, assistindo ao presidente Havers pela TV.

Sentado à mesa do Salão Oval, a bandeira americana às costas, o cabelo grisalho penteado para trás e usando um terno escuro caro com gravata de seda, Havers parecia o que de fato era: o homem mais poderoso do mundo.

— Uma semana atrás, os Estados Unidos lançaram um ataque ao núcleo de um grupo terrorista que pretendia destruir o modo como nossa sociedade se organiza. O Grupo 99 já assassinou brutalmente um refém britânico, o capitão Robert Daley. Tínhamos motivos para crer que o segundo refém, o jornalista americano Hunter Drexel, estava prestes a ter o mesmo destino. Também contávamos com informações indicando que o Sr. Drexel estava sob cativeiro no mesmo acampamento na Bratislava onde o capitão Daley foi morto.

"Com base nessa informação, realizamos uma operação secreta e cuidadosamente planejada. E, sim, a operação envolveu uma rápida entrada de tropas americanas em território bratislavo. Os Estados Unidos não se desculpam por essa ação. Embora, ao que parece, os sequestradores tenham transferido o Sr. Drexel para outra localização após a morte do capitão Daley, constatamos que os dois homens *estavam* sob cativeiro no território da Bratislava, contrariando as declarações do país, que afirmava não abrigar terroristas. Além de tudo, a missão não foi em vão. Muitos terroristas foram mortos, os mesmos indivíduos responsáveis pelo assassinato brutal do capitão Daley. Infelizmente, seis soldados americanos também perderam suas vidas.

"Não se deixem enganar. Os Estados Unidos continuam comprometidos com a luta contra os terroristas que ameaçam nossos cidadãos e nossa segurança, *onde quer que se encontrem* e sejam quais forem as motivações ou justificativas alegadas para suas ações. Pode haver quem nos critique por isso, mas essa sempre foi e continua sendo a política deste governo. O Grupo 99 não é inofensivo. Seus integrantes não estão lutando por liberdade ou para defender os pobres. Eles estão espalhando o terror.

"Continuamos com a certeza de que, trabalhando com nossos aliados britânicos, localizaremos o Sr. Drexel em breve. E, nesse meio-tempo, é bom que os sequestradores saibam: vocês não vão conseguir fugir. Não vão conseguir se esconder. Vamos encontrar e destruir vocês."

Frank Dorrien fez uma careta e desligou a TV. Havers era tão desonesto que fazia os dentes do general doerem. Claro que a maioria dos políticos era assim. Mas os americanos eram mentirosos espetacularmente *brilhantes*. Virtuoses da insinceridade. Mestres da deturpação.

Como ele os detestava!

Frank voltou seus pensamentos para Hunter Drexel, o homem por quem todas aquelas mentiras estavam sendo contadas. Os Estados Unidos haviam se arriscado a sofrer um isolamento diplomático quase total por um homem que não só fugiu correndo dos soldados enviados para resgatá-lo como, segundo todos os relatos, não passava de um típico jornalista, cheio de si, interessado apenas em produzir suas matérias, e só era leal a si mesmo. Jogador e mulherengo inveterado, Hunter Drexel havia partido para Moscou deixando como rastro uma série de corações partidos, editores irritados e dívidas com credores. Homens como ele não mereciam resgate. Não mereciam que homens corajosos, honestos e leais se arriscassem para salvá-lo.

Para o general Frank Dorrien, a lealdade era fundamental. Ele era leal à família, à religião (fora criado nos rituais da Igreja Anglicana e se considerava um conservador com C maiúsculo), ao seu país. Mas, acima de tudo, Frank Dorrien acreditava na lealdade ao Exército britânico.

Frank morreria com prazer pelo Exército britânico.

E também mataria por ele.

No mundo de Frank Dorrien, as pessoas fazem o que têm de fazer. Cumprem seu *dever*, seja como for. Nos últimos tempos, o dever levara Frank a seguir direções inesperadas. Ele fora forçado a tomar decisões difíceis e desagradáveis. Mas nem uma vez sequer ele questionou suas ações ou julgou seus superiores. Não era assim que um soldado agia.

O Exército era a vida de Frank Dorrien. Ele tinha esposa, claro, Cynthia, a quem amava. E sua ópera, e suas rosas, e o coro da igreja, e os livros sobre história bizantina. Mas tudo isso eram frutos da árvore. O Exército *era* a árvore. Sem ele, a existência de Frank não passaria de uma sequência de dias sem sentido, ordem, disciplina ou objetivo.

Qual era o objetivo de homens como Hunter Drexel? Ou de libertinos como os integrantes do Grupo 99, que já eram comunistas repugnantes mesmo antes de começarem a massacrar pessoas? Ou de mulheres como Tracy Whitney, uma ladra vigarista que, por algum motivo inexplicável, Jamie MacIntosh parecia admirar?

Não pela primeira vez, Frank Dorrien se viu pensando no mundo desregrado em que se via trabalhando. *Inteligência.* Nunca uma atividade recebera um nome tão incoerente.

Mesmo assim, o dever o chamava.

— Quer uma xícara de chá, Frank? — perguntou Cynthia Dorrien da cozinha. Sua voz normal e sã o reanimou.

— Adoraria, querida — respondeu ele em voz alta.

Um dia, tudo isso teria fim.

Um dia, todos eles poderiam voltar ao normal.

PROTEGIDA DO VENTO gélido de Nova York por um casaco de pele mink que lhe cobria o corpo inteiro e um chapéu combinando com o visual — e usando brincos de diamante da Tiffany que reluziam como estalactites no ofuscante sol de inverno —, Althea passava a mão coberta por uma luva preta na lápide, deslizando carinhosamente um dedo pela inscrição de apenas uma palavra.

*Daniel.*

— Ele está morto, meu querido — sussurrou Althea. — Bob Daley está morto. Pegamos ele.

Tinha sido prazeroso assistir ao crânio do inglês explodir pela tela do computador. Mas isso não deu a Althea a sensação de encerramento que havia esperado. Ela foi à sepultura de Daniel na esperança de que isso lhe desse alguma paz.

Mas não funcionou.

*Talvez porque ele não esteja aqui de verdade.*

A placa simples de mármore era apenas um memorial. Não havia nada sete palmos abaixo da terra. Graças a eles, Althea jamais descobriria onde jazia seu amado Daniel, ou mesmo se ele havia sido enterrado. Roubaram-lhe esse consolo, assim como lhe roubaram todo o resto.

É por isso que eu não tenho a sensação de encerramento, constatou ela de repente. *O capitão Bob Daley foi só o começo.*

*Preciso destruir todos eles.*

*Assim como eles me destruíram.*

Althea se perguntou por que a CIA ainda não havia chamado Tracy Whitney.

Era fundamental que Tracy fizesse parte daquilo. Nesse ponto, sua mensagem tinha sido cristalina. Por que eles estavam esperando?

Se aquele idiota do Greg Walton não agisse depressa, ela se veria forçada a resolver tudo por conta própria. Sentindo o cortante vento gélido nas bochechas, Althea torceu para não ter de chegar a esse ponto.

Ela apertou o casaco em volta do corpo para se proteger melhor do frio, deu meia-volta e caminhou até a limusine que a esperava.

Era bom ser rica.

Mas ser poderosa era ainda melhor.

# Capítulo 5

TRACY WHITNEY VIA os flocos de neve caírem suavemente do lado de fora da janela enquanto costurava etiquetas de identificação no uniforme de futebol do filho. *Nicholas Schmidt, 9º ano.* Era o segundo uniforme que Tracy precisara comprar para ele desde o verão. Aos 14 anos, seu filho não parava de espichar.

*Agora ele já deve estar mais alto que Jeff*, pensou Tracy.

Nicholas conhecia Jeff Stevens como tio Jeff, comerciante internacional de antiguidades e velho amigo de sua mãe. O menino acreditava que seu pai verdadeiro se chamava Karl Schmidt, industrial alemão que tivera uma morte trágica em um acidente de esqui enquanto sua mãe ainda estava grávida. Foi essa a história que Tracy contou a ele e a todos em Steamboat Springs, cidadezinha no Colorado que era o lar da família fazia quase 15 anos. Mas era mentira. Karl Schmidt nunca existiu, nem nunca houve um acidente de esqui. Jeff Stevens era o pai de Nick. Era também um vigarista e um ladrão, um dos melhores do mundo, embora nunca tenha sido *tão* bom quanto Tracy.

Tracy deixou o calção de lado e começou a costurar a etiqueta na camisa de Nick. O azul-escuro do uniforme realçava a cor dos olhos do filho — de um tom de azul penetrante, assim como os de seu pai. Ele também herdara o porte atlético e o cabelo grosso e castanho-escuro, além daquela combinação irresistível de charme e masculinidade que Jeff usava para atrair mulheres do mesmo jeito que uma lâmpada atrai insetos. Tracy não via Jeff havia alguns anos — desde que salvou a vida dele ao resgatá-lo das mãos de um ex-agente psicótico chamado Daniel Cooper —, mas vivia pensando nele. Na verdade, pensava nele toda vez que Nicholas sorria.

O último encontro com Jeff Stevens deixara a vida de Tracy de pernas para o ar, uma volta breve e brutal à adrenalina e aos perigos de um mundo que ela pensava ter deixado no passado para sempre. Ao fim de tudo, ela fechou um acordo com o FBI para obter imunidade contra a promotoria e voltou para a paz de seu anonimato em Steamboat Springs. O tio Jeff os visitara uma vez e mantinha contato por cartões-postais enviados de várias partes do mundo. Também havia criado um fundo fiduciário para Nick de dezenas de milhões de dólares. *O que eu posso dizer?*, perguntou ele, ao escrever para Tracy. *Está havendo um boom no ramo das antiguidades. Para quem mais eu vou deixar o dinheiro?*

Jeff sabia que Blake Carter, o velho caubói que tocava o rancho de Tracy e que praticamente criara Nicholas, era um pai muito melhor, mais maduro e mais sensato do que ele jamais conseguiria ser. Assim como Tracy, Jeff queria que o filho tivesse uma vida estável e feliz. Então, fez o sacrifício supremo: afastou-se deles. Tracy o amava por isso, acima de tudo.

Às vezes, ela ficava triste ao lembrar que tudo o que Nick sabia a respeito dela e do próprio pai era mentira. *Meu próprio filho não conhece nada sobre mim.* Mas as palavras de Blake Carter a reconfortavam: "Ele sabe que você o ama, Tracy. No fim das contas, isso é tudo o que importa."

Por fim, ela terminou de costurar as etiquetas e dobrou o uniforme. Então, esticou o corpo, se serviu de um pouco de Bourbon e jogou outro pedaço de lenha na enorme lareira aberta que se destacava em sua ampla sala de estar. Observou as labaredas subirem, crepitando tão alto que o som mais parecia o barulho de um tiroteio. O ambiente foi tomado pelos odores reconfortantes de resina de pinheiro e fumaça de madeira, que se misturaram ao cheiro de canela que vinha da cozinha. Tracy suspirou alegremente.

*Eu amo este lugar.*

Com uma silhueta magra, cabelos castanhos na altura do ombro e olhos vívidos e inteligentes cujo tom de verde podia variar entre o musgo e o jade de acordo com seu humor, Tracy sempre fora encantadora. Já não era mais uma jovem, porém ainda assim exalava um apelo inebriante ao sexo oposto. Havia nela um quê de inalcançável, uma centelha de desafio e tentação naquele olhar impenetrável que transcendia a idade. Mesmo sem maquiagem e usando jeans, botas de couro de carneiro e um suéter de gola rulê, como estava naquele momento, Tracy Whitney era capaz de iluminar uma sala num piscar de olhos. Quem a conhecia bem, como Blake Carter, via algo mais — uma tristeza tão profunda quanto o oceano, mas também linda, à sua maneira. Era o legado da perda — a perda do amor, a perda das esperanças, a perda da liberdade. Tracy havia sobrevivido a tudo. Sobrevivido e triunfado. Mas essa tristeza ainda fazia parte dela.

Tracy tomou um gole da bebida escura, permitindo que o calor do líquido deslizasse pela garganta e chegasse ao peito. Ela não deveria estar bebendo — ainda eram quatro da tarde —, mas, depois de tanto costurar, ela merecia. Além do mais, a sensação era de que a noite já havia caído. Lá fora, o crepúsculo já dava lugar à escuridão, enquanto o céu azul-escuro desbotava aos poucos e enegrecia. No solo, formava-se uma camada alta e imaculada de neve, como o glacê de um bolo de casamento, perfurada apenas pelos abetos e pinheiros verde-escuros que estendiam seus braços folhados rumo ao céu. A casa chegava ao seu apogeu no inverno, quando as janelas que iam do chão ao teto exibiam aos moradores as Montanhas Rochosas, cobertas de neve, em todo o seu esplendor. Cunhado na Inglaterra durante o século XVIII para explicar o comportamento alheio do país a tudo o que ocorria na Europa continental, a expressão "isolamento esplêndido" poderia muito bem ter sido criada para aquele lugar. Era um dos principais motivos pelo quais Tracy o escolhera havia tantos anos.

Uma batida forte na porta interrompeu seus pensamentos.

Tracy sorriu.

*Lá se foi o isolamento.*

O rancho podia estar isolado, mas Steamboat Springs ainda era uma cidadezinha, e Tracy era a mãe de um de seus adolescentes mais problemáticos. Ela começou a pensar nas possibilidades enquanto caminhava até a porta.

*Será o orientador educacional?*

*O diretor da escola?*

*A mãe irritada de alguma líder de torcida do oitavo ano?*

*O delegado?*

*Ah, meu Deus, por favor, que não seja o delegado.* Blake ficaria muito irritado se Nick tivesse aplicado outro de seus golpes. Na última vez, ele reprogramou os computadores da biblioteca da escola de modo a mostrar que metade dos alunos das últimas séries do ensino fundamental deveria ter direito a abatimento na mensalidade. Equivocadamente, a escola havia devolvido mais de 2 mil dólares aos colegas de Nick antes de o chefe da biblioteca perceber o problema e chamar a polícia.

Daquela vez, o delegado Reeves pegara leve com Nick. No entanto, mais um problema, e o delegado daria uma punição exemplar a ele.

Tracy forçou seu sorriso mais gracioso e abriu a porta.

Uma corrente de ar gélido a atingiu. Ela sentiu um calafrio.

Havia dois homens na varanda. Ambos usando casacos compridos de caxemira, chapéus de feltro e lenços no pescoço. Não reconheceu um dos homens. O outro, infelizmente, ela sabia quem era.

— Olá, Tracy.

O agente do FBI Milton Buck esboçou um sorriso, mas andava tão destreinado que mais pareceu uma expressão maliciosa.

— Este aqui é meu colega, Sr. Gregory Walton, da CIA. — Buck apontou para o homem baixinho a seu lado, saltitando de um pé para o outro por causa do frio. — Podemos entrar?

Cinco minutos depois, Tracy e os dois agentes estavam parados, completamente sem jeito em volta da mesa da cozinha. Tracy lhes ofereceu uma xícara de café. Eles haviam tirado os casacos, e todos tinham trocado amenidades. Logo ficou claro que o homem mais baixo, que era da CIA, estava no comando.

— Obrigado por nos receber, Srta. Whitney.

De cara, Tracy gostou muito mais do agente Walton — careca, de fala mansa e meticulosamente educado — do que do agente Buck. Por outro lado, ela gostava mais até de lombrigas do que do agente Buck. Os dois tinham um histórico bem conturbado.

— Aqui eu me chamo Schmidt — corrigiu-o Tracy. — E eu não deixaria um homem morrer congelado na minha porta, Sr. Walton. Por mais que eu não quisesse ver esse aí — acrescentou, em tom mordaz, olhando diretamente para Milton Buck.

— Por favor, pode me chamar de Greg.

— Ok. — Tracy sorriu. — Greg. Vamos pular o papo furado. Por que estão aqui?

Walton abriu a boca para dizer algo, mas Tracy ainda não havia acabado.

— Eu recebi garantia incondicional do Bureau dizendo que, depois que eu ajudei a neutralizar Daniel Cooper e a prender Rebecca Mortimer há três anos, minha família e eu seríamos deixados em paz.

— Compreendo — comentou Greg Walton em tom tranquilizador. — E serão. Dou minha palavra.

— Ainda assim, aqui estão vocês, na minha cozinha. — Tracy arqueou uma sobrancelha e cruzou uma perna longa e torneada por cima da outra.

*Que mulher*, pensou Greg Walton. Não era a primeira vez que ele ficava aliviado por ser gay na presença de uma bela figura feminina.

— O assunto do qual precisamos tratar hoje aqui, Srta. Whitney, nada tem a ver com esse caso ou com o seu passado. É uma questão de segurança nacional.

Tracy pareceu confusa.

— Não entendi.

— Talvez, se escutasse, entenderia — retorquiu Milton Buck. Tracy percebeu que ele ainda era um homem bonito, de um jeito bruto, arrogante. E tão desagradável quanto ela se lembrava.

— O que o Sr. Walton está dizendo é que não estamos aqui para acusar você por roubo de joias e obras de arte.

— Imagino que não mesmo, porque nunca cometi nenhum.

— Estamos aqui para exigir que você cumpra seu dever para com seu país.

— Ah, é mesmo? — Tracy estreitou os olhos. Por ela, Milton Buck podia enfiar suas *exigências* bem lá onde o sol não bate. Três anos antes, o desgraçado teria abandonado Jeff à morte, preso a uma cruz pelo maníaco Daniel Cooper, nas colinas de Plovdiv, na Bulgária. Foram Tracy e seu amigo da Interpol, Jean Rizzo, que, sozinhos, salvaram Jeff e levaram Cooper à justiça. Embora, claro, o FBI tivesse recebido os louros, principalmente o agente Buck.

— Não é uma exigência — corrigiu Greg Walton, olhando com raiva para Buck. — É uma solicitação. Estamos aqui para requisitar, para pedir que nos ajude. Resumindo, Tracy, precisamos da sua ajuda.

Tracy esquadrinhou o rosto de Walton com desconfiança. Então, olhou para o relógio.

— Vou buscar meu filho às cinco e meia. Vocês têm minha atenção por uma hora, mas depois disso *precisam* ir embora.

Milton Buck parecia ultrajado. Ele abriu a boca para falar, mas Greg Walton o fitou com uma expressão carrancuda.

— Combinado, Srta. Whitney — concordou Walton. — Agora, deixe-me dizer por que estamos aqui.

Durante os quarenta minutos seguintes, Greg Walton falou sem parar para respirar. Tracy o escutou sentada, debruçada na mesa da cozinha, enquanto seu café amornava, depois esfriava. Assim como a maioria dos americanos, ela soubera da macabra execução do capitão Daley pelas mãos do Grupo 99, transmitida pela internet. Ela sabia da controversa incursão na Bratislava; sabia que, por mais que o governo tivesse tentado distorcer os fatos, ficara claro que a operação fracassara na tentativa de resgatar o jornalista americano Hunter Drexel.

O que Tracy não sabia era que, em vez de continuar em poder do Grupo 99 — conforme o presidente Havers dissera com todas as letras numa declaração em rede nacional —, na verdade Hunter Drexel estava foragido, por motivos desconhecidos. Ou que uma mulher de codinome Althea, que, ao que tudo indicava, era uma *cidadã americana* rica, não só comandava e financiava o Grupo 99, como também ordenara diretamente a morte de Daley.

— Uau! — exclamou Tracy, quando Walton terminou o relato. — Havers deve estar fora de si. Mentir assim, na cara de pau? E o que vai acontecer se, de repente, Drexel aparecer em algum lugar no melhor estilo Edward Snowden e convocar uma coletiva de imprensa?

— Seria extremamente lamentável — admitiu Greg Walton. — Mais lamentável, porém, seria uma escalada global de violência e assassinatos como o que testemunhamos com o capitão Daley. Sequestros, execuções, atentados a bomba.

Agora que eles cruzaram essa linha, tudo é possível. Não sabemos a extensão exata da rede do Grupo 99, mas sabemos que ela é enorme e não para de crescer, sobretudo em lugares onde a desigualdade econômica é mais nítida. Como na América do Sul, por exemplo.

— Bem aqui, do nosso lado — ponderou Tracy.

— Exatamente.

Tracy levou alguns instantes para processar tudo aquilo, então se voltou para Walton.

— Tudo isso é muito interessante. Mas ainda não vi onde entro.

Greg Walton se debruçou na mesa.

— Essa mulher, Althea, enviou uma mensagem criptografada para nós, em Langley, há pouco mais de uma semana. E ela mencionou o seu nome, Tracy.

— Meu nome? — perguntou Tracy, estupefata.

Walton assentiu.

— E o que ela disse?

— Que ela havia passado a perna em nós exatamente como você fez. Que só você seria capaz de desmascará-la. Que o agente Buck deveria lhe fazer uma visita. Ela quase fez tudo parecer um jogo, uma competição entre vocês duas.

Se a expressão de Greg Walton não parecesse tão séria, Tracy teria caído na gargalhada. *Isso só pode ser uma brincadeira,* não é?, pensou.

— Você faz ideia de quem seja essa mulher, Tracy?

Tracy balançou a cabeça.

— Não. Gostaria de dizer que sim, mas não faço ideia. Para mim, isso não faz o menor sentido.

— Escute isso.

Greg Walton passou a gravação que havia mostrado para Dorrien e MacIntosh, do MI6, alguns dias antes, na reunião de Londres. Era a gravação de Althea ordenando a execução de Bob Daley.

— Você já ouviu essa voz antes?

— Sinto muito — respondeu Tracy. — Não ouvi. Pelo menos, não que eu me lembre.

— Pense bem. Pode ser alguém do seu passado mais distante. Até da sua infância. Ou alguém da penitenciária em Louisiana.

Tracy se permitiu esboçar um sorriso. A voz na gravação era de uma pessoa educada, sofisticada. Ninguém na penitenciária soava nem remotamente parecido com aquilo.

— Será que você trabalhou com ela no banco da Filadélfia? — pressionou Walton. — Ou talvez seja alguém que você e Jeff tenham conhecido em Londres?

*Quer dizer, da época em que eu era ladra?*, pensou ela, terminando a frase de Walton. *Não. Acho que não.*

Ouvir Greg Walton — um homem que ela nunca havia visto na vida — mencionar lugares e pessoas do seu passado como se a conhecesse intimamente era, no mínimo, desconcertante. Mas Tracy manteve a compostura.

— Não — respondeu ela. — Eu me lembraria, com certeza.

— Bem, você conhece essa mulher. — Milton Buck perdeu a paciência. — Isso é fato. Então, se ela não é do seu passado, deve ser do seu presente. Que contato você já teve com o Grupo 99?

— *O quê?* — Tracy olhou para ele furioso.

Não havia palavras para expressar a repugnância que ela sentia por Milton Buck, um homem disposto a sacrificar qualquer coisa, ou qualquer um, em nome da própria carreira. Se Buck tivesse feito valer sua vontade, Jeff teria morrido nas mãos do desequilibrado Daniel Cooper. Tracy jamais o perdoaria por isso.

— Pense bem antes de responder, Srta. Whitney — advertiu Buck. — Se mentir para nós agora, qualquer acordo feito no passado se tornará nulo. Nulo e sem efeito.

— Eu não preciso pensar bem — rebateu Tracy. — Nunca tive qualquer contato com o Grupo 99.

— Hmmm. — Buck contraiu o lábio superior. — Mas você os admira, não é? — Ele parecia satisfeito ao irritar Tracy. — Toda aquela palhaçada subversiva e rebelde. É bem a sua cara.

— Eu já admirei o grupo — confirmou ela, em tom de desafio. — Antes da execução de Daley, eu estava impressionada com as técnicas que usavam. Por outro lado, muita gente também ficou admirada com eles. Quer dizer, não resta dúvida de que eles são inteligentes. Invadir os computadores em Langley é um feito.

— De fato — murmurou Greg Walton, amargamente.

— Eles enganaram governos, agências de inteligência e gigantes do petróleo — continuou Tracy. — Mas, fora a questão da indústria do fraturamento hidráulico, eu nunca concordei com os pontos de vista deles, agente Buck. E certamente não admiro terroristas ou assassinos.

— Então você não concorda com a ideia de redistribuir a riqueza do um por cento mais rico? — perguntou Milton Buck, em tom de ceticismo. — Em roubar os ricos para ajudar os pobres?

— Claro que não. Olhe ao seu redor, agente Buck. — Tracy gesticulou para os quadros caros pendurados nas paredes e para a cristaleira lotada de prataria na sala de jantar.

— Eu faço parte desse um por cento. Mas, pelo que você descreveu, isso também se aplica a essa mulher, Althea. — Ela se virou para Greg Walton. — Se ela é rica o suficiente para enviar milhões para o Grupo 99, por acaso também não faz parte do problema, aos olhos deles?

— No que diz respeito ao Grupo 99, muita coisa não faz sentido nesse momento — respondeu Walton. — Existem várias inconsistências. Com a ajuda dos britânicos, estamos montando uma imagem mais nítida dos novos objetivos do grupo, mas o que sabemos é que os dias de protestos pacíficos acabaram. Neste exato momento, temos um refém correndo risco iminente de vida.

— Eu sei — constatou Tracy, repreendida. — Hunter Drexel.

— E ele não vai ser o último. Achamos que Althea comanda toda a rede, Tracy. Precisamos da sua ajuda para encontrá-la. Volte conosco para Langley.

Tracy arregalou os olhos. Se a situação não fosse tão séria, teria caído na gargalhada.

— Vocês querem que *eu* vá para Langley? *Agora*?

— Não é questão de vontade, mas de necessidade — respondeu Greg Walton, em tom completamente sério. — Você é nossa maior esperança.

— Não — respondeu Tracy, automaticamente. — Não vou. Não posso. Eu tenho um filho...

Ela se levantou e caminhou até a janela. Já estava escuro. Ela só conseguia enxergar o próprio reflexo.

*Eu pareço uma dona de casa na própria cozinha.*

*Isto é ridículo. Eu* sou *uma dona de casa* e estou *na minha própria cozinha.*

Tracy se virou para os agentes e disse:

— Olhem, eu não conheço essa mulher. Essa é a mais pura verdade. Nós nunca nos conhecemos. Está claro que ela sabe quem eu sou. Mas isso não quer dizer que o contrário seja verdade.

Debruçando-se na mesa de um jeito que deixava transparecer sua urgência, Greg Walton falou:

— Mesmo que seja verdade, Tracy, mesmo que, no fim das contas, você *não* a conheça, você ainda pode nos ajudar.

— Não vejo como isso é possível.

— Você e Althea têm muito em comum.

— Como você chegou a essa conclusão? — perguntou ela, com a expressão fechada.

— Vocês duas são mulheres ricas e independentes, com formação em informática, que conseguiram passar despercebidas pelas autoridades em diversos países. Vocês duas jogam de acordo com as próprias regras, escondem suas identidades e ambas chegaram ao topo em ambientes que, tradicionalmente, são exclusivos de homens. E vocês são pessoas que se arriscam.

— Não mais — retrucou Tracy, firme. — Meus dias de imprudência ficaram no passado. Ela é uma terrorista, Sr. Walton.

— Greg.

— E eu sou uma dona de casa.

— Ela conhece você — insistiu ele. — E você poderia pelo menos nos ajudar a entender a estratégia, o modus operandi dela. Se conseguirmos prever os próximos passos e identificar os pontos fracos dessa mulher, teremos uma chance de detê-la. *Como* ela está conseguindo escapar da nossa rede? Quem está ajudando-a? O que você faria se estivesse no lugar dela?

— Eu *não sei* o que eu faria. — A frustração de Tracy estava crescendo. — Grupo 99, o mundo dessa Althea... eu não entendo nada disso.

— Então vamos estudar o assunto — retrucou Greg Walton, em tom cada vez mais insistente. — Vamos dar a você o resumo do Grupo 99, tudo o que nós sabemos e também o que a inteligência britânica sabe. Acredite, Tracy: se eu não tivesse certeza de que você pode ajudar, não estaria aqui. O presidente nos pediu pessoalmente que falássemos com você.

Tracy pareceu cética.

— É mesmo?

— O próprio presidente Havers ficaria feliz em telefonar para você e confirmar — disse Walton, aproveitando a hesitação de Tracy. — Encontrar Althea e acabar com o Grupo 99 é, neste momento, o principal objetivo da segurança nacional. Sem exceção. Se quiser, podemos combinar uma ligação com a Casa Branca.

Tracy passou as mãos pelo cabelo.

— Sinto muito, Greg. Estou lisonjeada, de verdade. Mas, se o presidente acha que eu posso ajudar, receio que vocês estejam seriamente mal-informados. Eu dou minha palavra: se eu conseguir pensar em qualquer ligação entre mim e Althea, ou em qualquer tipo de pista que vocês possam usar, pego o telefone e ligo para vocês. Mas não vou para Langley. Eu tenho um filho.

— Eu sei. — Greg Walton suspirou. — Nicholas.

— Isso mesmo. Da última vez em que eu o deixei, quase não voltei. Na época eu jurei, para ele e para mim mesma, que nunca mais colocaria minha vida em perigo.

— Nem pelo seu país?

Tracy balançou a cabeça.

— Eu amo o meu país. Mas amo ainda mais o meu filho. — Ela olhou para o relógio outra vez. — E agora, senhores, vocês vão ter que me dar licença. Está na hora de eu ir buscá-lo.

Milton Buck se levantou, irritado.

— Não é você quem dá as cartas, Tracy. Você acha que alguém se importa com as suas prioridades de mamãezinha, quando nossos compatriotas estão lá fora sendo sequestrados e torturados, e empresas americanas estão vendo bilhões de dólares sumirem dos balancetes? Quem você pensa que é?

— Chega. — Greg Walton não levantou a voz, mas a expressão em seu rosto deixava claro que ele estava furioso com o colega. — Peço desculpas por isso, Srta. Whitney. Agradecemos o tempo concedido. — Ele entregou um cartão a Tracy. — Caso mude de ideia, ou tenha qualquer informação ou dúvida, por favor, me ligue. A qualquer hora. Não precisa nos acompanhar.

Ele caminhou até a porta, seguido por Milton Buck, que mais parecia uma criança emburrada.

— Lamento — disse Tracy, enquanto os dois saíam.

Milton Buck esperou Greg Walton sair do alcance de sua voz e então sussurrou para Tracy:

— Vai lamentar mesmo.

EM UM SILÊNCIO sepulcral, os dois desciam de carro a estrada da montanha havia cinco minutos.

Então, Greg Walton se virou para Milton Buck.

— Conserte isso — ordenou. O tom amigável usado com Tracy havia sumido. As duas palavras estavam carregadas de ameaça.

— Como?

— Isso é problema seu. Não me interessa como você vai conseguir, mas dê um jeito de levar Tracy Whitney para Langley, senão pode dar adeus à sua carreira. Ficou claro?

Milton Buck engoliu em seco.

— Claríssimo.

NICK E TRACY estavam sentados à mesa de jantar, assistindo a um vídeo no telefone do garoto.

— Que *horrível*! — comentou Tracy, chorando de rir.

— Eu sei — disse Nick, abrindo um sorriso. — Vou postar no Vine.

— Mas não vai *mesmo* — disse Blake Carter em tom estrondoso. — Pode me dar esse telefone.

— O quê? Não! — exclamou Nick. — Ah, qual é, Blake. É engraçado. Aposto que vai viralizar.

— É desrespeitoso, isso, sim — retrucou Blake, que ignorou os protestos do garoto, pegou o telefone e apagou a gravação do diretor da escola olhando de um lado para outro, num corredor que ele acreditava estar vazio, antes de soltar um peido barulhento.

— Mãe! — protestou o menino.

Tracy deu de ombros e enxugou as lágrimas.

— Desculpe, querido. Blake tem razão. Você não pode ficar seguindo as pessoas sorrateiramente desse jeito.

— Não são "pessoas" — corrigiu Blake. — Adultos. Professores, caramba! Na minha época, se alguém fizesse uma coisa dessas levaria uma surra.

— Na sua época nem existia celular — retrucou Nick, ainda irritado. — Sua ideia de diversão era jogar bolinha de papel nos outros. Sabe qual é o seu problema? Você não sabe se divertir.

— Nick! — retorquiu Tracy. — Peça desculpas.

— Desculpe. — A palavra estava carregada de sarcasmo. — Vou para o meu quarto.

Segundos depois, Nick bateu a porta de seu quarto com força.

Blake olhou para Tracy.

— Por que você fica encorajando o garoto?

— Ah, Blake. O vídeo era engraçado.

— Era uma bobagem.

— Porque ele é só um garoto. Você não precisa estabelecer um padrão moral elevado para tudo.

Blake pareceu magoado.

— Eu não sou um amigo dele, Tracy. Sou o pai dele. — Percebendo o que havia acabado de dizer, Blake corou. — Bem, quer dizer... você sabe... eu sou...

— Você é o pai dele — completou Tracy, colocando a mão sobre a de Blake. — Ele tem sorte de contar com você. Eu e ele temos sorte de contar com você.

Tracy sentia um amor profundo por Blake Carter. Com quase 70 anos, o velho caubói vinha sendo uma figura paterna maravilhosa para Nicholas, além do amigo mais querido que Tracy poderia ter desejado. Ela sabia que Blake a amava. Ele chegou a lhe pedir em casamento uma vez, há alguns anos. E, embora Tracy não fosse capaz de retribuir o amor do mesmo jeito, considerava-o alguém da família.

— No que você está pensando, Tracy? — perguntou Blake. — Além do Nick?

Essa era outra coisa a respeito do querido amigo. Ele a conhecia muito bem. Tentar esconder as coisas de Blake era como tentar esconder algo de Deus — um esforço em vão.

— Recebi uma visita hoje — contou ela. — Do FBI.

Blake Carter enrijeceu, como um alce que sente o perigo à espreita.

— E da CIA — acrescentou Tracy. — Juntos.

— O que eles queriam?

Tracy lhe contou. Não tudo, mas um resumo do que havia sido conversado, além da proposta feita por Greg Walton, de que ela fosse para Langley.

— E o que você respondeu? — perguntou Blake.

— Eu disse que não, óbvio. Nunca conheci essa mulher, tenho certeza disso. E o que eu sei sobre contraterrorismo é quase nada.

— Mas esses caras achavam que você poderia ajudar? — perguntou Blake, em tom gentil.

— Bom, sim. Achavam. Mas estão enganados. Não me diga que você *quer* que eu vá para Langley!

— É claro que não quero — respondeu Blake, com a voz mais embargada pela emoção. — Mas talvez isso não tenha a ver com o que eu quero. Ou com o que você quer. Essa gente do 99... eles estão fora de controle. Alguém precisa bater de frente com eles. Eles vão contra tudo que o nosso país representa. Contra todos os fundamentos dos Estados Unidos.

— Está vendo? Lá vem você de novo com seus padrões elevados — disse Tracy em tom de malícia.

— Só estou dizendo que alguém precisa deter essas pessoas. Você não concorda?

— Claro que concordo — retrucou Tracy. — E eles vão ser detidos. Só que não por mim. Não sou espiã, Blake. Não tenho nenhuma contribuição a dar a este caso. Só Deus sabe como essa tal Althea tem informações sobre mim, ou por que mencionou o meu nome. Mas ela conseguiu convencer o FBI, a CIA e a Casa Branca de que eu tenho alguma informação privilegiada, algum poder mágico para encontrá-la e fazer o trabalho deles. Isso é ridículo! Eu me sinto a Alice na toca do coelho!

— Tudo bem, Tracy. Fique calma.

— E, mesmo que não fosse ridículo, mesmo que eu pudesse ajudar de alguma forma... mas eu não posso... não vou abandonar Nick. Nunca.

— Eu compreendo.

— Na verdade, acho que você não compreende, não. — Os olhos de Tracy estavam marejados. Ela estava com raiva e visivelmente aborrecida, embora não soubesse dizer se era com Blake Carter ou com ela mesma. — Acho melhor você ir para casa, Blake.

O velho caubói ergueu uma sobrancelha.

— Se é isso que você quer, tudo bem então.

Antes de Tracy conseguir recobrar seus pensamentos, Blake já havia pegado o chapéu e se retirado. Ela ouviu o som da picape se afastando e, em seguida, o berreiro estridente de música jovem vindo do quarto de Nick. Cansada e triste, ela colocou os pratos na pia e foi para o quarto.

Duas horas depois, Tracy ainda estava completamente desperta, olhando para o teto.

Ela pensou em Blake Carter. Por que ele tinha de ser tão bonzinho o tempo todo? Tão altruísta, íntegro e justo? Será que ele não percebia como isso era irritante?

Ela pensou em Nicholas e em como ele se parecia com o pai. Jeff teria rido do vídeo do peido. Ela tentou negar isso para si mesma, mas havia vezes em que sentia tanta saudade dele que a sensação era de que uma lápide pressionava seu coração.

Por fim, ela pensou na dupla de visitantes, apesar dos esforços para bloqueá-los. O chefe baixinho e charmoso da CIA, Greg Walton, com suas súplicas fervorosas; e o detestável e intimidador Milton Buck, com suas ameaças nada veladas.

— *Lamento.*

— *Vai lamentar mesmo.*

Tracy não havia contado a Blake sobre essa parte. Não queria preocupá-lo. O caubói não sabia do saque à joalheria perpetrado por Tracy alguns anos antes, em Los Angeles, quando roubou as esmeraldas de Sheila Brookstein bem embaixo do nariz de sua rival, Rebecca Mortimer. O FBI fizera um acordo após o caso do Assassino da Bíblia e lhe prometera imunidade em relação a esse crime e a uma série de outros. Tracy havia ajudado o Bureau, e eles haviam prometido ajudá-la. Mas, se ela sabia uma coisa a respeito do agente Milton Buck, era que o homem não tinha escrúpulos. Ele não pensaria duas vezes antes de quebrar o acordo e mandá-la para a cadeia, caso achasse que isso seria bom para sua carreira.

*Eu não vou voltar para a cadeia*, pensou Tracy. *Nunca mais.*

Milton Buck não era o único com segredos perigosos escondidos na manga. Tracy aprendera havia bastante tempo que a chantagem era um jogo de mão dupla, então articulou seu movimento seguinte com muita antecedência. Se Buck tentasse partir para cima dela por causa do Grupo 99, ela estaria preparada.

Algum tempo depois, ela começou a pegar no sono. Enquanto se deixava levar e seu nível de consciência oscilava, ela pensou em Althea, a assassina misteriosa e rica que deixara o presidente e seus muitos asseclas desesperados em busca de uma solução.

*Quem é ela?*

*Onde está?*

*E como sabe meu nome?*

Como ela acabou se envolvendo com o Grupo 99? Seria ela a responsável por transformar uma organização pacífica, subversiva e idealista em um grupo terrorista brutal, sanguinário e cruel como todos os outros?

Ela se lembrou das palavras de Blake Carter: *Isso não tem a ver com o que eu quero, Tracy. Ou com o que você quer. Alguém precisa bater de frente com eles.*

Exausta, Tracy finalmente pegou no sono.

# Capítulo 6

SALLY FAIERS ESPEROU pacientemente enquanto as quatro chaves à sua frente se fundiam em uma só para poder destrancar a porta da frente. Ajudaria se a porta parasse de balançar. Mas, depois de quatro doses cavalares de vodca e gim-tônica, não se podia ter tudo.

O apartamento de Sally ficava em Chelsea, na Beaufort Street, um dentre centenas em um típico quarteirão vitoriano, tomado por mansões de tijolos vermelhos. Para o padrão de uma jornalista, era um bom lugar — ficava na parte nobre de Londres, contava com meios de transporte decentes e não estava coberto de mofo. Colunista premiada do *Times*, Sally Faiers estava no auge da carreira, mas nunca ganharia uma fortuna. Ninguém entrava no ramo do jornalismo investigativo por causa do dinheiro. Mas Sally tinha a própria casa, pagava sua hipoteca e, quando a situação exigia, comprava a própria vodca.

Por fim, a chave entrou tão de repente que ela cambaleou para a frente e bateu a cabeça com força na porta.

— Merda — resmungou ela.

Os quatro lanços de escada eram de matar. Ela realmente precisava começar a malhar em algum momento da vida.

Cambaleante, entrou ofegando no apartamento, trancou a porta e arremessou dos pés os sapatos de salto.

Que noite! Às seis em ponto, Sally havia fechado sua última matéria, na qual denunciava a conivência de um dos clérigos católicos mais importantes da Inglaterra com uma rede de pedofilia. Ao acabar, foi direto para o bar mais próximo comemorar. Ela não queria saber de relacionamentos no momento, mas deu uns amassos em John Wheeler, da editoria de esportes, no táxi a caminho de casa. Ela chegou a pensar em convidá-lo para passar a noite em sua casa — corria à boca pequena que John tinha o maior pau de Wapping —, mas se lembrou do que havia acontecido da última vez em que fizera sexo casual com alguém do trabalho. Will, o estagiário sexy do noticiário local. O coitado ficou em cima de Sally durante semanas, "aparecendo" na mesa dela o tempo todo para tomar um café enquanto ela tentava escrever. Por fim, ela teve de dar uma palavrinha com o editor, que o transferiu para obituários. Ainda se sentia mal por isso.

Sally tateou para chegar ao banheiro. Então, tirou o vestido e a meia-calça e abriu o chuveiro, mas antes de entrar olhou para o próprio reflexo no espelho. Aos 32 anos, Sally Faiers ainda tinha um corpo bonito, apesar de ter pavor de academia, beirar o alcoolismo e seguir um estilo de vida desregrado. Sua cintura era fina; os seios, grandes e notavelmente firmes e suas longas pernas eram tonificadas na medida certa. Tinha um nariz delicado e arrebitado — o qual ela odiava, mas os homens o consideravam sexy —, olhos cinzentos como a névoa da manhã e lábios carnudos e famosos por soltar um número assombroso de palavrões e blasfêmias, sobretudo quando sua dona tinha um prazo apertado a cumprir. Sally tinha o cabelo louro num corte chanel, que vivia sujo pela falta crônica de tempo e de vontade de lavá-lo.

No instante que abriu a porta do boxe, o telefone tocou.

Sally grunhiu. *São duas da manhã, cacete!* Não era tão raro o fato de ela receber telefonemas em horários estranhos. Mas, assim que entregava uma matéria, geralmente havia uma calmaria antes de ela recomeçar suas pesquisas. Na reportagem anterior, algumas das ligações tinham sido angustiantes. Homens arrasados, chorando do outro lado da linha enquanto relembravam os abusos sofridos durante a infância. Se havia uma parte do trabalho de jornalista que Sally nunca conseguiu dominar era o desapego. Isso e a capacidade de ignorar um telefone tocando.

Sally se enrolou numa toalha — *Pra quê? Não tem ninguém aqui!* — e andou aos tropeções de volta pelo corredor para atender o telefone.

— Sally Faiers.

— Oi, linda.

Sally sentiu o coração bater no fundo do estômago. A ligação estava ruim, mas ela reconheceria aquela voz em qualquer lugar, aquela voz profunda, masculina e americana meio arrastada, meio grunhida.

— Hunter. — Apenas pronunciar o nome dele já era doloroso. — Então você está vivo.

— Não precisa parecer tão feliz.

— Não estou feliz. Você é um puta de um babaca.

— Ora, isso não é nada gentil. Você sabe que eu só consegui sobreviver ao ano passado imaginando você pelada, com essas suas pernas perfeitas em volta da minha cintura. Você se lembra de Estocolmo?

— Não. E *eu* só consegui sobreviver ao ano passado imaginando que você estava acorrentado a uma parede em algum esconderijo do Grupo 99 num fim de mundo qualquer com um par de eletrodos grudado no saco.

Hunter deu uma risada.

— Senti saudade.

— Então eles libertaram você?

— Na verdade, eu escapei.

Foi a vez de Sally dar uma risada.

— Mentira! Suas habilidades de sobrevivência são iguais às de um porco-espinho tentando sair da frente de um tanque M40.

— Eu melhorei. — Hunter pareceu magoado. — Tive uma ajudinha dos meus conterrâneos. No começo.

Mesmo bêbada, Sally leu nas entrelinhas.

— Quer dizer que você estava lá? No acampamento na Bratislava?

— Eu estava lá — confirmou Hunter.

— E eles deixaram você para trás? — perguntou Sally, incrédula.

— Não exatamente — admitiu Hunter. — Eu saí correndo.

Sally escorou o corpo na parede e escorregou até se sentar no chão.

— O quê? Por quê?

— É uma longa história.

Uma enxurrada de emoções percorreu seu corpo. A mais forte era de alívio por saber que Hunter estava vivo. Ele havia partido seu coração em milhões de pedaços ao deixá-la por aquela piranha da Fiona, do *New York Times*. Mas Sally não queria ver os miolos de Hunter voando em uma tela, como aconteceu com o pobre Bob Daley.

Logo após o alívio veio a empolgação. O mundo inteiro estava à procura de Hunter Drexel, especulando sobre seu paradeiro. E ela, Sally Faiers, estava com ele ao telefone, ouvindo-o contar que havia fugido dos americanos que tentaram resgatá-lo, que a declaração do presidente Havers havia sido uma grande mentira. Que furo!

Ela pegou um lápis e um caderno na mesinha do corredor.

— Onde você está?

— Lamento — disse Hunter, sem parecer realmente lamentar. — Não posso contar.

— Pelo menos me dê uma pista.

— E, além disso, você não pode falar com ninguém sobre esta ligação.

Sally soltou uma risada.

— Vai se foder. Isto é capa de jornal. Assim que você desligar, eu vou ligar para a redação.

— Sally, é sério, você tem que ficar de bico calado. — De repente, a voz de Hunter soou extremamente séria. — Se eles me encontrarem, vão me matar.

— Se quem encontrar você?

— Esquece — cortou Hunter. — Preciso de um favor seu.

Foi espantosa a velocidade com que o alívio de Sally se transformou em raiva.

— Em que universo alternativo *eu* faria um favor para *você*?

— Preciso que descubra uma coisa para mim — continuou Hunter, ignorando-a. — Você se lembra do príncipe grego que foi encontrado enforcado em Sandhurst?

— Claro. Achileas. O suicídio. Hunter, é sério que você está me contando que vai trabalhar num artigo agora? Porque...

— Acho que não foi suicídio. Tem um oficial sênior em Sandhurst, o general de divisão Frank Dorrien. Preciso que você descubra tudo o que puder a respeito dele.

Sally fez uma pausa.

— Você acha que esse tal de Dorrien matou o príncipe Achileas da Grécia? Andou usando drogas?

— Só investigue. Por favor.

— Me diga onde está, e eu vou pensar no caso.

— Obrigado. Você é um anjo.

— Ei! Eu não disse que sim! Hunter?

— A ligação vai cair. — Ele começou a fazer um barulho ridículo, de estalo, perto do telefone.

— A ligação *não* vai cair, Hunter! Não se atreva a desligar na minha cara. Eu juro por Deus que, se você desligar, vou ligar para a CIA neste exato minuto e contar sobre esse telefonema. Cada palavra que você me falou. E depois vou publicar a história no *Times* amanhã.

— Não, não vai.

Ele desligou.

Sally Faiers permaneceu sentada, nua, no meio do corredor por um bom tempo, ainda segurando o telefone.

— Vai se foder, Hunter Drexel — disse ela em voz alta.

*Você pisou no meu coração, me traiu a torto e a direito e agora espera que eu guarde a maior história da minha carreira e faça quietinha o seu trabalho sujo numa pesquisa inútil sobre uma história idiota em Sandhurst?*

— Não vou fazer nada — gritou Sally pelo corredor vazio do apartamento. — Dessa vez, não.

Mas ela já sabia que faria.

* * *

HUNTER DESLIGOU, SAIU da cabine telefônica e encarou o vento uivante.

Ele queria muito estar em Londres com Sally! De preferência, na cama. Só de pensar nela, Hunter começou a ter uma ereção. Aquelas pernas. Aqueles seios fenomenais... O que será que deu nele ao largá-la, para início de conversa?

*Ela tem razão*, pensou. *Eu sou um babaca.*

Ele olhou ao redor com tristeza. Dos dois lados da rua tomada pelo lixo, pessoas malvestidas entravam em feios prédios de concreto de apartamentos, escritórios ou cafeterias, fazendo o possível para fugir do frio. As poucas almas infelizes que se viam forçadas a esperar nos pontos de ônibus se amontoavam tristemente, como um bando de ovelhas rumo ao abatedouro, fumando e batendo os pés e as mãos enluvadas sem parar, tudo para combater o frio.

A Romênia era um país lindo. Mas Oradea, a cidade em que Hunter havia passado os últimos três dias, era um lixo, repleta de construções abandonadas de arquitetura comunista, além de uma população abatida e desempregada. Os hospitais estavam lotados de crianças abandonadas, e famílias imundas de ciganos vagavam pelas ruas como animais, alguns de fato dormindo em montes de lixo, largados para apodrecer, congelar ou beber até morrer.

*Se a Romênia é uma supermodelo, Oradea é a espinha na bunda*, pensou Hunter. Ali não havia nada da beleza característica da região da Transilvânia, nada da sofisticação de Bucareste. Nenhum sinal da tão falada recuperação econômica. Seja lá onde tenham sido gastos os milhões de euros romenos pela entrada na União Europeia, ali não foram. Oradea parecia uma cidade esquecida. Mas isso a tornou perfeita para Hunter Drexel. Era disso que ele estava precisando: ser esquecido. E ninguém o procuraria ali.

Não que não houvesse dinheiro em Oradea. No centro histórico, ao longo das margens do rio Crişul Repede, algumas poucas mansões magníficas, relíquias do tempo anterior ao comunismo, haviam sido recuperadas por ricos abastados. Recheadas de obras de arte e antiguidades de valor inestimável, além de jardins formais com arbustos de lavanda e cercas vivas perfeitamente aparadas, essas residências brilhavam como estrelas num céu completamente negro, reluzindo de forma incongruente, como diamantes recém-talhados e jogados em uma pilha de esterco. Seus donos eram, em sua maioria, nativos da Romênia, bandidos, funcionários corruptos do governo local e um punhado de empresários legítimos, alguns deles voltando para a cidade natal após anos de exílio.

Era em uma dessas casas que Hunter estava abrigado. Seu dono, um magnata do ramo imobiliário chamado Vasile Rinescu, era um bom jogador de pôquer e uma espécie de amigo.

— Se está aqui para jogar, é bem-vindo — disse Vasile a Hunter, quando o americano bateu à porta, tremendo, desesperado. — Os laços do pôquer são mais importantes do que os laços de família.

— Graças a Deus — disse Hunter.

— Aliás, vou organizar um jogo este sábado. Com participantes muito interessantes. Apostas altas.

— Que bom. Preciso de dinheiro. Estou... numa situação complicada no momento.

Vasile deu uma risada.

— Isto aqui pode ser um fim de mundo, mas nós assistimos ao noticiário, meu amigo. O mundo inteiro sabe dessa sua "situação complicada".

Uma expressão de pânico tomou conta do rosto de Hunter.

— Não se preocupe. — Vasile deu um tapinha nas costas dele. — Meus amigos são discretos. Ninguém vai entregar você para a CIA, ou para o Grupo 99. A não ser, é claro, que você perca e não consiga pagar. Nesse caso, vai ser entregue a quem fizer a melhor oferta.

— Certo.

— Depois das sessões de tortura.

— Entendido. — Hunter sorriu. — Então acho melhor não perder.

— Eu faria todo o possível para não perder — disse Vasile. Ele não estava sorrindo.

Hunter não perdeu. Após três dias na casa de Vasile, saboreando as primeiras refeições caseiras e os primeiros banhos quentes desde o sequestro em Moscou, ele conseguiu ganhar o suficiente para financiar pelo menos mais um mês de fuga.

Hunter percebeu que ficar um passo à frente dos americanos seria a parte fácil. Era o Grupo 99 que o preocupava, sobretudo Apollo. O grego sádico inevitavelmente veria a fuga de Hunter como uma humilhação pessoal, da qual faria tudo para se vingar. Se Hunter sequer olhasse de relance para um computador, Apollo o encontraria. Isso significava que ele não podia nem mandar e-mails, usar cartões de crédito ou celulares, alugar carros, pegar um voo ou mexer com qualquer tipo de dispositivo eletrônico que deixasse rastros. A partir de então, até que a matéria fosse publicada no mundo inteiro, Hunter precisaria viver longe dos radares.

Por sorte, o pôquer lhe fornecia a oportunidade perfeita para criar essa nova versão de si, invisível e que só lidava com dinheiro vivo. Jogadores de pôquer eram guardadores de segredos por natureza, tinham embutido dentro de si um senso de lealdade para com outros jogadores. Por causa da jogatina, Hunter tinha "amigos" como Vasile Rinescu espalhados pela Europa. Ele poderia ficar pulando de esconderijo em esconderijo e trabalhar na matéria entre uma aposta e outra. É claro que, sem computador ou telefone, a pesquisa seria difícil. Hunter não conseguiria levar isso a cabo sem a ajuda de Sally Faiers, mas sabia que ela não o deixaria na mão.

*Talvez ela não confie em mim como homem, mas confia como jornalista.*

*Ela sabe que* é uma grande *história.*

Assim que ele publicasse a matéria — no momento em que a verdade, toda a verdade sobre o Grupo 99, fosse divulgada —, ele se entregaria para os americanos. Teria explicações a dar, óbvio. Mas muita gente também teria.

Hunter enrolou o cachecol na parte inferior do rosto e foi embora pela ponte que dava acesso à mansão.

Vasile Rinescu havia sido um anfitrião maravilhoso, mas os amigos dele estavam ficando cansados de perder.

Hunter iria embora no dia seguinte.

# Capítulo 7

JEFF STEVENS OLHOU para a garota sentada à outra ponta do balcão do bar.

Ele estava no Morton's, um clube exclusivo para membros em Mayfair, e havia acabado de perder feio nas cartas. Mas algo no modo como aquela loura graciosa retribuiu o sorriso que ele lhe deu o fez ter a sensação de que sua sorte estava prestes a mudar.

Ele pediu uma taça de Dom Pérignon, safra 2003, e outra de água Perrier e cruzou o piso de parquete polido até onde ela estava empoleirada, com suas pernas infinitas balançando deliciosamente da ponta de um banquinho com assento de veludo cinza. Tinha 20 e poucos anos, maçãs do rosto salientes e aquele brilho na pele que só a juventude pode proporcionar. Caso seu vestido prateado fosse um pouquinho mais curto, ela cairia em contravenção.

Resumindo, era o tipo de garota que Jeff adorava.

— Esperando alguém? — perguntou ele, oferecendo a taça de champanhe.

Ela hesitou por um instante, então aceitou, os olhos azuis fixos nos olhos acinzentados de Jeff.

— Não mais. Meu nome é Lianna.

— Jeff.

Ele sorriu e calculou mentalmente quantos minutos de flerte teria de gastar com Lianna antes de levá-la para casa. Com sorte, menos de 15, o tempo de mais uma bebida. Estava com pressa porque seu dia seguinte seria muito importante.

Jeff Stevens era vigarista desde que se entendia por gente. Havia aprendido o básico do ofício ainda garoto, no circo itinerante de seu tio Willie, e essas mesmas habilidades o fizeram viajar pelo mundo todo, pelos lugares mais estonteantemente glamorosos e assustadoramente perigosos que o jovem Jeff imaginava existir. Com uma mente afiada e criativa, um charme natural e uma beleza devastadora, Jeff logo alcançou o ápice da "profissão". Roubara quadros inestimáveis de galerias de arte mundialmente famosas, privara herdeiras de seus diamantes e mafiosos bilionários de seus investimentos. Conseguiu realizar trabalhos no Expresso do Oriente, no Queen Elizabeth II e no Concorde, antes do trágico fim do avião comercial. No auge da carreira, trabalhando com Tracy Whitney, ele efetuou alguns dos roubos mais audaciosos e brilhantes já realizados em várias cidades europeias, sempre mirando os gananciosos e corruptos, sempre conseguindo permanecer um passo à frente da infeliz polícia, que tentava, sem sucesso, ligar o próprio Jeff ou Tracy a qualquer um dos crimes.

Eram dias felizes. De muitas maneiras, os melhores de sua vida.

Ainda assim, refletiu Jeff, também estava feliz neste novo momento. Depois de ficar sem Tracy por dez longos anos — os dois se casaram, mas ela desapareceu quando suspeitou erradamente que Jeff tinha uma amante —, eles voltaram a ter contato. Tracy havia salvado a vida de Jeff anos antes, quando o ex-agente do FBI, um desequilibrado chamado Daniel Cooper, tentara matá-lo. Foi no rescaldo dessa provação que Jeff descobriu que tinha um filho, Nicholas. Ele não sabia, mas Tracy estava grávida quando foi embora e criou o filho sozinha, no Colorado, com a ajuda do administrador de seu rancho, um homem decente e amável chamado Blake Carter.

Ele não demorou muito para perceber que Blake já era, de fato, um pai para Nick, e um ótimo pai. E Jeff amava o garoto o suficiente para não tentar mudar isso. Tracy apresentou Jeff ao filho como um velho amigo, e nos anos seguintes ele se tornou uma espécie de padrinho extraoficial do garoto.

Talvez fosse um arranjo estranho, mas funcionava. Jeff adorava Nick, mas sua vida era louca demais para poder proporcionar um ambiente estável para uma criança, ou para o adolescente que o filho havia se tornado. Dessa forma, eles poderiam ser amigos, passar um tempo juntos e trocar pelo Vine vídeos idiotas que Tracy não aprovaria. Jeff *de fato* queria visitar o garoto com mais frequência, mas esperava que, com o tempo, Tracy revisse essa posição.

Quanto a Tracy, o amor entre os dois ainda existia, forte como sempre. Mas ela também havia começado uma nova vida, uma vida pacífica, calma, satisfatória. Para Jeff, a adrenalina de realizar um golpe perfeito continuava sendo irresistível. Fazia parte dele tanto quanto suas pernas, seus braços ou seu cérebro. Mesmo assim, ele teria desistido de tudo por aquela mulher, como já havia feito uma vez, quando eles se casaram. Mas, como ela dissera: "Se você desistisse, Jeff, não seria você. E é você que eu amo."

Então Jeff voltou para Londres e para sua antiga vida. Mas dessa vez foi diferente. Melhor.

Dessa vez ele sabia que Tracy estava viva. Não só viva, como segura e feliz. E o mais fantástico de tudo: ele tinha um filho, um garoto maravilhoso. Nick passou a ser o centro de tudo. Cada trabalho que Jeff aceitava, cada centavo que ganhava, era para seu filho.

Ele parou de beber, só jogava de vez em quando e começou a rejeitar trabalhos que considerava arriscados demais. Jeff não estava mais sozinho no mundo, não podia mais se dar ao luxo de ser tão imprudente.

*Por outro lado*, pensou ele, pousando a mão na coxa macia de Lianna e ficando cada vez mais excitado, *o homem precisa se dar a alguns prazeres na vida.*

Jeff nunca mais se casaria. Nunca mais amaria de novo, não depois de Tracy. Mas pedir que Jeff Stevens desistisse das mulheres seria como pedir a uma baleia que vivesse fora d'água ou mandar que um girassol crescesse no escuro.

Jeff se inclinou para a frente e estava prestes a pedir a conta e se enfiar num táxi com a adorável Lianna quando um sujeito alto, magro e mais velho, que parecia furioso, se meteu entre os dois.

— Quem é você, porra? — perguntou o homem, encarando Jeff. — E que pata é essa em cima da minha noiva?

Jeff ergueu uma sobrancelha para Lianna, que esboçou um sorriso de desculpas.

— Jeff Stevens. — Ele estendeu a mão para o homem furioso, que não o cumprimentou e fechou ainda mais a cara.

— Ela não me disse que era... que vocês estavam... hmmm... parabéns. Quando é o grande dia, senhor...?

— Klinnsman.

Jeff engoliu em seco. Depois dos irmãos Candy, Dean Klinnsman era provavelmente o maior incorporador de imóveis de Londres e suspeito de comandar uma grande organização criminosa. Klinnsman contava com um pequeno exército de poloneses que, durante o dia, eram operários da construção civil, mas que, à noite, eram usados pelo chefe como capangas para visitar inimigos e concorrentes, o tipo de visita que Jeff Stevens certamente *não* gostaria de receber.

— Prazer em conhecê-lo, Sr. Klinnsman. Já estou indo embora.

— Pois faça isso.

Jeff deixou um maço de notas de cinquenta no balcão e praticamente saiu correndo pela porta.

— Qual era o nome dele? — perguntou Dean Klinnsman à jovem noiva, com irritação, assim que Jeff estava fora de vista.

— Madely — respondeu Lianna sem piscar. — Max Madely. Está aqui de férias. Não é isso, James?

Ela olhou para o barman, que ficou com tanto medo que perdeu a cor.

— Acho que sim, madame.

— Mora em Miami — continuou ela. — Acho que ele faz, tipo, máquinas de café. Ou alguma coisa assim.

— Hmmm — grunhiu Dean Klinnsman. — Não quero você falando com ele de novo. Nunca mais.

— Ah, querido! — Lianna se enroscou no famoso incorporador como se fosse uma cobra tarada. — Você é tão ciumento. Ele só estava sendo simpático. Mas não precisa se preocupar. O voo de volta dele para os Estados Unidos é amanhã.

O TRAJETO DE Jeff para casa demorou mais do que devia, graças ao taxista, que tomou um desvio idiota ao redor do parque. Enquanto passavam diante das casas majestosas e de fachada estucada do bairro de Belgravia, Jeff sintonizou o rádio do taxista num talk show no qual estava ocorrendo um debate.

Dois homens, ambos políticos, estavam numa discussão acalorada sobre o Grupo 99 e sobre a busca até então infrutífera tanto pelo assassino do capitão Daley quanto pelo refém americano, Hunter Drexel.

— São os americanos que nós deveríamos culpar por isso — insistia um dos homens. — Quer dizer, se você vai agir como polícia, pisotear as leis internacionais e invadir o país alheio atirando para tudo quanto é lado, o mínimo que pode fazer é A: se certificar de que o refém realmente está *lá*, e B: atirar no sujeito certo. Mas, em vez disso, agora temos o assassino de Daley à solta, Hunter Drexel ainda refém sabe-se lá onde e um monte de adolescentes assassinados num necrotério bratislavo.

— Eles não foram "assassinados" — retrucou o oponente, furioso. — Eram combatentes militares, foram mortos em ação. Uma ação justificada, diria eu, depois do que eles fizeram com Bob Daley. Eram terroristas.

— Eles eram apenas garotos! O sujeito que atirou em Bob Daley, sim, era terrorista. Mas não é ele quem está com uma bala na cabeça agora, é?

— Todos faziam parte do mesmo grupo! — gritou o oponente. — Todos são responsáveis.

— Ah, é mesmo? Então todos os muçulmanos são responsáveis pelo Estado Islâmico?

— O quê? Claro que não! Uma coisa não tem nada a ver com a outra.

— Mas cá estamos nós, meu caro.

Para alívio de Jeff, o táxi finalmente chegou a seu apartamento, em Cheyne Walk. Ele deu ao taxista uma gorjeta maior do que a merecida, saiu do carro e sentiu o ar fresco da noite. A brisa vinda do rio e o brilho tênue das luzes da ponte Albert acalmaram seus nervos.

Assim como muita gente na Inglaterra, Jeff estava atualizado em relação às reviravoltas do caso do Grupo 99. Por um lado, ele achava o antiamericanismo preguiçoso do primeiro político no debate um equívoco insultante. Jeff já havia morado na Inglaterra por tempo suficiente para saber que, caso fosse a SAS fazendo uma incursão para resgatar o refém britânico, seus soldados seriam considerados heróis, e a integridade territorial da Bratislava que se danasse.

Mas talvez a SAS não tivesse tornado a situação toda uma enorme cagada.

Por outro lado, uma parte dele concordava com o político que caracterizou os homens mortos no acampamento bratislavo como "garotos". Até a morte de Daley, o Grupo 99 nunca havia cometido atos violentos e seus integrantes raramente eram chamados de terroristas. Será que todo mundo que já havia participado da organização deveria ser enfiado no mesmo saco que o monstro que atirara em Daley?

Jeff Stevens sabia que era um defensor improvável do Grupo 99. Quando era moda admirar a organização, ele sempre considerou sua política grosseira e sua suposta missão completamente hipócrita. Aqueles jovens de países europeus quebrados até podiam justificar suas ações sob a bandeira da justiça social, mas, pelo que Jeff conseguia ver, o que os motivava mesmo era a inveja. Inveja, raiva e uma crescente sensação de impotência, sentimentos estimulados por agitadores esquerdistas como o grego Elias Calles ou o espanhol Lucas Colomar. Talvez Jeff estivesse envelhecendo, mas, em sua época, a ideia era ganhar dinheiro e aproveitar até não poder mais. Sim, durante esse tempo, Jeff tinha infringido um monte de leis. Tecnicamente, ele supunha que poderia ser considerado um ladrão. Mas só havia roubado de gente realmente ruim. E o fez correndo grande risco pessoal, com coragem e ousadia, e não se enfiando sorrateiramente num sistema de informações alheio. Para Jeff Stevens, os hackers não passavam de um monte de covardes chorões que, por acaso, eram bons em matemática. E o que dizer dos ataques do grupo à indústria do fraturamento hidráulico? Ah, por favor! Se havia uma coisa que sempre deixava Jeff irritado era discurso ecológico chato e hipócrita. Se Nicholas virasse um desses nerds amargurados de nariz em pé, Jeff morreria de vergonha. Não que isso fosse muito provável.

Jeff pegou o elevador para a cobertura, feliz por estar em casa. O enorme apartamento com vista lateral era seu maior orgulho. Com elegantes janelas de guilhotina, pé-direito alto, piso de parquete e vistas espetaculares para o rio, parecia mais um museu que uma residência. Com o passar dos anos, Jeff lotara o lugar com relíquias inestimáveis, tesouros conseguidos em viagens, adquiridos tanto por meios legais quanto ilegais. As prateleiras estavam abarrotadas de coisas, de vasos egípcios antigos a primeiras edições de romances vitorianos, passando por cabeças mumificadas de pigmeus bizarramente conservadas em potes. Havia moedas e estátuas, fósseis e mantos funerários, fragmentos de ponta de flecha e um conjunto de runas nórdicas montado integralmente em um pedestal. Não havia padrão ou lógica na coleção de Jeff, além do fato de serem todos itens únicos com uma história que ele adorava. Certa vez, uma ex-namorada sugeriu que ele se rodeava de coisas para compensar a falta de contato humano, comentário que o deixou bastante irritado. Provavelmente porque era verdade. Ou pelo menos tinha sido, antes de ele reencontrar Tracy e de Nick entrar em sua vida.

Jeff foi até a cozinha, colocou café Keurig na máquina e seguiu para o terraço enquanto a máquina trabalhava. Depois que parou de beber, substituiu o uísque pelo café como sua bebida noturna. Por algum motivo, o café nunca o deixava ligado, e, tal qual uma criança, ele adorava a engenhosidade das máquinas de café modernas, as superfícies e os botões cromados e o leite perfeitamente espumado.

Era a semana antes do Natal, e Londres estava sendo varrida por uma onda de frio que cobria tudo com uma camada de geada cinza reluzente. Ainda não estava nevando, mas mesmo assim o parque parecia um cartão de Natal da época vitoriana, atemporal, pacífico e encantador. Jeff sempre adorou o Natal. Ele voltava a se sentir criança, sonhando com doces e presentes com o nariz colado nas vitrines das lojas, embora, como a própria Tracy o lembrava, ele nunca tivesse deixado de ser criança. A única diferença era que, como adulto, ele havia parado de olhar através das vitrines das lojas e passado a invadi-las pelo telhado.

— Você entrou para a lista permanente de crianças más do Papai Noel — dizia ela.

A lembrança fez Jeff sorrir. Ainda pensando em Nicholas — ele sentia mais saudade do garoto no Natal do que em outras épocas —, pegou o telefone e, num impulso, ligou para Tracy. Para sua irritação, caiu na caixa postal.

— Sou eu — começou Jeff, sem jeito. Ele não gostava de deixar mensagens. — Olha, eu queria muito ver o Nick. Eu sei que a gente combinou de dar um tempinho, mas eu quero visitar vocês. Faz muito tempo que não vejo o garoto e eu... eu estou com saudade dele. Me ligue de volta, está bem?

Ele desligou irritado consigo mesmo e entrou novamente em casa para pegar o café, que já estava pronto. Devia ter esperado Tracy atender. As coisas sempre corriam melhor quando os dois se falavam pessoalmente.

O zumbido alto da campainha lhe deu um susto.

*Mas quem pode ser a uma hora dessas, caramba?* Jeff sentiu o estômago embrulhar. Com certeza Dean Klinnsman não o teria rastreado tão depressa. Ou será que teria? *Alguém no clube pode ter dado meu endereço a ele. Bastaria um telefonema.*

Jeff entrou apressado no quarto, destrancou a gaveta na mesinha de cabeceira e pegou uma pistola. Depois, sem desgrudar as costas da parede, avançou lentamente até a porta do apartamento e, nervoso, espiou através do olho mágico.

— Meu Deus — soltou, ao abrir a porta. — Você quase me matou de susto.

Lianna estava sozinha no corredor, usando um casaco de caxemira cinzento como chumbo e botas de inverno.

— Achei que era o seu noivo. Ou que um dos capangas dele tivesse vindo aqui para acabar comigo.

— Não. — Lianna deu um sorriso lascivo. — Sou só eu.

Ela desafivelou o cinto do casaco e, sem tirar os olhos dos de Jeff, o abriu bem devagar. Fora as botas, ela estava completa e gloriosamente nua.

— Onde nós estávamos mesmo? — perguntou ela, avançando para cima de Jeff como uma deusa amazona, as pupilas dilatadas pela luxúria.

Por um milésimo de segundo, Jeff pensou que seria muita, muita idiotice transar com a namorada de Dean Klinnsman, mas em seguida agarrou Lianna pela cintura e a puxou para o apartamento.

Enquanto Tracy Whitney vivesse, o coração de Jeff Stevens teria dona.

O resto do corpo, porém, era outra história.

# Capítulo 8

Tracy olhou para as paredes familiares do escritório de David Hargreaves. Cartões de Natal de funcionários e ex-pupilos agradecidos cobriam toda a superfície. A escola iria fechar dali a alguns dias.

*Ah, se Nick tivesse conseguido se controlar só mais um pouquinho*, pensou Tracy, sentindo-se perdida.

Ela passou a conhecer o diretor da escola de Nick durante o ensino médio quase tão bem quanto a diretora da época do ensino fundamental, a Sra. Jensen. Pobre Sra. Jensen. Depois de tudo o que Nicholas a fez passar, era um milagre a mulher não estar internada em algum sanatório, batendo a cabeça em silêncio numa parede acolchoada.

— Não é só uma questão financeira, Sra. Schmidt. O que o Nicholas fez foi um ato de claro desrespeito.

Séria, Tracy assentiu e tentou afastar a imagem do Sr. Hargreaves peidando alto num corredor que ele achava estar vazio.

Sentado ao lado da mãe, Nick estava com um olhar magoado.

— E a expressão artística? — perguntou ele. — Nosso professor disse na semana passada que a arte não tem limites.

— Cale a boca! — exclamaram Tracy e o diretor Hargreaves ao mesmo tempo.

Ao invadir a sala dos professores após o horário das aulas e pintar uma série de caricaturas dos mestres nas paredes, Nick provavelmente havia assinado o fim de sua passagem pela Escola Secundária John Dee. Ele e um cúmplice não identificado haviam desenhado os professores em diferentes situações "cômicas" (Nick fez uma releitura da cruel Sra. Finch, a professora de matemática obesa, como uma salsicha de cachorro-quente no meio de um pão, onde recebia um jato de ketchup do professor de educação física). Como caricatura, até que estava boa. Mas, como disse o diretor Hargreaves, a questão não era essa.

— Vou falar com o conselho no fim de semana — explicou ele a Tracy. — Mas, para ser franco, acho que não há muito para onde correr. Nicholas já teve oportunidades demais.

O diretor Hargreaves não queria perder a linda Sra. Schmidt como mãe de aluno. Talvez o filho de Tracy fosse um leviano, mas ela era uma mulher adorável. E o mais importante: ela havia feito doações muito generosas à escola ao longo dos anos e tinha se oferecido para "mais do que compensar" o prejuízo causado pelo filho à instituição dessa vez. Mas o diretor estava de mãos atadas.

— Eu sei — disse Tracy. — E agradeço o simples fato de você discutir o assunto comigo. Por favor, diga ao conselho que eu sou grata.

Após a reunião, ela esperou até entrarem no carro e estarem a uma distância segura da escola para então se voltar furiosa contra Nick.

— Eu não entendo o que se passa pela sua cabeça. Você precisa frequentar a escola, Nicholas. É *lei*. Se for expulso daqui, simplesmente vai ter que ir para outro lugar. Um lugar mais distante, e mais rígido, onde você não terá nenhum amigo.

- Você poderia me dar aulas em casa — sugeriu Nick, sem malícia. — Seria bem legal.

— Ah, não. — Tracy balançou a cabeça. — A chance de isso acontecer é zero, rapazinho. Prefiro enfiar alfinetes nos meus olhos.

Dar aulas a Nicholas em casa seria como tentar dar aulas de comportamento a um chimpanzé recém-capturado.

— Eu posso mandar você para um internato. O que você acha?

Nick pareceu horrorizado.

— Você não faria uma coisa dessas!

*Não*, pensou Tracy. *Não faria mesmo. Não conseguiria viver sem você um dia sequer.*

— Talvez sim.

— Se fizer isso, eu vou fugir. E para que eu preciso da escola? O tio Jeff saiu da escola com 12 anos. Ele aprendeu tudo o que precisava saber no circo itinerante do tio Willie.

— O tio Jeff não é um bom exemplo a seguir.

— Por quê? Ele é rico, é feliz e tem um trabalho muito legal, viaja o mundo.

— Mas essa... essa não é a questão — retrucou Tracy, cada vez mais desesperada. Ela não queria falar sobre Jeff, muito menos sobre seu "trabalho muito legal".

— Bom, e o Blake? — insistiu Nick. — *Ele* é um bom exemplo, não é?

— Claro que é.

— Bem, ele começou a trabalhar no rancho do pai dele quando tinha a minha idade. Em tempo integral.

Eles já estavam em casa. Era hora do almoço. O argumento de Tracy foi mandar Nick para o quarto — sem direito a computador, telefone e outras distrações —, mas a ideia de deixá-lo preso ali dentro o dia todo, à toa, não lhe pareceu certa. Em vez disso, ela o mandou com dois ajudantes limpar os montes de neve que haviam se acumulado nas pastagens.

— Você quer trabalhar num rancho em tempo integral, não é? — perguntou Tracy a Nicholas enquanto empurrava o filho arrasado para a carroceria da caminhonete. — Pois muito bem, pode começar agora.

Com sorte, alguns dias de dores nas costas e frieiras o curariam dessa ideia romantizada. Mesmo assim, Tracy não estava nem um pouco animada para explicar as novidades de Nicholas a Blake Carter. Ela já conseguia ouvir o "Eu bem que avisei" do velho caubói soando em seus ouvidos.

— EU BEM que avisei — comentou Blake. — Sinto muito dizer isso, mas eu avisei.

— Você não parece sentir muito — reclamou Tracy ao lhe entregar uma travessa com um bife fumegante e sopa de legumes. Quando estava muito estressada, Tracy gostava de destruir coisas em liquidificadores. — Eu não mandei Nick fazer aquelas caricaturas, sabia? Ele não é um brinquedo que eu possa controlar.

— Não. É um garoto que você influencia. E você o encoraja a se comportar mal.

— Eu não faço isso! — retrucou Tracy, furiosa. — Como foi que eu o encorajei dessa vez?

— Você falou para ele que fazer ilustrações era legal.

— E é.

— Tracy. — Blake fez cara feia. — Quando o diretor Hargreaves te mostrou a professora de matemática no pão de cachorro-quente, você soltou uma gargalhada! Bem na frente do Nick! Você mesma me contou isso.

Sentindo-se impotente, ela deu de ombros.

— Eu sei. Não devia ter feito isso, mas foi engraçado. O problema é que Nick é engraçado, Blake. E eu adoro essa característica dele.

A verdade é que Tracy adorava tudo a respeito do filho. Cada fio de cabelo, cada sorriso, cada cara feia. A maternidade tinha sido o grande milagre de sua vida. A criação de Nicholas era a única coisa pura e totalmente boa que ela já havia feito, sem um traço de arrependimento, de perda ou de dor. Fossem quais fossem os erros do garoto, Tracy o adorava incondicionalmente.

— Foi difícil manter a seriedade naquele escritório — admitiu ela. — Toda vez que eu olhava para Hargreaves, só pensava no vídeo do peido.

Tracy começou a rir. E, quando isso acontecia, não conseguia mais parar.

Blake permaneceu num silêncio sepulcral enquanto lágrimas de alegria rolavam pelas bochechas de Tracy.

— Desculpe — disse ela, depois de um tempo.

— Isso é sincero? — perguntou Blake, com firmeza. — Porque não parece. Você quer que o garoto acabe igual ao pai?

Tracy recuou como se tivesse levado um tapa. Blake nunca havia mencionado o pai de Nick. Nunca mesmo. Ele sabia que Jeff Stevens era o verdadeiro pai de seu filho. Ao vê-los juntos na época que Jeff passou um tempo no rancho, Blake transformou suas suspeitas em fato incontestável. Mas ele nunca havia discutido o assunto com Tracy. Nunca pedira detalhes ou fizera julgamentos. Até então.

Para sua surpresa, Tracy de repente se viu defendendo Jeff Stevens:

— Você está perguntando se eu quero que Nick seja engraçado? E charmoso, corajoso, que tenha espírito livre?

— Não — respondeu Blake, irritado. — Não foi isso que eu quis dizer. Perguntei se você quer que ele seja um criminoso, um mentiroso e um ladrão. Porque, se é isso o que você quer, ele está no caminho certo.

Tracy empurrou a travessa de comida e se levantou com os olhos marejados.

— Quer saber de uma coisa, Blake? Não interessa o que eu quero ou o que você quer. O Nick é como Jeff. Isso é fato! Você acha que pode passar um sermão nele para evitar isso, ou puni-lo de alguma forma, mas não pode.

— Bom — Blake também se levantou —, eu posso tentar. Vou sair para jantar com ele na cidade hoje à noite. Ter uma conversa de homem para homem. Um dos pais precisa explicar para o garoto a diferença entre certo e errado.

— O que você quer dizer com isso? — perguntou Tracy, gritando. Blake já estava quase alcançando a porta. — Você é muito convencido, Blake Carter! Já parou para pensar por que eu sou sua única amiga? De perfeito você não tem nada, sabia?

Blake continuou andando.

Tracy gritou atrás dele:

— Se Nick é um arruaceiro, é um arruaceiro que *você* criou! Não foi Jeff Stevens. Foi você! Se olha no espelho, seu... hipócrita!

Blake a encarou com um olhar de quem estava realmente magoado.

Então saiu e bateu a porta com força.

TRACY PASSOU O resto da tarde cuidando de papelada. Então limpou a cozinha até cada superfície ficar brilhando e reorganizou os livros na biblioteca. Duas vezes.

*Por que Blake tem de ser tão crítico?*

*Pior: por que sempre tem de estar certo?*

A tarde caiu e virou noite. Quando os ajudantes voltaram do campo, Nick não estava com eles.

— O Sr. Carter apareceu e levou o garoto — disse um dos sujeitos. — Acho que foram para a cidade. Você queria que a gente trouxesse ele para cá, madame?

— Não, não. Tudo bem — respondeu Tracy. — Podem ir para casa.

A noite estava bem fria. Não nevava, mas o vento que soprava era capaz de esfolar a pele toda como se fosse uma lâmina de barbear. Geralmente, numa noite de inverno como aquela, Tracy adorava ficar encolhida na frente da lareira, deleitando-se no calor e aproveitando as horas preciosas que passava sozinha lendo um bom livro. Mas, naquela noite, ela se deu conta de que lia uma página e não absorvia nada. Então, foi até a cozinha para preparar algo para comer, mas percebeu que estava sem fome. Se Nick estivesse em casa, os dois estariam vendo TV juntos — algum programa bobo e engraçado, como *Os Simpsons* —, mas Tracy detestava ver TV sozinha. Por fim, ela cedeu ao nervosismo e começou a andar pela sala de um lado para outro, repassando a discussão com Blake tal qual uma criança teimosa que não para de cutucar uma ferida.

*Eu não devia ter chamado Blake de hipócrita.*

*Arrogante, talvez. E rígido. Mas hipócrita, não.*

Ele parecia muito magoado quando foi embora. Era isso que atormentava. Por outro lado, Tracy também tinha sido magoada. Será que ela merecia mesmo ser punida por amar o espírito livre de Nick? Por achá-lo engraçado e charmoso, mesmo quando era irritante? Por defender o lado dele?

Os pais de Tracy, ambos mortos havia muito tempo, sempre ficaram do seu lado. Especialmente seu pai. Por outro lado, quando criança, Tracy nunca deu motivos para os dois se preocuparem. Ela nunca saía da linha ou arrumava problemas na escola.

*Eu era o arquétipo da garota boazinha. E veja só no que deu a* minha *vida.*

Apesar do que Blake Carter ou qualquer outra pessoa achava, Nick poderia crescer e se tornar um missionário ou um humanitário. Um garoto rebelde não necessariamente se tornava um adulto rebelde, certo?

Mesmo assim, Tracy não devia ter dito o que disse a Blake. Ela se desculparia assim que ele deixasse Nick em casa. E iria agradecê-lo por sair com o garoto.

Tracy olhou para o relógio. Eram dez e quinze da noite. Eles já estavam bem atrasados. A maioria dos restaurantes em Steamboat parava de servir às nove. Tracy imaginou Blake acomodado a uma mesa de restaurante qualquer, discursando para Nick sobre responsabilidade moral até os ouvidos do coitado do garoto derreterem.

*Tomara ele esteja bem.*

Uma batida à porta interrompeu seu devaneio.

*Eles voltaram!*

Provavelmente Blake havia esquecido a chave. Tracy correu até a porta. Ao abri-la, a primeira coisa que notou foram as luzes de uma viatura policial piscando na escuridão. Em seguida, voltou a atenção para os dois policiais à sua frente.

— Sra. Schmidt?

— Sim — respondeu Tracy, com cautela.

Um dos policiais tirou o chapéu e lançou a ela um olhar que fez seus joelhos começarem a tremer.

— Sinto muito informar, mas aconteceu um acidente.

*Não, não aconteceu.*

— O Sr. Carter saiu com a caminhonete da estrada na altura de Cross Creek.

*Não, não saiu. Não saiu. Blake dirige com muito cuidado.*

— Sinto muito em dizer, Sra. Schmidt, mas infelizmente ele morreu na hora.

Tracy agarrou a maçaneta para se apoiar.

— E o Nick? E o meu filho?

— Seu filho está bem. Foi levado para o hospital. Centro Médico de Yampa Valley.

As pernas de Tracy cederam. Blake estava morto — seu Blake, sua rocha —, mas tudo o que ela sentiu naquele momento foi alívio. Nick estava vivo! Ela sentia vergonha de admitir, mas isso era tudo o que importava.

— Foi preciso cortar a lataria da caminhonete para tirá-lo de lá, mas ele estava consciente quando entrou na ambulância. Se quiser, podemos levar a senhora para visitá-lo.

Sem dizer nada, Tracy concordou. Começou a caminhar em direção à viatura, cambaleando pela neve, como um zumbi.

— Não prefere levar um casaco, madame? — perguntou o policial. — Está bem frio aqui fora hoje à noite.

Mas Tracy não escutou, assim como não sentiu o frio.

*Estou chegando, Nick. Estou chegando, meu querido.*

Todos no Centro Médico de Yampa Valley conheciam Tracy Schmidt. Ela era uma das doadoras locais mais generosas do hospital.

Uma enfermeira a levou ao quarto de Nick. Para seu enorme alívio, ele estava acordado.

— Oi, mãe.

O rosto dele estava ferido, e o lábio inferior tremia. Tracy o envolveu num abraço como se nunca mais fosse soltá-lo. Ele começou a chorar.

— Blake morreu.

— Eu sei. — Tracy o apertou. — Eu sei, meu querido. Você se lembra do que aconteceu?

— Não — respondeu, choramingando. — Blake achou que uma pessoa estava seguindo a gente. Uma mulher.

— Que mulher? — perguntou Tracy, com uma expressão confusa. — Por que ele pensaria uma coisa dessas?

— Sei lá. Não cheguei a ver a mulher. Acho que ele estava meio distraído. Em um minuto a gente estava na estrada, e, no outro... — Ele começou a chorar.

— Shhh. Vai ficar tudo bem, Nicky. Prometo.

Tracy acariciou a nuca do filho. Com a palma da mão, sentiu um inchaço do tamanho de um ovo de galinha.

Esforçando-se para não entrar em pânico, ela perguntou:

— Você está se sentindo bem?

— Mais ou menos. Estou meio tonto. E muito cansado. Os médicos fizeram uns exames.

— Ok — disse Tracy, animada. — Descanse um pouco. Vou procurar esse médico e me inteirar da situação.

Ela não precisou ir longe. Quando saiu do quarto e fechou a porta, viu o Dr. Neil Sherridan já se aproximando pelo corredor. Tracy o conhecia do evento beneficente do hospital ao qual ela havia comparecido com Blake no verão anterior. Ela se lembrava de ter usado um vestido de gala vermelho e os brincos de diamante que Jeff lhe dera de presente no dia do casamento. Blake estava radiante de orgulho por acompanhá-la, embora todos soubessem que os dois não estavam juntos. Mas ali, naquele momento, tudo aquilo parecia ter acontecido em outra vida.

— Sra. Schmidt?

— Eu senti um inchaço — soltou Tracy. — Na cabeça dele. Ele está bem?

— Infelizmente, não — respondeu o Dr. Sherridan com ar solene.

Tracy sentiu o estômago embrulhar, como se estivesse em um elevador e alguém tivesse acabado de cortar os cabos.

— O quê? Como assim "infelizmente, não"?

— Vamos ter que operá-lo imediatamente.

Tracy piscou sem entender nada. Lembrou-se de que, no baile, havia considerado o Dr. Sherridan um homem bonito. Mas ali, naquele instante, ele parecia horroroso, como um demônio. Por que ele estava dizendo aquelas coisas terríveis?

— Estou com todos os formulários de autorização aqui.

Tracy encarou o médico, depois baixou o olhar para os formulários que ele havia lhe oferecido.

— M-mas... — balbuciou ela —, ele acabou de falar comigo. Agorinha mesmo.

— Eu entendo. Isso não é tão incomum após um acidente de carro. Geralmente esse tipo de trauma na cabeça demora algumas horas para se manifestar.

— Mas ele estava bem — insistiu Tracy. — Ele *está* bem.

O Dr. Sherridan pôs a mão no braço de Tracy.

— Não, Sra. Schmidt. Nós fizemos alguns exames. Ele não está bem. Sinto muito. O inchaço que a senhora sentiu é resultado de um enorme trauma cerebral. Ele teve sorte de não morrer na hora.

Tracy ficou tonta. *Vou desmaiar.*

— Ele ainda tem uma boa chance de recuperação — prosseguiu o médico. — Mas, se não operar, seu filho *vai* morrer.

A palavra "não" se formou nos lábios de Tracy, mas ela não a pronunciou.

— Lamento ser tão direto, mas estamos lutando contra o tempo aqui. Preciso que assine estes formulários, Sra. Schmidt. Agora mesmo.

Tracy olhou fixamente para a caneta em sua mão. Sua garganta estava seca. Ela tentou engolir, mas nada aconteceu, então olhou por cima do ombro e viu uma enfermeira estranhamente alta entrar de mansinho no quarto de Nicholas. O tênis da mulher estava enlameado e deixou marcas no chão limpo do hospital. Tracy fitou as marcas enquanto tentava se agarrar a qualquer coisa real. Porque aquilo que o Dr. Sherridan estava dizendo não era real. Não podia ser.

*Isso é uma brincadeira. Uma brincadeira muito, muito sem graça.*

*Quando eu assinar meu nome com esta caneta, um jato d'água vai esguichar na minha cara, e todo mundo vai começar a rir.*

— Aqui — informou o Dr. Sherridan, apontando para o pé da folha.

Tracy assinou de qualquer jeito.

— Obrigado. Vamos preparar o Nick para a cirurgia agora mesmo.

— Ele vai... ficar bem? — perguntou Tracy, com a voz rouca e odiando o som do medo em sua fala. — Depois da cirurgia? Você consegue dar um jeito nisso, não consegue, Dr. Sherridan?

O Dr. Sherridan a encarou.

— Vamos saber melhor quando a cirurgia começar. Eu estou esperançoso. Mas os exames não dizem muita coisa.

— Mas...

— Prometo que a senhora vai saber assim que terminarmos, Sra. Schmidt.

Dito isso, ele foi embora.

TRACY SE SENTOU perto da sala de cirurgia e começou a rezar.

Ela não acreditava em Deus, mas mesmo assim tentou fazer um trato com ele.

*Deixe Nick viver e vou fazer tudo o que o senhor pedir.*

*Deixe Nick viver e me leve no lugar dele.*

Se ao menos ela não tivesse discutido com Blake! Ele sempre dirigia com tanto cuidado. Será que havia se distraído porque ainda estava chateado com ela?

*Eu não devia ter deixado Blake sair com Nick. Não antes de ele se acalmar.*

A enorme lista de "e se" rolou sem parar pelos seus pensamentos, até que ela não conseguiu mais pensar. *E se eu tivesse mandado Nick para o quarto, em vez mandá-lo para o rancho? E se fosse eu que tivesse saído com ele, e não Blake? E se eles tivessem feito outro caminho de volta para casa?* Exausta, ela pôs a cabeça entre as mãos. Queria que Blake estivesse ao seu lado para apoiá-la. Mas Blake Carter nunca mais estaria ao seu lado. O velho amigo estava morto, havia partido para sempre, e Tracy não tivera um segundo sequer para lamentar por ele. Nick preenchia cada átomo de seu corpo.

*Deixe Nick viver, Deus. Por favor, por favor, deixe Nick viver.*

O Dr. Sherridan era o melhor neurocirurgião do Colorado e um dos melhores do país. Nada de Deus. Quem ia salvar Nick era o Dr. Sherridan.

Uma sombra se abateu sobre Tracy, e ela acordou sobressaltada.

*Como eu consegui dormir numa hora dessas?*, pensou, sentindo-se culpada.

Então Tracy encarou o Dr. Sherridan, e a culpa deu lugar a outro sentimento. Um sentimento muito, muito pior.

A última coisa que Tracy ouviu antes de desmaiar foi o som dos próprios gritos.

# Capítulo 9

— Ai, Jeff! Jeff! Ahhh!

Jeff Stevens sentiu Lianna chegar ao clímax debaixo dele e abriu um sorriso. Ele nunca se cansava da emoção de dar prazer a uma linda mulher. Ao longo dos anos, muitas haviam lhe dito que ele era maravilhoso na cama, porém cada nova garota se configurava um novo desafio.

— Mas e você, querido?

Lianna rolou para cima de Jeff e deixou seus seios lindos e volumosos pousarem no peito dele como um par de gelatinas recém-tiradas da forma. Dean Klinnsman era um cara de sorte. Com aquele cabelo louro e aquelas pernas infinitas, Lianna era uma garota espetacularmente sexy, embora fosse o exato oposto de Tracy.

Jeff nunca transava com garotas parecidas com Tracy. Elas partiam seu coração.

— Não quer gozar também? — murmurou Lianna. — Quer que eu faça o quê?

Ela encarou Jeff com um olhar de quem sabia o que estava fazendo e começou a descer pelo corpo dele, serpenteando na direção de suas partes íntimas.

— Na verdade, meu anjo — respondeu Jeff, tirando-a com delicadeza de cima dele —, tudo o que eu queria agora era uma comida bem gostosa. Estou morrendo de fome. Topa um Byron Burger?

— Mas... não foi bom? — perguntou a garota, amuada.

— Pelo contrário, foi muito bom — assegurou Jeff.

Em parte, estava sendo sincero. Mas a verdade nua e crua era que ele estava cansado demais para gozar. Pelo menos, não sem ter de se esforçar um pouco para isso. Como Lianna já estava satisfeita, sua mente começou a pensar em outras coisas. Principalmente em um hambúrguer de queijo e bacon com todos os acompanhamentos.

Não que Jeff não gostasse mais de sexo. Ainda adorava as mulheres. Todas elas, tirando uma ou outra feminista esquisita sem senso de humor, embora mesmo até as mais radicais se configurassem um desafio interessante. Mas, no atual estágio de sua vida, Jeff compartimentava suas relações sexuais de forma rigorosa. Ele se apaixonara duas vezes na vida e se casara com ambas as mulheres. Louise Hollander, a primeira, era uma herdeira de 25 anos e cabelos dourados que havia contratado Jeff para trabalhar em seu iate e o seduzira logo em seguida. Jeff amou Louise até descobrir que ela o traía com uma série de amantes mais ricos. Depois do divórcio, ele jurou que nunca mais se tornaria vulnerável a nenhuma mulher.

Claro que isso foi antes de conhecer Tracy Whitney.

Tracy era mais uma força da natureza do que uma mulher, o adorado amor da vida de Jeff. Após o último trabalho juntos, na Holanda, em que roubaram com brilhantismo o diamante *Lucullan* bem debaixo do nariz da força policial local e internacional, Jeff e Tracy se casaram. Talvez, em retrospecto, esse tenha sido o erro deles. O começo do fim. A felicidade da vida doméstica se provou muito mais difícil de alcançar quando a adrenalina da vida anterior havia ido embora.

*Mas, se não tivéssemos nos casado, Nick nunca teria nascido*, pensou Jeff.

— É melhor você ir para casa, querida — sugeriu Jeff, dando um beijo na bochecha de Lianna enquanto vestia a calça jeans. Pensando bem, modelos russas estonteantes de 23 anos quase nunca gostavam de hambúrgueres. — Não queremos que o seu futuro marido fique com a pulga atrás da orelha.

— Não — concordou Lianna. — Mas eu vou ver você de novo? Vai me ligar, não vai? — perguntou ela, já com uma ponta de dúvida em seu tom de voz.

— Claro que vou.

— Logo?

— Assim que for seguro — garantiu Jeff. O que, óbvio, seria no dia de são Nunca, se ela realmente fosse se casar com Dean Klinnsman. Levar Lianna para cama uma vez já tinha sido perigoso demais. Fazer disso um hábito seria suicídio.

Jeff suspirou aliviado assim que ouviu a porta do apartamento bater. Ultimamente, ele estava em dúvida sobre o que lhe dava mais prazer — uma noite de sexo fantástica ou um hambúrguer fantástico após o sexo, já sabendo que nunca mais teria de ver a garota em questão.

Estava prestes a sair quando o telefone tocou.

Jeff suspirou. Cacete. Lianna havia acabado de deixar o prédio. Não parecia ser do tipo grudenta mais cedo, no bar, tampouco na cama. Ele esperava sinceramente não ter errado no julgamento que fizera dela. Brincar de fugir da amante maluca enquanto Dean Klinnsman tentava espancá-lo até a morte não era o que Jeff chamava de um feliz Natal.

Ele deixou a ligação cair na secretária eletrônica.

— Jeff.

A voz de Tracy o atravessou como uma flecha. Desesperado para atender a tempo, ele saiu correndo em direção ao telefone, tropeçou em uma pilha de livros no caminho e quase se machucou.

— Tracy? Obrigado por retornar a ligação tão depressa. Isso quer dizer que não tem problema se eu for visitar vocês? Você não faz ideia de como estou morrendo de saudade dele e eu...

Tracy o cortou.

Anos e anos depois, Jeff Stevens ainda teria pesadelos com aquele telefonema. Ele se lembraria de tudo. Ele se lembraria exatamente da sensação do aparelho em sua mão. Do cheiro do apartamento naquele instante. Do eco distante e vazio na voz de Tracy, de que era ela falando, mas ao mesmo tempo *não* era. Ele se lembraria do fato de Tracy não ter chorado nem demonstrado qualquer emoção. Ela simplesmente lhe deu a fria, terrível e incompreensível informação de que Nicholas havia morrido.

*Meu Nick.*

*Meu filho.*

*Morto.*

— Estou indo, Tracy — disse Jeff, entorpecido. — Vou pegar o próximo voo.

— Não faça isso. Por favor.

— Tracy, eu preciso ir. Não posso deixar você passar por isso sozinha.

— Não.

— *Eu* não posso passar por isso sozinho.

— Não venha, Jeff.

Era como falar com um zumbi.

— Pelo amor de Deus, Tracy. Ele também era meu filho. — A voz dele estava embargada.

— Eu sei. Foi por isso que liguei — retrucou Tracy, usando um argumento lógico. — Você tem o direito de saber.

— Eu te amo, Tracy.

Ela desligou.

Por cerca de um minuto, Jeff permaneceu paralisado, deixando o choque atravessar seu corpo como se fosse uma corrente elétrica. Então ele pegou o telefone e agendou um voo.

Mais tarde teria tempo para outras emoções. Uma eternidade para chorar pelo filho que ele nunca chegou a conhecer, pelo menos não da forma apropriada. Tempo para todas as perguntas, para todos os "porquês" e "comos" que ele fora incapaz de articular ao telefone.

Naquele momento, ele precisava encontrar Tracy antes que ela fizesse alguma estupidez.

PASSARAM-SE QUASE 36 horas desde o momento em que Jeff recebeu o telefonema de Tracy em Londres até o instante em que estacionou na entrada da garagem do isolado rancho no Colorado.

Na última vez em que ele estivera ali — a única outra vez, na verdade —, Jeff se sentia tão fraco que mal conseguia andar. Estava exaurido após sua provação nas mãos de Daniel Cooper — ex-agente de seguros que se transformou num justiceiro desonesto incitado por uma obsessão assassina em relação a Tracy. Mas, no fim das contas, por ironia do destino, Daniel Cooper acabou fazendo um favor a Jeff Stevens. Talvez o maior de sua vida. Tudo bem que Cooper havia tentado crucificá-lo e enterrá-lo vivo dentro das muralhas de uma antiga ruína búlgara, mas com isso conseguiu realizar o que Jeff vinha tentando durante uma década: colocou Tracy de volta em sua vida — e, junto com ela, Nicholas. Por esse motivo, Jeff Stevens seria grato a ele pelo resto da vida. Tracy havia encontrado, resgatado e salvado a vida de Jeff. Em troca, ele concordara em deixar Tracy viver a *própria* vida, uma vida despretensiosa numa cidadezinha nas montanhas, com seu filho. Jeff a deixaria criar o menino com a ajuda do administrador do rancho, Blake Carter, pois sabia que Carter era um homem melhor do que ele. E também porque Blake amava Nick, e vice-versa.

*Foi a decisão correta*, disse Jeff a si mesmo, sem conseguir segurar as lágrimas. *Nick era feliz. Ele era!*

Jeff disse a si mesmo que teria tempo para compensar as coisas com o filho quando o garoto crescesse. Quando Nick fosse um homem feito, no tempo certo, Jeff e Tracy se sentariam com ele e, juntos, lhe contariam a verdade. Adulto, Nick poderia fazer as próprias escolhas. Jeff não sabia por que, mas sempre acreditara que teria o perdão do filho. Que Nick o entenderia, e que os dois teriam uma relação plena e calorosa, e que recuperariam o tempo perdido.

Mas tanto Blake quanto Nick haviam morrido.

Não havia mais tempo.

Tudo estava perdido.

A dor era indescritível. Jeff chorou o voo inteiro. Os passageiros próximos pediram transferência de assento. O arrependimento era como um peso físico, um caminhão estacionado no peito de Jeff que quebrava todas as suas costelas, uma por uma, antes de esmagar seu coração.

*Por que foi que eu fiz isso?*

*Por que deixei meu filho ir embora?*

*Eu cometi um erro terrível e agora nunca mais vou conseguir consertar.*

É tarde demais.

Quando o avião pousou em Denver, Jeff já não tinha mais lágrimas para chorar. Estava mais exausto que aliviado, e física e emocionalmente esgotado. Não conseguiu tirar Tracy da cabeça durante o longo percurso de subida até as montanhas. Se a dor era tão forte para ele, como seria para ela? Jeff perdera a ideia de ter um filho, a esperança de um relacionamento. Tracy perdera a realidade. Nick era o filho que ela desejara a vida inteira. A criança que ela acreditava que nunca teria. Tracy o carregara no ventre, o dera à luz, o amara todos os dias de sua vida com a paixão feroz de uma leoa que protege o filhote. Até o próprio corpo deve fazê-la se lembrar de Nick. Para Tracy, não haveria como escapar do luto, não haveria fim para as lágrimas.

*Com uma perda desse tamanho, o suicídio provavelmente parece uma opção bem racional*, pensou Jeff. *Talvez a única.*

Jeff foi tomado pelo pânico ao se lembrar da voz estranha e vazia de Tracy ao telefone:

— "Aconteceu um acidente. Blake morreu na hora. Nick morreu na manhã seguinte, por causa dos ferimentos. Sinto muito."

Ela falou como se não estivesse ali. Como se já tivesse feito o check out desse mundo.

Jeff acelerou o carro. Quando finalmente chegou ao rancho, ficou imensamente aliviado ao ver as luzes acesas na casa e dois carros estacionados do lado de fora. Havia gente andando lá dentro, passando diante das janelas.

*Que bom. Tracy tem amigos, pessoas que sabiam que ela não pode ficar sozinha.*

Por um instante, Jeff pensou em como ele se apresentaria àquelas pessoas — quem ele diria ser? —, mas logo afastou o pensamento. Aquilo não importava. Ele veria Tracy, ele a abraçaria, os dois chorariam juntos. E depois disso...

Jeff não conseguia pensar no depois.

Ele subiu correndo os degraus até a varanda da frente e se viu prestes a bater à porta, quando percebeu que ela já estava aberta.

— Olá?

Ele entrou. Caixotes meio cheios entulhavam a entrada. A mesa na qual Jeff havia jogado cartas com Nick estava de cabeça para baixo, as pernas envoltas em plástico bolha. Uma mulher com um iPad pendurado no pescoço tirava os quadros das paredes parecendo estar ali a trabalho.

— O que está acontecendo? — perguntou Jeff, em tom de exigência. — Quem é você?

— Karen Cody. Prudential Imobiliária.

Ela estava prestes a fechar a cara, quando notou como o homem moreno era atraente. Seu olhar parecia cansado, e suas têmporas estavam ganhando um tom grisalho, mas o maxilar firme, a boca sensual e o porte atlético e forte compensavam em muito quaisquer imperfeições. Karen bateu os cílios falsos.

— Posso ajudar? — perguntou ela.

— Cadê a Tracy?

— Neste momento, a Sra. Schmidt está na Costa Leste. — respondeu a corretora, preferindo ignorar o tom rude de Jeff.

— Onde?

— Pelo que sei, na casa de familiares.

*Tracy não tem familiares*, pensou Jeff. *Nenhum vivo, pelo menos.*

— Que tragédia. — Karen balançou a cabeça, pesarosa. — Você é um... amigo próximo?

Jeff não respondeu. Em vez disso, subiu correndo as escadas e começou a abrir e fechar as portas desesperadamente, como se Tracy fosse se materializar de uma hora para outra ali. Por fim, abatido, voltou para onde estava a corretora.

— Ela disse quando volta?

Karen Cody lançou um olhar de pena para aquele homem lindo.

— Infelizmente, Tracy não volta. Ela pôs a casa à venda. É por isso que estamos aqui. — Ela gesticulou para as caixas espalhadas à sua volta.

— Mas... e... o en-enterro? — perguntou Jeff, gaguejando.

— Vai haver uma cerimônia para o Sr. Carter na quarta-feira. Acho que Nicholas já foi cremado.

— Já? — Jeff pareceu arrasado.

— A mãe dele quis agilizar as coisas. Pelo que entendi, ela própria espalhou as cinzas, sozinha. Se quiser prestar sua homenagem, a escola está realizando uma vigília no...

— Tracy deixou algum endereço? — interrompeu-a Jeff.

Ele não estava interessado em vigílias ou cerimônias fúnebres. Não queria "prestar homenagem". Queria respostas. Como Nick morreu? Tracy dissera que foi em um acidente, mas *que* acidente? O que havia acontecido?

— Um número para contato? — prosseguiu ele. — Qualquer coisa.

— Não deixou nada. Para ser honesta, acho que a coitada só queria sair daqui. Os fiduciários da Sra. Schmidt estão conduzindo a venda do rancho. Talvez você possa falar com eles.

Jeff ficou com o coração na mão.

*Tracy sabia que eu viria. Sabia que eu não conseguiria ficar longe.*

*Ela sabia e fugiu.*

*Eu a espantei.*

— Se quiser, posso lhe passar o contato do escritório dos fiduciários, senhor... como disse que se chama mesmo?

— Eu não falei o meu nome. Onde fica o quarto do Nick mesmo?

Karen Cody ficou irritada. Lindo ou não, aquele homem estava começando a lhe dar nos nervos.

— No segundo andar, primeira porta à direita. Mas você não pode...

Jeff começou a subir as escadas.

— Estamos empacotando as coisas — gritou Karen. — Não é uma boa hora.

— Não toque nas coisas dele — gritou ele, por cima do ombro.

— São instruções da Sra. Schmidt — gritou Karen em resposta. — Ela deixou perfeitamente claro que...

— EU DISSE PARA NÃO TOCAR NAS COISAS DELE! — berrou Jeff a plenos pulmões.

A corretora arregalou os olhos. Quem *era* aquele cara?

NO ANDAR DE cima, Jeff se sentou na cama de Nick, exausto demais para chorar.

*Por que Tracy fugiu?*

*Por que ela não quis me ver?*

Ele nem sabia o que havia acontecido, não em detalhes. Um acidente de carro. Um trauma na cabeça. Pequenos fragmentos de um fato, sem contexto, sem explicação. Um quarto vazio e um armário cheio de roupas. Foi tudo o que Tracy deixou para ele.

Jeff estava furioso.

Havia uma camisa suja amarrotada no chão. Nick provavelmente a deixou ali antes do acidente.

*Dois dias atrás. Dois dias atrás, ele estava vivo. Como uma coisa dessas pôde acontecer?*

Jeff pegou a camisa, pressionou-a no rosto, fechou os olhos e inalou a fragrância do filho. Em um ou dois dias, o cheiro ficaria mais fraco. Em uma semana, sumiria por completo. Não restaria mais nada.

Jeff agarrou a camisa com força, desceu correndo as escadas, passou direto pela corretora e saiu da casa. Só parou ao chegar ao carro alugado.

Se Tracy havia fugido era porque não queria ser encontrada. Jeff Stevens havia passado metade da vida adulta caçando Tracy Whitney. Não suportaria passar por isso outra vez. Não depois de perder o filho. Ele não sobreviveria. Mas também não poderia desapontar o garoto.

Jeff iria descobrir a verdade. Toda a verdade.

Ele daria um enterro a Nick.

Jeff virou a chave na ignição, voltou para o aeroporto e pegou o primeiro voo para Londres.

Dormiu enquanto sobrevoava o Atlântico, com a camisa de Nick nos braços.

* * *

SENTADA ERETA E completamente acordada em outro avião, Tracy leu a mensagem no telefone pela centésima vez.

— Talvez eu tenha informações sobre o seu filho. Por favor, entre em contato. G.W.

Greg Walton deu a Tracy o número de uma linha segura em Langley para o qual ela poderia telefonar.

Mas Tracy não telefonou. O que Greg Walton poderia saber sobre Nick?

Como a CIA se atrevia a brincar com ela num momento desses? A jogar com seu luto para fazer valer seus fins cínicos?

*Bum!* O avião entrou em uma área de turbulência tão violenta que mais parecia ter acertado um muro. O telefone voou das mãos de Tracy. Ao redor dela, bebidas haviam entornado e bolsas caíram dos bagageiros acima. Muitos começaram a gritar quando a aeronave desceu de uma hora para a outra e perdeu centenas de pés de altitude em questão de segundos.

— Por favor, voltem para seus assentos e apertem os cintos. — Até o comandante parecia agitado. — Tripulação, tomem seus assentos agora, por favor.

Tracy observou os comissários de bordo se entreolharem assustados. Sua vizinha de assento estava de olhos fechados e punhos cerrados, murmurando intensamente.

*Está rezando*, pensou Tracy, com pena. *Deus não existe, sabia? Não tem ninguém do outro lado.*

Enquanto o avião sacudia e tremia ao passar pela tempestade, Tracy foi tomada por uma profunda sensação de tranquilidade. Sentiu desapego e acolhimento. Uma profunda paz.

Nada mais importava.

* * *

GREG WALTON ACORDOU tarde na manhã de Natal.

Seu companheiro, Daniel, tinha levado a mãe idosa para passar as festas de fim de ano num cruzeiro pelo Caribe. Daniel era judeu, então não ligava muito para o Natal. Greg era presbiteriano, e nos anos anteriores até se esforçou: decorou a árvore, foi aos cultos na Western Pres, localizada na Virginia Avenue — bem perto da Casa Branca —, e assou um peru para os dois. Mas a verdade era que ele fazia isso mais por culpa ou por algum senso descabido de tradição. O Natal era para crianças. Tinha algo de estranho, algo de forçado e contraditório em dois homens gays descrentes celebrando, comendo uma torta que custava o olho da cara e cantando músicas natalinas só porque todo mundo fazia essas coisas.

Este ano, Greg tinha a casa apenas para si — uma residência linda e histórica localizada em Georgetown. Sua ideia era passar o dia no sofá, vendo bobagens na TV, se empanturrando de chocolate e tentando tirar o Grupo 99, a Bratislava e Hunter Drexel da cabeça.

Greg não se iludia. O presidente Havers havia se arriscado ao ordenar a incursão na Bratislava. Se eles não encontrassem Drexel, Althea ou o carniceiro Alexis Argyros logo, Havers cairia. E, se Havers caísse, levaria Greg Walton junto. Ninguém chora quando a CIA apanha. *Nós somos os caras que todo mundo adora odiar*, pensou Greg com amargura. Por outro lado, ele sabia onde estava se enfiando. Greg Walton havia sido espião durante toda a vida adulta. E era isso que as agências de inteligência faziam — salvavam todas as vidas e não conseguiam glória alguma. Levavam a culpa no lugar de políticos e do Exército, e até de jornalistas imbecis tentando chamar atenção, como Hunter Drexel. Quanto aos britânicos — os assim chamados "aliados incondicionais" —, Greg sabia que eles não deixariam nem rastro caso Havers não conseguisse reverter o quadro, se não obtivesse uma vitória em meio àquele mar de derrotas.

Até então, porém, eles não tinham nada.

Suas maiores esperanças estavam concentradas em Tracy Whitney. O fascínio de Althea por Tracy era sua única pista sólida. Tracy tinha alguma ligação com o Grupo 99, uma ligação importante, quer soubesse ou não. Mas, apesar das ameaças de Greg, Milton Buck passou longe de fazê-la cooperar. *Mais uma vez, o FBI não cumpre seu papel.* E agora, com o filho no necrotério, Tracy havia sumido completamente do mapa. Greg Walton trabalhava tempo suficiente na agência para saber que, se Tracy Whitney não quisesse ser encontrada, ela não seria. Desesperado, ele chegou a mandar mensagens de texto para ela. Mas, como esperado, o silêncio do outro lado foi sepulcral.

*Feliz Natal para você também.*

Greg tomou banho, fez ovos mexidos e rearrumou as almofadas de sua formal sala de estar. Então acendeu a lareira e as velas italianas perfumadas, as que ele e Daniel haviam descoberto em Veneza e que exalavam um aroma de laranja, cravo, incenso e canela, tudo misturado em uma deliciosa bomba de especiarias. Por fim, colocou uma música — canções natalinas do coro do King's College, da Universidade de Cambridge — e deixou a voz imaculada dos garotos tomar conta da casa, como se um exército de anjos estivesse cantando.

*Perfeito.*

Com o cenário montado, Greg se pôs a desfrutar seu prazer vergonhoso — um DVD de uma série policial sueca e um pacote de chocolate barato (são sempre os melhores). Foi então que, para sua enorme irritação, a campainha soou.

É sério? No dia de Natal?

Greg pegou o iPad e viu as imagens das 12 câmeras do circuito interno de TV instaladas ao redor da propriedade. Ele e Daniel havia discutido o assunto quando Greg aceitou o cargo mais importante da agência e os dois decidiram dispensar a oferta de segurança física 24 horas por dia, sete dias por semana. É verdade, existem malucos por todos os lados. Sempre há riscos. Mas a tecnologia podia ser muito eficiente ao fornecer proteção sem a necessidade de uma presença humana permanente. As câmeras eram apenas parte de um sistema de segurança abrangente que também contava com um quarto do pânico, janelas à prova de balas e um programa de computador capaz de detectar bombas. As condições não eram perfeitas, mas davam a Greg e Daniel uma vaga sensação de privacidade e de que eles viviam num lar, e não numa fortaleza.

No entanto, a pessoa que Greg estava vendo no iPad não era um terrorista.

Uma mulher de cabelos brancos estava sozinha e desamparada diante da porta de entrada. Parecia frágil, curvada e possivelmente confusa. Isso Greg inferiu ao ver que ela não carregava mala, não parava de olhar para os lados, como se não soubesse bem o que estava fazendo ali, e não usava casaco, que dirá luvas ou cachecol, o que, no inverno de Washington, era quase uma tentativa de suicídio.

*Vou ter de pedir para ela entrar,* pensou Greg, irritado. *Tentar fazer contato com a família. Ou com a assistência social.* As pessoas têm de ficar de olho nos parentes idosos, especialmente durante a porra do Natal.

Greg abriu a porta.

— Oi. Posso ajudar?

— Pode — respondeu a mulher, sacando uma minipistola da manga do cardigã como num passe de mágica. — Pode me contar a verdade, Sr. Walton. Toda a verdade. Senão eu mato você.

Greg arregalou os olhos e abafou um suspiro.

— Tracy?

O cabelo branco não era peruca. Era real, assim como a perda de peso. Tracy Whitney tinha envelhecido uns vinte anos nas duas semanas desde que ele a vira pela última vez.

— Entre — ordenou ela. — Devagar.

— SABE, VOCÊ pode abaixar isso aí — disse Greg ao fechar a porta e caminhar com calma até a sala de estar. — Nós dois sabemos que você não é assassina, Srta. Whitney. Sinto muito pelo seu filho.

— Você me mandou aquela mensagem — retrucou Tracy, ainda apontando firme a pistola para a cabeça de Walton.

Greg se sentou no sofá.

— Mandei.

— Por quê? É impossível você saber alguma coisa sobre a morte de Nick.

— Impossível?

— Sim. Ele sofreu um acidente.

*Ela está tentando me convencer ou convencer a si mesma?*, pensou Greg Walton.

— Pode ter sido um acidente. Ou não. De qualquer forma, Srta. Whitney, não sei o que você pensa que vai ganhar atirando em mim.

Tracy hesitou. Sua cabeça latejava e seu corpo doía. Já fazia duas semanas que ela não dormia direito, e também mal comia. Ela foi até a casa de Walton num acesso de raiva, convencida de que ele era o inimigo. Confusa e abalada pela perda do filho, a ação havia surtido efeito. Walton e Buck tinham visitado o rancho. Blake e Nick haviam morrido. Walton estava tentando convencer Tracy a ir para Langley. Esses três acontecimentos se fundiram na cabeça dela e ganharam a forma de uma única e sinistra cadeia de eventos. Mas ali, diante de Greg, olhando para o agente, ela foi tomada por dúvidas. Para sua vergonha e extrema surpresa, Tracy começou a tremer descontroladamente.

— Está tudo bem. — Greg se aproximou de Tracy e, com cuidado, tirou a arma das mãos dela. Em seguida, passou o braço sobre seus ombros delicados e a conduziu até o sofá. Ele ficou horrorizado ao notar como a bela mulher estava magra. Greg conseguia sentir todos os ossos dela. — Você passou por um grande choque. — Ainda tremendo, Tracy se sentou ao lado dele. — Vou fazer um chá para você.

Minutos depois, enrolada num cobertor pesado tal qual a sobrevivente de um naufrágio e bebendo um chá fumegante e carregado de açúcar, Tracy pediu desculpas.

— Eu precisava descontar em alguém. Eu tinha que *fazer* alguma coisa — explicou.

— Eu entendo, de verdade. Não precisa se desculpar. Para ser franco, Tracy, estou feliz por você estar aqui.

— O que vocês sabem sobre o que aconteceu com o meu filho?

— Nós não *sabemos* nada — admitiu Greg. — Mas há circunstâncias suspeitas em torno do acidente.

— Que circunstâncias?

— O FBI deu uma olhada na caminhonete de Blake Carter. Parece que a barra de direção pode ter sido sabotada.

Tracy levou as mãos à boca.

— Não! Isso é impossível. Quem iria querer machucar Blake? Ele não tinha um inimigo sequer no mundo inteiro.

— Concordo. *Ele* não tinha.

Greg fez uma pausa por alguns instantes para Tracy compreender o significado de suas palavras. Então, prosseguiu:

— Recebemos relatos da presença de uma mulher no restaurante em que Blake e Nick jantaram naquela noite. Alta, morena, bonita. Nenhum morador local a conhecia. Ela saiu do restaurante logo depois do Sr. Carter. Dirigia um Impala preto.

Tracy relembrou sua última conversa com Nick: "Blake achou que uma pessoa estava seguindo a gente. Uma mulher. Acho que ele estava meio distraído."

— Nick disse uma coisa — murmurou ela, mais para si do que para Walton. — No hospital. Antes de... Ele disse que uma mulher estava seguindo o carro deles.

Com uma expressão grave, Greg Walton se inclinou para a frente.

— A descrição física dessa mulher bate com a suposta aparência de Althea — disse ele.

Tracy balançou a cabeça, incrédula.

— Isso não passa de uma teoria — prosseguiu o agente. — Mas sabemos que essa mulher conhece você, Tracy. Que ela quer levar você para essa bagunça do Grupo 99 com os reféns. Alguém mexeu na caminhonete de Blake. O Blake que, como você mesma disse, não tinha inimigos.

Tracy balançou a cabeça com mais veemência.

*Não. Isso não pode ser por minha causa. Nick e Blake não podem ter morrido por minha causa.*

— Uma mulher desconhecida, com uma descrição que bate com a de Althea, seguiu Blake e seu filho e possivelmente os tirou da estrada.

Com uma imensa força de vontade, Tracy se obrigou a pensar usando a lógica.

— Nada se encaixa aqui. Primeiro, o que ela ganharia ao machucar Blake ou Nick?

— Não sei — admitiu Greg. — Talvez ela só quisesse fazer mal a você. Ou talvez tenha pensado que, com a sua família fora da jogada, você concordaria em nos ajudar. Em se envolver na investigação.

A ideia era terrível, perversa, mas plausível. O coração de Tracy acelerou. Mas, mesmo assim...

— Mas é um golpe tão arriscado. Um acidente de carro — comentou ela. — E se eles tivessem sobrevivido? Quer dizer, Nicholas quase sobreviveu. Quando nos falamos depois do acidente, já no hospital, ele...

Tracy congelou. De repente, pareceu ter visto um fantasma.

— O quê? — perguntou Greg Walton. — Tracy, o que foi?

— No hospital — sussurrou. — Eu vi uma pessoa entrar no quarto dele.

— Quem?

— Uma enfermeira. Pelo menos eu achei que fosse uma enfermeira. Ela estava de jaleco, mas...

Greg segurou as mãos de Tracy.

— Conte, Tracy. Como ela era?

— Eu só a vi de costas, mas os tênis dela estavam sujos de lama e me chamaram atenção. Era como se ela tivesse feito uma caminhada ao ar livre ou coisa do tipo.

— O que mais?

Tracy o encarou.

— A mulher tinha um cabelo longo e castanho-escuro. E era muito, muito alta.

Depois de Tracy se hospedar num hotel, Greg Walton pegou o telefone.

— Como ela está, mentalmente falando? — perguntou Milton Buck.

— Frágil. Continua em estado de choque.

— E fisicamente?

— Horrível. Parece vinte anos mais velha. O cabelo está completamente branco.

— Caramba. — Buck soltou um assobio. — Mas ela vai ajudar? Ela topou?

— Você está de sacanagem comigo? — Apesar de tudo, Greg Walton não conseguia afastar o tom animado de sua voz. — Tracy Whitney não vai descansar enquanto não encontrar Althea. Ela topou, com certeza. Irá até as últimas consequências.

Milton Buck desligou, virou-se para a mulher e lhe deu um abraço apertado.

— Por que isso? — perguntou Lacey Buck, dando uma risadinha. Nas últimas semanas, Milton tinha estado de mau humor e lhe fizera uma grosseria atrás da outra. Ele sempre ficava desse jeito quando as coisas iam mal no trabalho.

— Ah, nada. — Buck abriu um sorriso. — Desculpe se eu tenho sido tão ranzinza. Talvez este seja um Feliz Natal, no fim das contas.

# PARTE DOIS

# Capítulo 10

LAGO DE GENEBRA, SUÍÇA, UM MÊS DEPOIS...

— QUANDO VOCÊ VAI estar em casa, Henry? Lembre-se de que temos um jantar com os Alencons hoje à noite.

Henry Cranston olhou para a mulher, Clotilde, e desejou que ela fosse mais jovem. E mais bonita. E menos exigente. Será que um dia ele chegou a se sentir atraído por ela? Henry não lembrava. Talvez, antes de os gêmeos nascerem e de ela ter ficado com a barriga flácida e cheia de estrias, como a casca de uma maçã velha.

— Não tenho hora para voltar hoje — retrucou ele, de forma rude. — Estou muito atarefado no trabalho.

Clotilde Cranston tentou fazer um beicinho, mas havia aplicado Botox na semana anterior, o que deixou a parte inferior de seu rosto quase imóvel. Ela realmente precisava trocar de dermatologista. Em tese, o Dr. Troveau era o melhor de Genebra, mas isso não significava nada. Clotilde sentia falta de Nova York. Pelo menos lá ela tinha amigas para distraí-la de seu casamento sem amor. Amigas e um dermatologista decente. E a Bergdorf.

— Eu te amo! — gritou ela para as costas de Henry, desesperada e desonestamente.

— Também te amo! — mentiu Henry Cranston também.

Henry fechou a porta de seu Bentley com um *estrondo* pesado e satisfatório. Sentiu-se melhor na mesma hora. Ele tinha *mesmo* muito trabalho a fazer naquele dia. Passaria a manhã inteira comendo a nova secretária, uma baixinha animada de cabelos castanhos que mal tinha saído da adolescência e se mostrava maravilhosamente ansiosa por agradar.

Depois, passaria as propinas aos poloneses e bateria o martelo em seu mais recente negócio, que daria à Cranston Energy Inc. o direito de realizar a técnica do fraturamento hidráulico em uma vasta área do interior da Polônia que continha gás de xisto saindo pelo ladrão. Não era um negócio tão bom quanto o que ele havia fechado pelos direitos exclusivos de aplicar a mesma técnica na região oeste da Grécia, em terras que ainda estavam nas mãos da família real grega, que se encontrava exilada. Infelizmente, graças ao suicídio do bichinha daquele filho idiota deles, o acordo foi desfeito mais rápido do que promessas de políticos após a eleição. Mas o negócio na Polônia era um bom prêmio de consolação.

Depois de costurar o acordo, Henry desfrutaria de um almoço tardio com sua amante, Claire, outra que também estava se tornando exigente demais. Henry teria de se livrar dela em breve, mas só depois de completar sua coleção de vídeos caseiros e intimidá-la para que fizessem sexo anal. Quer dizer, caramba, aquela puta imbecil achava que servia para quê? Se ele quisesse trepar só por trepar, transaria com sua mulher e não gastaria meio milhão de euros a mais por ano numa cobertura!

Henry Cranston enfiou a chave do carro na ignição e deu partida no motor.

NAQUELE EXATO MOMENTO, na redação da Reuters em Manhattan, o jornalista Damon Peters viu o monitor de seu computador ficar branco e, em seguida, se encher dos familiares balões vermelhos.

O mesmo aconteceu no *Times* de Londres, no *New York Times*, no *China Post* e no *Sydney Morning Herald*, entre outras centenas de jornais e veículos de comunicação do mundo todo.

A diferença foi que, daquela vez, o primeiro balão a alcançar o topo da tela estourava, e dele saíam, em letras garrafais e em negrito, a assustadora mensagem:

**VIVA GENEBRA: HENRY CRANSTON, DESCANSE EM PAZ**

Em Manhattan, Damon Peters girou na cadeira, olhou para a colega Marian Janney e perguntou:

— Quem é Henry Cranston?

— Não faço ideia.

— Mas que merda acabou de acontecer em Genebra?

MORADORES LOCAIS INFORMARAM que foi possível ouvir a explosão a mais de 3 quilômetros de distância.

Clotilde Cranston voou de costas e atravessou a porta da frente. Estraçalhou a bacia e quebrou quatro costelas.

Por milagre, sobreviveu.

Assim como seu cachorro, Wilbur.

Henry Cranston explodiu em milhões de pedacinhos mentirosos, traidores e desprezíveis.

Tracy Whitney reexaminou as fotos do local da explosão em Genebra.

Não havia muito o que ver. Pedaços retorcidos de metal. Fragmentos de alvenaria do que havia sido um muro de jardim. Um dedo arrancado.

— Em quanto tempo você consegue chegar lá? — perguntou Greg Walton.

No mês de fevereiro, três dias depois do assassinato de Henry Cranston, Tracy estava no escritório de Gregory Walton em Langley recebendo as informações dos últimos desdobramentos da luta contra o Grupo 99. Tracy passara o mês anterior em Washington, recuperando as forças, tanto físicas quanto mentais. Por insistência de Greg Walton, ela havia entrado numa dieta hipercalórica e, embora ainda continuasse extremamente magra, já deixara de ser a pária esquelética que havia batido à sua porta. Seu cabelo branco tinha sido pintado, recuperando o tom castanho original, e os fortes comprimidos para dormir que lhe haviam sido receitados pareciam funcionar bem.

A única parte do tratamento da CIA que não estava funcionando era a terapia. Tracy fora educada e solícita ao responder a todas as perguntas do terapeuta, mas ainda se recusava a sequer começar a processar a morte de Nick.

— Se eu abrir esta porta, não vou sobreviver — explicara, em poucas palavras.

Ela possuía uma certeza inabalável, tanto que até o terapeuta da CIA havia começado a pensar que talvez ela tivesse razão. Em vez de conversar, Tracy fez do trabalho sua terapia, mergulhando nos arquivos confidenciais sobre Althea.

Após inúmeras reuniões e horas examinando minuciosamente cada evidência — eletrônica ou física —, Tracy passou a conhecer Althea mais do que qualquer pessoa do mundo.

*Exceto quem ela é.*

*Ou como me conhece.*

*Ou por que se envolveu com o Grupo 99.*

*Ou se ela matou mesmo o meu filho.*

Tracy estava ansiosa para sair à caça de Althea. Mas, até a explosão em Genebra, não havia pistas a seguir.

No entanto, um tráfego suspeito de informações eletrônicas interceptadas dava fortes indícios de que Althea estava na Suíça quando se deu o atentado a bomba contra Cranston. Talvez até tenha participado de uma reunião em um banco de Zurique dois dias antes do ataque. A CIA ainda vinha tentando obter as imagens do circuito interno de TV, assim como a permissão para interrogar o banqueiro em questão, mas até então não tivera sucesso.

— Tentar tirar informações dos suíços é como tentar arrancar uma resposta direta de um advogado — reclamou Greg Walton no dia anterior. — Sério, parece até que nós somos o inimigo.

Tracy ergueu uma sobrancelha.

— Imagine só.

Greg Walton deu um sorriso.

— Por onde anda a confiança, hein, Tracy?

Os dois haviam desenvolvido uma boa relação de trabalho, amigável e respeitosa. Isso se deu em parte porque Milton Buck estava mergulhado até o pescoço na caça a

Hunter Drexel — que a essa altura parecia ter desaparecido da face da Terra — para ir às reuniões. E em parte porque a única coisa que importava para Tracy Whitney era descobrir a verdade sobre o que havia acontecido com seu filho. Para isso, ela precisava de Greg Walton, assim como ele precisava dela.

— Então, Tracy, em quanto tempo você consegue chegar lá? — perguntou novamente Greg Walton.

— Posso pegar um voo hoje à noite, se você achar necessário — respondeu ela, ainda diante das fotos do que sobrara de Henry Cranston.

— Acho que seria uma boa ideia. Se estiver disposta.

— Estou. — Tracy sorriu.

— Que bom. — Greg sorriu para ela também.

Tracy usava um modelo comportado de blusa de seda branca e calça cigarrete preta. O cabelo, recém-pintado, estava preso, e sua pele brilhava devido à combinação que lhe fora imposta — sono induzido por remédios e alimentação saudável. Ela estava maravilhosa. Equilibrada. Linda. Bem.

— Pode retirar a passagem no aeroporto — informou Walton. — E lembre-se: oficialmente, você não trabalha para nós. Isso pode dar a você mais margem para manobra com os suíços.

— Entendido.

— Tente jogar um charme para cima deles. Se não conseguir, veja quais... canais alternativos... você consegue descobrir para localizar Althea.

Tracy fez que sim com a cabeça. Disso ela era capaz. "Canais alternativos" eram sua especialidade. Pelo menos haviam sido no passado.

— Eu sei que você vai ser engenhosa. — Greg Walton lhe entregou um arquivo manuscrito com a palavra "Confidencial" impressa na capa. — Tome. Uma leitura leve para o voo. Boa sorte, Tracy.

— Você armou para mim!

Alexis Argyros, vulgo Apollo, afastou o telefone da orelha. Do outro lado da linha, Althea berrava, protestava e falava cuspindo, expressando uma fúria impotente, tal qual uma cobra se contorcendo, presa debaixo do pé dele. Incrível como o jogo havia virado!

A sensação era maravilhosa.

— Não seja ridícula — disse ele, quando Althea finalmente se calou. — Nossos irmãos suíços organizaram isso. Não tive nada a ver com a história. Ando ocupado demais na caça ao nosso amigo Hunter. Ou será que você já se esqueceu dele?

— Você teve tudo a ver com isso! Está dizendo que foi pura coincidência isso acontecer enquanto eu estou no país?

— Nem tudo gira em torno do seu umbigo, Althea.

Meses antes, Apollo nunca teria ousado tratá-la com tanta audácia. Mas naquele momento? Naquele momento, ele estava no poder.

Ao notar como Apollo falava com prazer, Althea contra-atacou:

— Você é doente. Todo mundo sabe disso. Você mandou matar Henry Cranston porque queria ficar excitado ao vê-lo morrer.

— E você não ficou excitada ao ver os miolos de Bob Daley explodirem? — zombou Apollo.

Para sua alegria, Althea pareceu abalada ao responder.

— Claro que não. Bob Daley era outra história. Você sabe *muito bem* por que ele precisava morrer.

— Sei mesmo? — provocou Apollo.

— Não deveria haver outras mortes!

— Ah, mas vai haver, minha querida. Muitas e muitas outras. É bem grande esse um por cento da população mundial, sabia? Os justos e oprimidos finalmente provaram o gosto da vingança. E querem mais! — Sua voz falhava de tanta empolgação. — Esses desgraçados avarentos que só sabem estuprar o planeta em prol da própria ganância como Cranston merecem a morte.

*Estuprar o planeta.* Era assim que os ecoguerreiros do Grupo 99 vinham se referindo à técnica do fraturamento hidráulico. Althea costumava considerar ridícula essa expressão, imatura e melodramática até, algo que somente um universitário hipócrita poderia ter inventado. Desde o começo, ela se sentiu incomodada com algumas facetas do Grupo 99, mas, em nome de Daniel, continuou firme com a organização. No entanto, ouvir a expressão vinda da boca de Apollo — tomada de assalto com o motivo justificado por ele para fazer valerem seu sadismo e sua sede de sangue — a deixou apavorada.

Apollo deu uma gargalhada.

— Só não se esqueça, Althea — disse ele, em tom de escárnio. — Foi *você* quem abriu os portões do inferno. Não eu.

*Foi isso que eu fiz?*, pensou ela, assim que a linha ficou muda, olhando para o outro lado do lago, na direção dos imensos Alpes que assomavam ao longe. *Será que eu abri os porões do inferno?*

Ela começou a fazer a mala às pressas.

* * *

— DESEJA ALGUMA bebida, senhora?

A voz do comissário de bordo trouxe Tracy de volta ao presente.

— Café, por favor. Puro.

Ela precisaria de cafeína. O arquivo que Greg Walton lhe dera — sua ideia de "leitura leve" — se mostrara uma análise praticamente impenetrável, não apenas sobre os negócios de Henry Cranston, mas de toda a indústria do fraturamento hidráulico. O Grupo 99 se opunha ao método e considerava extremamente danosas para o meio ambiente as novas técnicas de extração de gás de xisto pelo bombeamento de enormes quantidades de água pressurizada nas profundezas subterrâneas. *Foi por isso que Cranston havia sido assassinado?*

Se realmente foi por esse motivo, a ação marcaria um afastamento do modus operandi anterior do Grupo 99. Antes, os ataques ao ramo do fraturamento hidráulico haviam sido todos realizados pela internet e tinham natureza econômica. E o fato é que, horas antes da morte de Cranston, 4 milhões de dólares haviam sido desviados de duas de suas contas corporativas — contas gerenciadas no mesmo banco em Zurique, onde se acreditava que Althea havia feito reuniões. Tudo era suspeito demais, principalmente quando Tracy descobriu que, na época que foi sequestrado, Hunter Drexel vinha trabalhando numa matéria sobre a indústria do fraturamento hidráulico. Todas as reportagens anteriores do jornalista continham denúncias tão explosivas e controversas quanto fascinantes. Em sua carreira cheia de altos e baixos, ele havia abordado tabus, como o abuso infantil na

Igreja Católica, a violência policial e a corrupção desenfreada no mundo da ajuda humanitária internacional.

*Então, por que o Grupo 99 sequestraria um sujeito que estava prestes a publicar uma matéria em favor deles, atacando a indústria do fraturamento hidráulico?*

*E por que eles matariam Henry Cranston, tendo em vista que já haviam realizado um ataque econômico bem-sucedido e brilhante?*

A execução brutal do capitão Daley certamente parecera se configurar um divisor de águas no que dizia respeito à disposição do Grupo 99 para adotar métodos de violência. A impressão era de que, da noite para o dia, eles haviam deixado de ser ativistas e se transformado em terroristas.

*Por quê?*, perguntou-se Tracy, enquanto avançava na leitura do material. *De que forma matar pessoas contribui para a causa do grupo?*

O último terço do arquivo de Greg Walton se dedicava a um homem que ele queria que Tracy conhecesse ao voltar da Suíça, um bilionário magnata americano do ramo do petróleo e gás chamado Cameron Crewe.

De vez em quando ela via um ou outro perfil de Crewe. Há alguns anos, o *New York Times* publicou algo sobre ele, e, mais recentemente, a *Newsweek* escreveu uma matéria a respeito de suas diversas obras de caridade. Se a indústria do fraturamento hidráulico contava com um "rosto aceitável", esse rosto era o de Cameron Crewe. A Crewe Oil era bastante conhecida por se valer de práticas de perfuração ecologicamente sensíveis — ao menos em comparação com outras empresas do ramo — e por devolver milhões de dólares em auxílios e subsídios às comunidades onde tinha negócios. A empresa de Crewe também havia construído escolas na

China, centros médicos na África e conjuntos habitacionais acessíveis na Grécia, na Polônia e em outras ex-repúblicas soviéticas empobrecidas, como era o caso da Bratislava. Eles haviam criado empregos, plantado árvores e construído hospitais ao redor do mundo. Talvez por isso a Crewe Oil fosse a exceção entre as cinco grandes corporações do ramo do fraturamento hidráulico e nunca tivesse sido alvo do Grupo 99.

O próprio Cameron Crewe já havia vivenciado tragédias. Seu único filho, Marcus, morrera de leucemia aos 14 anos — mesma idade de Nicholas. Pouco depois seu casamento acabou. De alguma forma, esses fatos crus e tristes serviram para humanizar o bilionário diante da opinião pública. As pessoas gostavam dele.

Ironicamente, Hunter Drexel estava a caminho do escritório de Crewe em Moscou, onde iria entrevistá-lo, quando foi capturado na rua por integrantes barra-pesada do Grupo 99. E as ligações não paravam por aí. Henry Cranston era um rival direto de Cameron Crewe. Pelo que Tracy havia acabado de ler, na verdade, a Crewe Oil tinha feito a segunda maior oferta em um importante contrato fechado pela Cranston Energy Inc. para extrair gás de xisto por meio do fraturamento hidráulico na Polônia. Com a morte de Henry Cranston, parecia provável que a Crewe Oil assumiria o contrato. Havia rumores de que a empresa já estava agindo por baixo dos panos para conseguir o negócio que Henry vinha tentando fechar na Grécia, antes do lamentável suicídio do príncipe Achileas em Sandhurst.

As luzes da cabine foram apagadas. Os outros passageiros começaram a se ajeitar para dormir. Em vez de fazer a mesma coisa, Tracy ligou a lâmpada de leitura e tomou um gole do café. Então, encostou o rosto na janela por um instante e olhou para a escuridão lá fora.

Ele pensava em Nicholas. Não conseguia ficar muito tempo sem se lembrar dele. Durante o sono era pior. Assim que ela se permitia dormir, vinham os sonhos. Estranhamente, nunca eram pesadelos relacionados ao acidente, mas sempre sonhos lindos, retratos de momentos do passado. Blake aparecia em alguns deles. Jeff em outros. Mas Nicholas sempre estava presente, sorrindo, dando gargalhadas, segurando a mão da mãe, com os dedos entrelaçados nos dela em sinal de amor. Nos sonhos, ela conseguia escutar o filho, tocá-lo, sentir seu cheiro. Ele parecia tão real. Tão vivo.

Mas então Tracy acordava, e a sensação de perda a destruía outra vez, como se alguém jogasse uma bigorna em seu coração. Ela não conseguia se lembrar da última vez em que havia acordado sem gritar ou chorar, tentando agarrar o vento como se, de alguma forma, pudesse segurar Nick, enfiar as mãos dentro de seus sonhos maravilhosos e puxá-lo de volta para a...

Tracy pensou em Jeff.

Será que Jeff também vinha tendo sonhos como esse?

Será que estava lá fora naquela noite, já sem alma e sem esperança — assim como ela —, tentando agarrar o vazio deixado pela morte do filho?

Tracy se sentira culpada ao fugir de Jeff. Sabia que ele também devia estar sofrendo, desesperado, mas a verdade era que simplesmente não tinha forças para vê-lo. Nick era parecido demais com ele, tanto nos traços físicos quanto no jeito de ser. Seria difícil demais. Além disso, pela experiência de Tracy, ela sabia que dor compartilhada não é dor dividida. A perda humana não era um jogo de equipe. Cada um lida com a tragédia a seu modo.

Tracy Whitney lidava com aquela dor sozinha.

Ela voltou a se concentrar nos arquivos da CIA e afastou da mente a imagem de Jeff, junto com a de seu estimado Blake Carter e a de seu querido Nick.

Mais tarde teria tempo para chorar. Uma vida inteira.

Naquele momento, Tracy queria encontrar a mulher que havia matado seu filho.

# Capítulo 11

TRACY ESTAVA FURIOSA quando saiu pisando duro em direção à Rue de la Croix-Rouge.

Ventava frio, e uma leve camada de neve recém-caída cobria a calçada no momento em que ela atravessou a rua apressadamente para a Cathédrale Saint-Pierre. Mas seu sangue fervia tanto que ela mal sentiu o frio.

*Mas que babaca arrogante! Como ele se atreve?*

Monsieur Gerald Le Doux, sócio-gerente do Ronde Suisse Private Bank, tinha se mostrado tão machista, condescendente, presunçoso e detestável quanto possível durante a breve reunião que realizara em seu escritório com Tracy. Para ela, o sujeito lembrava uma versão suíça de Clarence Desmond, vice-presidente sênior do Trust and Fidelity Bank, na Filadélfia, onde Tracy havia trabalhado como especialista em computação tempos antes. Mesmo naquela época, Tracy via Desmond como um dinossauro, com suas constantes indiretas, suas apalpadas nos joelhos alheios e suas "inofensivas" piadinhas internas que claramente só eram engraçadas no círculo machista. Mas ali estava Monsieur Le Doux, no auge da nova era bancária de modernidade e transparência, ainda fazendo tremular a bandeira dos chauvinistas cheios de si espalhados pelo mundo.

"Como posso ajudar uma dama tão bonita?"

"Vocês, damas, têm seus segredos, Srta. Whitney. Portanto, da mesma forma, nós, cavalheiros, precisamos ter os nossos."

"Acho que a madame não está habituada às leis bancárias aqui da Suíça. Eu não sou, de modo algum, obrigado a lhe fornecer informações sobre nossos clientes, muito menos gravações do circuito interno."

"Imagino que a madame queira fazer compras enquanto se encontra em nossa linda cidade. Acertei?"

*Sujeito desprezível.*

Talvez Tracy tivesse se sentido melhor a respeito da reunião infrutífera caso seus outros encontros em Genebra tivessem se mostrado mais produtivos. Suas visitas à viúva, à amante e à secretária de Henry Cranston contribuíram, sem exceção, para a formação do retrato de um homem tão desagradável que era de se admirar que ninguém o tivesse explodido em pedacinhos anos antes. Contando mulheres traídas, parceiros comerciais enganados e funcionários maltratados, Henry Cranston tinha uma lista de inimigos quilométrica. Ainda assim, excetuando-se a natureza de seus negócios, não havia nada que o ligasse a Althea ou ao Grupo 99.

No entanto, pela internet, a organização havia se responsabilizado pelo assassinato, embora Althea tivesse permanecido em silêncio absoluto. Nenhuma mensagem criptografada havia sido enviada à CIA ou ao Serviço de Inteligência Federal suíço. Tracy lançara sua habitual rede de arrasto em hotéis e pensões, efetuando uma busca abrangente nos registros de empresas aéreas, ferroviárias e de aluguel de carros. Mas, assim como os 4 milhões de dólares de Henry Cranston, Althea havia evaporado.

Com o pedido de Greg Walton para que ela fosse "engenhosa" ressoando em seus ouvidos, Tracy procurou dois antigos contatos dos seus dias de vigarice. Pierre Bonsin era um ex-banqueiro que se tornara um ladrão ocasional, embora ele mesmo nunca usasse essa expressão. Especialista em todos os tipos de modelo financeiro e excepcional na arte de decifrar algoritmos, Pierre se via como uma espécie de enxadrista trapaceiro, enganando a máquina do sistema bancário internacional. Tracy pedira a ele que tentasse encontrar qualquer evidência de Althea nos sistemas do Ronde.

Além disso, Tracy perguntou a outro velho amigo, Jim Cage — vendedor de iates de dia e arrombador de cofres à noite —, se algum de seus contatos tinha qualquer informação sobre uma mulher que teria obtido explosivos nas semanas anteriores à morte de Cranston.

— Ela é americana, bem-educada, bonita e rica. É alta e tem cabelo castanho, mas pode ter se disfarçado.

Para grande decepção de Tracy, nenhum deles deu a resposta que ela procurava. Na verdade, os sistemas do Ronde haviam sido atacados e talvez estivessem comprometidos.

— Infelizmente, isso aconteceu quatro vezes nas últimas seis semanas — explicou Pierre Bonsin. — Qualquer um desses ataques pode ter sido obra da mulher que você procura, mas não dá para ter certeza. Estamos na era dos hackers, Tracy. Você sabe disso. Hoje em dia, todos os grandes bancos veem esses ataques virtuais como parte da rotina diária.

Jim Cage se mostrou igualmente pessimista.

— Nenhuma mulher com a descrição que você me deu tem comprado equipamentos para fabricação de bombas aqui — contou-lhe Jim, em seu luxuoso e moderno escritório com vista para o lago. — Aliás, nenhuma mulher.

Jim Cage era um homem bonito, um tipo clássico mas já um pouco mais velho que conquistava fãs por onde passava — alto, pele um pouco bronzeada demais e dentes de um branco ofuscante. Ele sempre sentira certa atração por Tracy e ficou feliz ao ver que ela estava bem para a idade. Tracy estava abaixo do peso. O vestido de caxemira verde escolhido para aquele dia deixava suas costelas à mostra, uma visão que agradava a alguns homens, mas que Jim considerava um pouco demais. Ainda assim, ela continuava maravilhosa. O que o tirava do sério eram aqueles olhos cor de esmeralda. Ou seriam cor de jade? De qualquer forma, naquele momento, aqueles mesmos olhos o encaravam com ar de que não tinham gostado nada da notícia. Tracy esperava novidades mais auspiciosas.

— A questão, Tracy, é que nós dois somos das antigas. Ainda gostamos de resolver as coisas pessoalmente. Conversar com os especialistas, os verdadeiros artistas. O Grupo 99 não é assim, certo? É um bando de crianças. Eles podem comprar pela internet tudo de que precisam para construir uma bomba. Acabou a era do romantismo.

*Althea não é nenhuma criança*, pensou Tracy. *E houve um ligeiro ar de romantismo na morte de Henry Cranston.* Mas ela entendeu o que Jim queria dizer. Althea era esperta demais para correr o risco de ser vista ou deixar evidências desnecessárias.

Naquele momento, fechando o casaco ainda mais conforme se aproximava da ponte que levava a Saint-Gervais

Les Bergues, Tracy fez algo que detestava: admitiu a derrota. Ela ficaria bastante surpresa se Althea ou os 4 milhões de dólares de Henry Cranston ainda se encontrassem em Genebra, ou mesmo na Europa. A atitude obstrutiva e arrogante do Monsieur Le Doux no banco fora a amarga cereja de um bolo já totalmente decepcionante. A viagem de Tracy havia se mostrado uma total perda de tempo.

— Ei! Calma aí!

Tracy estava tão perdida nos próprios pensamentos que nem viu por onde andava e acabou esbarrando em um homem na calçada. Com o impacto, ela perdeu o equilíbrio e deixou cair a pasta, que abriu na hora, fazendo os papéis voarem para todos os lados.

— Deixe-me ajudar — disse o homem, enquanto Tracy tentava reunir a papelada. A frase em inglês foi a primeira coisa que chamou a atenção dela. A segunda foi o sorriso amplo e verdadeiro, que iluminou todo o seu rosto.

— Obrigada — murmurou Tracy, constrangida, quando os dois terminaram de juntar todos os documentos. — Mil desculpas. Acho que eu estava com a cabeça nas nuvens.

— Deu para perceber. — Ainda sorrindo, o homem entregou a Tracy um maço de cartas que ela havia deixado cair, e foi então que percebeu o nome em uma delas. Atônito, olhou para ela e perguntou: — Você não é... Tracy Whitney, é?

— Nós nos conhecemos? — perguntou ela, intrigada.

— Ainda não. — O homem abriu um sorriso ainda maior. — Mas acho que iríamos nos conhecer na semana que vem em Nova York. Meu nome é Cameron Crewe.

# Capítulo 12

NAQUELA NOITE, DURANTE o jantar no Rasoi by Vineet, famoso restaurante indiano localizado no hotel onde Tracy estava hospedada — o Mandarin Oriental —, ela descobriu muitas coisas sobre Cameron Crewe.

A primeira foi que os sorrisos radiantes que ele lhe dera mais cedo naquele mesmo dia eram uma raridade. Não que ele não se mostrasse amigável, gentil ou simpático. Cameron era tudo isso. Mas, sem dúvida, ele era naturalmente sério.

Tracy começou com a pergunta óbvia:

— O que você está fazendo aqui em Genebra?

Crewe já havia explicado a Tracy que ouvira falar dela — Greg Walton havia telefonado para ele dias antes e sugerido que os dois se encontrassem para conversar. No entanto, Crewe ainda não tinha contado por que estava na Suíça.

— Estou aqui pelo mesmo motivo que você, imagino — respondeu Cameron. — Ou, pelo menos, por um motivo relacionado ao seu. A morte de Henry Cranston trouxe sérias consequências para o nosso ramo. A Cranston Energy desistiu de alguns negócios que beneficiariam a minha empresa. Eu vim até aqui com o intuito de me encontrar com os parceiros de Henry e discutir alguns termos.

— Sem querer ofender, mas essa atitude não é meio predatória demais? Quer dizer, o sujeito acabou de ser assassinado. O que sobrou dele mal esfriou.

Cameron Crewe deu de ombros, não de maneira insensível, mas sendo prático.

— Negócios são assim. Henry e eu não éramos amigos pessoais. Embora, para ser honesto, mesmo que fôssemos, eu agiria rápido para fechar o negócio na Polônia. O ramo do fraturamento hidráulico é muito dinâmico. Se não chegarmos lá, pode acreditar que a Exxon ou os chineses chegarão.

— Foi por isso que Henry Cranston acabou morrendo — comentou Tracy.

Cameron tomou um gole de vinho.

— Talvez.

— Isso não deixa você preocupado?

— Não. Não mesmo. Para falar a verdade, Tracy, pouca coisa me deixa preocupado.

Eles fizeram os pedidos, jantaram e conversaram. A comida estava fantástica — o frango dopiaza de Tracy era o melhor que ela já havia provado na vida, melhor até que o frango à Délhi — mas, depois de tudo, foi da conversa que ela se lembrou.

Cameron Crewe era um homem fascinante e nada tinha a ver com o que Tracy esperava. De acordo com sua experiência, os bilionários, em geral, eram pretensiosos e arrogantes, mesmo os que se dedicavam à filantropia. Não era o caso de Cameron. Ele era controlado, um pouco sério e extremamente educado. Quando queria, era afetuoso — o vislumbre de seu sorriso era como o sol atravessando o céu nublado. No entanto, o que mais chamou atenção de Tracy a respeito de Cameron Crewe foi a assombrosa tristeza em seu olhar.

Não que ele parecesse chateado. Na verdade, muito pelo contrário. Ficou tão envolvido e interessado na conversa quanto Tracy, especialmente quando começaram a discutir o Grupo 99, seu envolvimento na morte de Henry Cranston e sua aparente mudança de tática. A tristeza simplesmente *estava ali*, um traço permanente, como uma cortina preta no fundo do palco. Os artistas até cantavam, riam ou dançavam, mas, atrás deles, a escuridão se fazia presente.

Tracy tinha aquela mesma cortina. A primeira vez que ela desceu foi quando sua mãe cometeu suicídio. Anos mais tarde, desceu outra vez, quando pensou que Jeff Stevens a havia traído. A cada perda a cortina ia ganhando um tom mais escuro. A morte de Nick a deixara completamente negra.

*Será que foi a morte do filho que fez a cortina de Cameron baixar?*

Tracy sentiu uma conexão instintiva com ele, um elo em comum.

O garçom começou a servir mais do Chablis gelado, porém Cameron educadamente pôs a mão em seu braço para interrompê-lo.

— Eu posso fazer isso — disse. — Nós dois precisamos conversar em particular.

— Claro, Sr. Crewe.

*Eles o conhecem aqui.* Tracy ficou surpresa ao perceber isso. Mas talvez ele sempre fosse à cidade a negócios. E restaurantes caros como aquele nunca podiam deixar de se lembrar de clientes ricos e poderosos como Cameron Crewe.

— Você perguntou o que eu acho do Grupo 99 — disse Cameron, enchendo a taça de Tracy.

— Isso.

Para o jantar, Tracy havia escolhido um shirtdress preto simples, pois era um vestido confortável, e sapatos de salto alto. Em outra mulher, essa roupa teria ficado sem graça e dado uma aparência sóbria, mas, nela, ficava maravilhosamente elegante, pois ressaltava seus braços esguios e sua pele macia e muito branca. Seu cabelo castanho estava solto, e no pescoço ela usava uma pequena cruz de esmeraldas que parecia emitir um brilho verde do mesmo tom de seus olhos. Cameron percebeu de cara que estava se sentindo extremamente atraído por ela. Fazia um bom tempo que não se sentia assim. Muito tempo.

Ele precisava ter cuidado.

— Para falar a verdade, eu sou fascinado pelo Grupo 99 — continuou ele. — Por uma série de motivos, eles são diferentes de qualquer ameaça terrorista que já vimos por aí. Mas, por outros, são extremamente antiquados.

Tracy esperou Cameron desenvolver a ideia.

— Quer dizer, por um lado, o "modelo" deles, se é que se pode chamar aquilo de modelo, é único. Quase nao existe burocracia. Oficialmente, não há hierarquia ou liderança. Quem quer entrar para o grupo não encontra barreiras. Eles pegaram uma ideia simples e a espalharam pelo mundo todo com muita rapidez e muita eficácia.

— E que ideia é essa?

— A de que o mundo é injusto. A ideia de que um sistema permite a um por cento da população controlar bem mais de cinquenta por cento da riqueza e dos recursos do mundo é falida por natureza. É difícil rebater isso.

*Pois é*, pensou Tracy. É difícil.

— O Grupo 99 disse às pessoas que *elas*, os 99 por cento, não precisavam aturar isso de cabeça baixa. Que podiam *fazer* alguma coisa para remediar essa injustiça. E, para isso, tudo que precisaram foi de uma tela de computador, um pouco de engenhosidade e união. A mensagem que eles passam é convincente. E funciona.

— E é isso que eles trazem de novidade? — perguntou Tracy, tentando esclarecer o assunto.

Cameron fez que sim com a cabeça.

— Isso e as tecnologias. Quer dizer, pense bem. Hoje em dia, com um computador, as possibilidades são praticamente infinitas. Qualquer coisa que tenha um componente computadorizado pode ser hackeado. *Qualquer coisa.* Agências de inteligência. Sistemas de armas nucleares. Bancos. Governos. Exércitos. Pesquisas relacionadas a doenças. Existem satélites por aí que, além de fazer a previsão do tempo, podem alterá-lo. E eles também são vulneráveis a ataques. Imagine uma coisa *dessas*. — Seus olhos brilhavam. — Ser capaz de controlar o tempo, controlar desastres naturais, digamos, ou controlar o fluxo de água. E se os terroristas fossem capazes de desencadear enchentes ou tsunamis? Ou espalhar a peste bubônica?

— Ah, por favor. Isso é pura ficção científica, não acha? — comentou Tracy, com um pé atrás.

— Será? — Cameron ergueu uma sobrancelha. — Pergunte a Greg Walton sobre o programa da CIA contra o terrorismo meteorológico. É sério, Tracy. E nós não somos os únicos a investigar isso. Todo mundo vem pensando no terrorismo 2.0, e foi o Grupo 99 que, praticamente sozinho, fez avançar essa pauta.

— Tudo bem — disse Tracy, mordiscando seu *paparis* enquanto pensava. — Então digamos que você esteja certo. Digamos que tudo isso é possível, pelo menos em tese, e que o Grupo 99 está na linha de frente dessa mudança. Por que mudar e voltar para as táticas mais antigas, como sequestro, execução, carros-bomba? Quer dizer, se eles têm um poder tão latente na ponta dos dedos, esses outros métodos não representam um passo atrás? Isso sem contar a baita mancada em termos de relações públicas. Da noite para o dia, eles deixaram de ser os heróis e se tornaram os bandidos.

— Exato! — Cameron deu um soco na mesa. O sorriso estava de volta aos lábios dele. — E é esse o paradoxo. O Grupo 99 é novo e diferente, mas ao mesmo tempo também não apresenta *nada* de novo. Esqueça as táticas por um instante, embora elas sejam importantes, e vamos olhar para as motivações. Jogue fora essa fachada de Robin Hood que deseja o bem-estar social e luta para preservar a natureza. O que sobra? Vou dizer a você o que sobra. Sobra inveja. Sobra raiva. Sobra testosterona. Sobram machos jovens, sem poder e sem recursos, loucos para brigar.

— Tem muitas mulheres no Grupo 99. Veja só o caso de Althea.

Cameron acenou com desdém.

— Mas ela é só uma. Até onde se sabe, é a única mulher sênior do grupo. E sênior no sentido mais amplo da palavra, porque eles não contam com uma liderança central.

— Mesmo assim...

— Mesmo assim nada — interrompeu Cameron, falando firme. — Isso é como apontar para Benazir Bhutto e dizer: "Uau, uma mulher presidente. O Paquistão deve ser um ótimo lugar no que diz respeito aos direitos das mulheres."

Não se engane, Tracy. O Grupo 99 é totalmente masculino. É o mesmo padrão que você vai ver em praticamente todo grupo terrorista dos últimos cem anos. Talvez dos últimos mil. Pense bem. Os islamistas extremos, o IRA, os separatistas bascos e até os Panteras Negras. Todos se escondem por trás de uma ou outra ideologia, seja ela religiosa, nacionalista, étnica... não interessa. A do Grupo 99 é econômica. Não importa. O que todos esses grupos têm em comum é o fato de serem formados por um monte de homens jovens na base da pirâmide econômica. Homens que se sentem irritados e sem poder. Homens que acham que não têm futuro. Talvez não consigam emprego. Talvez não consigam transar. Não interessa. Eles não estão lutando por uma causa. Lutar é a causa deles. Eles se valem da violência porque se sentem bem com isso. Simples assim. Eu os chamo de Garotos Perdidos.

Tracy ouvia tudo com atenção e absorvia cada palavra de Cameron.

— Se o Grupo 99 fosse inteligente, jogaria no campo onde tem vantagem e continuaria com os ataques virtuais. Mas eles não são inteligentes. Ou, pelo menos, os elementos inteligentes estão sendo abafados pelos Garotos Perdidos. Você sabe que eles começaram na Grécia, não sabe?

— Sei — respondeu Tracy, um tanto surpresa com o conhecimento de Cameron. Por outro lado, ele era um recurso/consultor da CIA, exatamente como ela. Talvez os dois tivessem lido os mesmos arquivos.

*Será que ele sabe que Hunter Drexel fugiu dos soldados americanos que tentaram resgatá-lo?*, perguntou-se Tracy. Greg Walton havia enfatizado que essa informação era altamente confidencial. Ela não deveria presumir nada. Mesmo assim, queria saber quão estreitos eram os laços entre Cameron Crewe e a CIA.

— Eu conheço a Grécia — continuou Cameron. — Temos muitos negócios lá, e estou envolvido em várias obras de caridade. O que aconteceu com o país foi uma tragédia. Um caso típico do que acontece quando você força um povo além dos limites.

— O primeiro-ministro deles disse que se trata de uma crise humanitária.

— E ele tem razão. É igual ao que aconteceu na Alemanha, com as indenizações pós-Primeira Guerra Mundial. O sofrimento do povo nas ruas simplesmente passou do tolerável. No âmbito político, você começa a ver a ascensão de gente como Calles. E, sob a superfície, homens como Argyros fundam o Grupo 99. Talvez Alexis Argyros seja mais inteligente do que um militante comum do Estado Islâmico. Mas, no fim das contas, a pauta dele sempre foi a violência.

O garçom recolheu os pratos vazios. Tracy não estava com fome, mas mesmo assim pediu sobremesa — um tipo de pudim de leite feito com arroz, que Cameron havia recomendado. Pela descrição, parecia nojento, mas a verdade é que estava absolutamente delicioso. Eles continuaram a conversa.

— E quanto à questão das táticas? — perguntou Tracy. — Os sequestros de Drexel e Daley, o assassinato de Daley, o atentado a bomba contra Cranston... Você certamente não acredita que tudo isso é culpa somente dos garotos cheios de testosterona sedentos por sangue e tripas, não é?

— Não só deles, não — concordou Cameron. — Mesmo que os Garotos Perdidos estejam assumindo o controle do Grupo 99 e gente como Althea esteja sendo jogada para escanteio, internamente eles ainda precisariam convencer os integrantes a adotar as velhas táticas violentas.

— E como eles conseguiriam uma coisa dessas?

— Dá para usar muitos argumentos — respondeu Cameron calmamente. — Sequestro e assassinato se mostraram ferramentas muito eficazes nas mãos de outros grupos terroristas, sobretudo se o objetivo é combater o inimigo, aumentar o nível do conflito. Além do mais, provocam um choque no sistema inimigo. O povo está acostumado a ver essas barbáries medievais no Oriente Médio e na África, mas não na Europa. A ironia é que, exatamente *porque* as práticas de hackeamento se tornaram tão sofisticadas e quase incontroláveis, estamos vendo uma volta aos métodos mais antigos. Hoje em dia, as senhas de acesso a armas nucleares americanas são anotadas em papel e guardadas. Quando se descobre que é possível hackear o Pentágono e virá-lo do avesso, ficamos a um passo de ver as grandes potências voltarem a usar canhões e arcos e flechas.

Tracy deu uma risada.

— Ok, arcos e flechas talvez não. Mas armas tecnológicas, como os drones, podem facilmente sair de moda. E se os Exércitos começassem a voltar para a idade das trevas, por que o mesmo não aconteceria com as empresas ou com os bancos? A volta do escambo certamente se enquadraria num dos objetivos do Grupo 99. A abolição dos mercados financeiros, talvez até do papel-moeda. Eu sei que parece maluquice para nós dois, sentados aqui, prestes a pagar uma refeição de primeira com os nossos cartões de crédito platinum.

— Com o *seu* cartão de crédito platinum — corrigiu Tracy.

Cameron deu uma risada.

— Você é mesmo tradicional, não é?

— Eu tento ser — respondeu Tracy, levantando a taça.

— Mas isso é possível. Anarquia financeira. Ou utopia, dependendo do ponto de vista. Adotando táticas mais tradicionais de terrorismo, o Grupo 99 certamente pode ser visto como um passo nessa direção. Isso vai de acordo com as visões que eles têm.

— Fale um pouco sobre Hunter Drexel — pediu Tracy, mudando de assunto.

Cameron era um homem fascinante, e Tracy poderia ficar ali ouvindo suas teorias a noite toda, mas seu principal objetivo era encontrar Althea, e para isso precisaria de fatos, não de teorias. Tracy tinha certeza de que havia uma ligação entre Althea e o jornalista americano raptado, algo em que ninguém ainda havia pensado.

— Tenho certeza de que você sabe muito mais a respeito do Sr. Drexel do que eu — respondeu Cameron com cautela.

— Eu sei que ele estava a caminho do seu escritório em Moscou quando foi raptado pelo Grupo 99.

— Correto.

— Por que você aceitou se encontrar com ele naquele dia?

A pergunta pareceu pegar Cameron de surpresa.

— Drexel estava trabalhando em uma matéria sobre a indústria do fraturamento hidráulico, como imagino que você já saiba. Mais especificamente, sobre a corrupção no ramo.

— Pelo que eu escuto por aí, é o que mais acontece nesse ramo.

— Também é o que eu escuto. — Cameron esboçou um sorriso. — Imagino que ele quisesse falar comigo sobre isso, embora não tenha certeza. No telefone, ele foi enigmático. E, claro, no fim das contas nós não chegamos a nos encontrar.

— Você não costuma dar entrevistas. Na verdade, nunca dá. De acordo com os arquivos da CIA, você é conhecido por evitar a imprensa.

— Conhecido? É mesmo? — Cameron lançou um olhar irônico para Tracy e tomou um gole do chá de jasmim. — O que mais os arquivos de Greg Walton dizem a meu respeito?

Tracy corou ao pensar no divórcio e em Marcus, filho único de Cameron que havia morrido em decorrência de uma leucemia. Era constrangedor saber esses detalhes sobre a vida de uma pessoa. Ela já havia falado demais.

— Tudo bem — continuou Cameron. — É verdade, eu sou muito reservado. Depois da morte do meu filho, praticamente abandonei a vida pública. Também é verdade que não gosto de jornalistas. Eles vivem batendo na tecla de que devemos acabar com a dependência do petróleo da Arábia Saudita, mas não pensam duas vezes quando esculhambam a indústria do fraturamento hidráulico ou quando consideram todas as empresas de petróleo e gás farinha do mesmo saco.

— Então, por que aceitou se encontrar com Drexel?

— Curiosidade. Hunter Drexel era diferente dos outros.

— Em que sentido?

Cameron pensou antes de responder.

— Ele é melhor, eu acho. Um homem melhor e um redator *muito* melhor. Você leu o artigo dele na *Time* sobre os caçadores de nazistas?

Tracy admitiu que não havia lido.

— Então precisa ler — continuou ele. — O texto é lindo, emocionante sem ser piegas, e a pesquisa é impecável.

Hunter Drexel é muito, muito bom no que faz. Além disso, é destemido. Mas é claro que isso tem um lado negativo, como ele viu por conta própria em Moscou. Imagino que ele tenha muitos inimigos.

— Como quem?

— Ex-amantes. Jogadores de pôquer descontentes. Drexel deu calote em um monte de dívidas. Ele tem um problema sério com os jogos. Além disso, precisamos levar em conta as pessoas que foram foco dos artigos dele. E quase todos os editores com quem já trabalhou. — Cameron listou calmamente os potenciais desafetos do jornalista. — Ele é um grande redator, mas também um inconformista. Um excêntrico famoso pela impulsividade. É um desses caras que escrevem muita coisa por puro instinto, sem necessariamente ter fatos comprovados para servirem de base. Quando alguém entra com um processo por difamação, é o editor quem acaba juntando os cacos.

— Mas você disse que o artigo da *Time* foi bem apurado.

— E foi. Mas nem todos os outros foram. Ele já escreveu coisas ultrajantes sobre figuras públicas. Você se lembra do senador Braverman?

Tracy recordou o episódio.

— O cara da orgia?

— Isso, só que ele era inocente. A fonte de Drexel estava completamente equivocada e confundiu Braverman com outro republicano sujo. A revista que publicou a matéria já não existe mais. Declarou falência só para cobrir os danos contra a imagem de Braverman. Mas a carreira do senador nunca mais voltou a ser o que era. Drexel saiu dessa sem um arranhão sequer, nem um pingo de remorso. Ele tem mais processos nas costas do que uma empresa de cigarros.

— E o Grupo 99? Por que você acha que eles iriam querer machucar Drexel?

— Isso eu não sei — admitiu Cameron. — Talvez ele tenha pesquisado e descoberto alguma coisa que incomode o grupo. De cara, eles não são inimigos óbvios.

Tracy decidiu jogar uma isca.

— E o governo americano? Era um inimigo de Drexel?

Cameron pareceu intrigado.

— Como assim?

Greg Walton dera instruções bem claras a Tracy para que ela não falasse com ninguém sobre a fuga de Hunter da força-tarefa enviada para resgatá-lo. Infelizmente para Walton, Tracy nunca fora de seguir instruções. Assim como o jornalista americano, ela confiava em seus instintos, e eles lhe diziam que ela podia confiar em Cameron Crewe.

Tracy respirou fundo e contou a Cameron toda a história. A fuga de Hunter. O trabalho em conjunto da CIA e do MI6 para encontrá-lo antes do Grupo 99 — que até então não havia tido sucesso. A mentira descarada que o presidente Havers contou para a imprensa mundial sobre o que havia acontecido naquela fatídica noite na Bratislava.

— Puta merda — soltou Cameron, quando Tracy terminou. — Mas por quê? Por que ele iria correr do resgate? Ainda mais depois do que aconteceu com o coitado do capitão Daley.

— Não sei. Mas acho que Althea tem essa resposta. Existe alguma ligação entre ela e Drexel. Tenho esse pressentimento.

Já estava ficando tarde, mas nem Cameron nem Tracy estavam prontos para encerrar a conversa. Cameron pagou a conta, então eles foram para um dos bares mais reservados e aconchegantes do Mandarin Oriental e se sentaram a uma mesa de canto iluminada por velas. Tracy pediu conhaque, e Cameron, uísque.

— Fale um pouco de você, Tracy. Walton me disse que você estava ajudando a CIA a rastrear Althea, mas não me contou por quê. Onde você se encaixa nisso tudo?

Tracy lhe deu a versão resumida. Falou da mensagem cifrada que Althea enviou para a CIA citando seu nome após ter dado a ordem direta para a execução brutal de Daley. — Ela acha que me conhece. Ela certamente sabe algo *a meu respeito*.

— Mas você não a conhece?

— Venho revirando a minha memória, é claro. Estou tentando pensar numa ligação. Nossos caminhos podem ter se cruzado em vários momentos da minha vida. Eu tenho o que se pode chamar de um passado diversificado — admitiu Tracy.

Animado, Cameron ergueu a sobrancelha.

— É mesmo? Greg me contou que você é especialista em arte aposentada.

Tracy soltou uma gargalhada.

— Bom, acho que é uma forma de descrever o que eu fazia.

— E qual seria outra forma? Ah, vamos, fiquei curioso. Prometo que não vou dar um pio.

— É complicado. Eu passei um tempo na cadeia quando era mais nova. Mas tenho certeza de que não foi lá que conheci Althea.

— Foi presa por quê? — Cameron não conseguia imaginar aquela mulher equilibrada, linda e inteligente atrás das grades.

— Por um crime que não cometi. — Tracy deu um sorriso doce. — Também já trabalhei no ramo bancário, como especialista em computação.

— Isso é mais do feitio de Althea.

— Verdade. Mas na época em que trabalhei no banco eu era a única mulher, além das secretárias. Um tempo depois, eu... hmmm... desenvolvi um interesse por obras de arte — continuou Tracy, sem revelar detalhes. — E por joias caríssimas.

— Joias caríssimas de outras pessoas? — chutou Cameron.

— Foi por pouco tempo. — Tracy abriu um sorriso. — Na época eu morava em Londres, mas viajava o tempo todo. Conheci muita gente interessante nessa época da minha vida, mas mesmo assim não me vem à mente ninguém como Althea. Então, depois que meu casamento acabou, eu me mudei para os Estados Unidos com o meu filho.

Ela não pretendia mencionar Nick. A informação simplesmente escapou, ela falou como se ele ainda estivesse vivo. Assim que as palavras saíram da boca de Tracy, sua expressão se anuviou. A mudança foi tão marcante e repentina que Cameron não pôde deixar de notar.

— Tracy? — Sem pensar, Cameron esticou o braço e pôs a mão em cima da dela. — Está tudo bem?

— Sim — mentiu ela, evitando encarar Cameron. Havia algo de incrivelmente intenso no olhar dele, algo que a deixava em pânico. E só então ela percebeu o que era.

*Ele me lembra Jeff.*

— Você não está bem. Por favor, conte o que há de errado — pediu Cameron, delicadamente.

Para a própria surpresa, Tracy levantou a cabeça e se ouviu dizer:

— Meu filho morreu.

Ela não tinha certeza se já havia falado essas palavras em voz alta antes. Percebeu que vinha guardando-as, como se não dizê-las tornasse a realidade menos real. Obviamente, não havia funcionado. Ao pronunciá-las diante de Cameron Crewe, praticamente um total estranho, Tracy sentiu um alívio profundo.

— Eu sinto muitíssimo. — Cameron segurou a mão dela com mais firmeza. — Como ele se chamava?

— Nicholas. Morreu em um acidente de carro.

— Quando?

— Faz seis semanas.

Cameron não conseguiu disfarçar o choque.

— Seis *semanas*? Meu Deus, Tracy, que coisa horrível! Isso acabou de acontecer!

Tracy olhou para Cameron sem expressão. *Será que isso havia acabado de acontecer mesmo?* Para ela, a sensação era a de que já fazia uma vida inteira. Desde o dia do acidente, uma sensação de perda infinita recaíra sobre Tracy.

*Preciso parar de chamar o que aconteceu de acidente. Foi assassinato.*

*Althea, seja lá quem ela for, matou o meu filho.*

Sua expressão se fechou.

— Você não deveria estar aqui, trabalhando — comentou Cameron. — Precisa de um tempo para si mesma. Seis semanas não são nada. É um piscar de olhos. Não é possível que você já tenha processado o que aconteceu, que dirá aprendido a conviver com a perda.

— Se eu não trabalhasse, acho que morreria — Tracy limitou-se a dizer.

Cameron assentiu. Ele entendia aquilo melhor do que ninguém. Era um erro, mas ele entendia. A necessidade de distrair a cabeça. A necessidade de encontrar sentido, qualquer sentido, fora do alcance da dor.

— Eu também perdi um filho. Marcus. Ele tinha 14 anos.

— Eu sei — disse Tracy, entorpecida. — A mesma idade do Nick. Morreu de leucemia. Sua fundação fez generosas doações para a pesquisa do câncer e o desenvolvimento de tratamentos com células-tronco.

*Ela está citando o meu arquivo de cor*, constatou Cameron. Coitada. Era como se estivesse em transe. Ele já havia passado por isso, nos sombrios primeiros meses após a morte de Marcus.

— Isso mesmo — concordou ele com toda a calma. — Marcus ficou doente por um bom tempo. Foi duro, mas, durante esse período, eu e a mãe dele tivemos tempo para nos preparar. Hoje em dia eu dou graças a isso. Não sei se teria aguentado perder meu filho de uma hora para a outra. Como aconteceu com você e o seu garoto.

— E como você conseguiu lidar com isso? — perguntou Tracy. Ao contrário dela, Cameron parecia tão calmo, tão equilibrado. Existia um truque para atingir esse estado, algum tipo de atalho que ela não havia enxergado?

Mas rapidamente Cameron a fez esquecer essa ideia:

— Lidei muito mal com tudo. Charlotte e eu tentamos ficar unidos depois do acontecido. Mas nosso luto se deu de formas muito diferentes. Ela precisava falar. Eu precisava trabalhar.

*Igual a mim.*

— E eu sei que parece estupidez, mas bastava olhar para o rosto dela para me lembrar de Marcus. Eu não conseguia lidar com aquilo.

Tracy pensou em Jeff. Lembrou que Nick era uma espécie de clone dele em todos os aspectos. De como a mera ideia de ver Jeff outra vez e conversar com ele sobre o filho a fazia se sentir tomada por um pânico indescritível, a ponto de deixá-la apavorada, e de ela fugir dele e de sua antiga vida no Colorado, fechando a porta com tanta força que o eco da pancada sem dúvida ainda reverberava pelas montanhas.

— Greg Walton acha que Althea pode estar envolvida na morte de Nick — disse Tracy. Era bizarra a forma como as palavras estavam saindo de sua boca, como se seu corpo quisesse vomitar alguma doença que a afligia. — É por isso que estou aqui. Foi por isso que concordei em me envolver. Walton acha que ela pode ter sabotado o carro em que meu filho estava naquela noite. Ela pode até ter ido ao hospital e trocado os medicamentos, quando os médicos estavam tentando salvar a vida dele.

— Meu Deus! — Cameron deu um suspiro. — Por quê?

— Para me forçar a agir. Para me fazer ir atrás dela. Ou só para me magoar. Não posso afirmar, porque não sei quem ela é. Mas vou descobrir — afirmou Tracy com um ar sombrio. — No fim, eu vou saber de tudo.

*Saber não vai lhe trazer felicidade*, pensou Cameron. *Não vai trazer seu filho de volta. E não vai encerrar esse capítulo da sua vida, porque isso é impossível.*

— Ser mãe do Nick me fez ser outra pessoa. Uma pessoa melhor. Mas, agora que ele morreu, esse meu lado morreu junto. Toda a suavidade. Todo o cuidado, o autocontrole, a vontade de dar um bom exemplo. Não tenho mais ninguém para proteger.

— Só você mesma — lembrou-lhe Cameron.

— Mas é exatamente essa a questão. Não sei mais se eu sou uma *pessoa* agora, pelo menos uma pessoa com quem eu me importe. Sei que parece horrível, mas na verdade é uma sensação extremamente libertadora. Não tenho mais restrições, limites. Eu me sinto imprudente. — Sem a menor coerência, ela começou a rir. — Falando uma coisa dessas, talvez eu esteja parecendo uma doida.

— Não para mim.

E, tão de repente quanto começaram, as risadas de Tracy cessaram. Quando voltou a falar, usou um tom extremamente sério.

— Ela estava aqui, em Genebra. Althea. Eu sei que estava. Dessa vez não consegui pegá-la, mas estou cada vez mais perto.

— Bom, se eu puder ajudar de alguma forma, de qualquer forma, vou ficar muito feliz — disse Cameron. Em seguida, relutante, ele soltou a mão de Tracy, sacou um cartão de visita do bolso, anotou o número do seu celular e o entregou a Tracy. — Pode me ligar a qualquer hora. Pelo motivo que for.

Tracy olhou para o cartão.

— Pode deixar — disse ela, sentindo-se grata. — E muito obrigada pelo jantar.

— Foi um prazer. — Cameron se levantou. — Melhor eu ir. Tenho algumas reuniões amanhã cedo.

Tracy observou Cameron ir embora. Ainda não conseguia acreditar que havia passado a noite inteira conversando tão intimamente com um homem que mal conhecida. Mas talvez o fato de eles mal se conhecerem a tenha feito se sentir capaz de conversar com ele. Revelar seus verdadeiros sentimentos, sua dor real. É como se nós dois fôssemos veteranos de guerra. *Desconhecidos, mas que de alguma forma fazem parte da mesma família, ligados pela perda dos nossos filhos.*

A cortina da perda que se abatera sobre a vida de ambos havia munido os dois de uma espécie de taquigrafia emocional — algo como um botão de avançar rápido no relacionamento. *Mas avançar rápido para quê?*

Tracy ainda conseguia sentir o calor da palma da mão de Cameron na dela. Sentindo-se culpada, percebeu que seu corpo estava revelando sinais de excitação, esquecidos fazia muito tempo. Leves traços de uma parte dela que já havia vivido essa experiência, conhecido esse tipo de intimidade.

*A vida continua. Não é isso que as pessoas dizem?* Tracy não concordava com aquela afirmação. Para ela, a vida não tinha motivo algum para continuar, não sem seu querido Nicholas. O que ela vinha fazendo não era viver. Era existir. Uma simples questão mecânica. Inspirar, expirar. Comer, dormir. Dia, noite. Qualquer coisa a mais que isso seria uma traição a Nicholas.

Mas naquela noite ela sentiu algo a mais. Ao conversar com Cameron Crewe e encarar aqueles olhos tristes e intensos, Tracy se sentiu bem.

*Isso não pode voltar a acontecer.*

DE VOLTA AO seu apartamento de Genebra — Cameron Crewe mantinha apartamentos em todas as cidades onde fazia negócios —, Cameron estava deitado mas acordado, olhando para o teto.

*Isso não pode voltar a acontecer.*

Ele havia se exposto demais para Tracy Whitney, escancarado a guarda diante dela. Cameron sabia por experiência própria que era perigoso abrir o coração. Conhecia as consequências devastadoras que poderiam vir em seguida.

Mas, mesmo assim, ele sentiu uma forte conexão com Tracy. Sentiu compaixão, afinidade e também algo mais. Algo bem mais perigoso.

Desejo.

Cameron queria Tracy.

A constatação o deixou empolgado, mas o encheu de medo.

Ele fechou os olhos, retomou o modo de disciplina ferrenha e se forçou a dormir.

# Capítulo 13

— Full house.

O sujeito gordo sorriu, mostrando a dentição mais medonha que Hunter já havia visto na vida, e se esticou para pegar seus ganhos. Hunter estendeu o braço para impedi-lo.

— Lamento, Antoine. — Devagarinho, Hunter baixou quatro lindos valetes na mesa. — Acho que a mão é minha.

O francês bufou, em parte com raiva, em parte incrédulo. Jack Hanley, ou qualquer que fosse o nome verdadeiro daquele sujeito, havia aparecido em Riga fazia uma semana e nesse meio-tempo limpou todas as grandes mesas de pôquer da cidade. Naquela noite, as apostas não estavam especialmente altas. O francês podia se dar ao luxo de perder, assim como os outros empresários letões na jogatina. Mesmo assim, aquele tal Jack Hanley tinha algo de estranho, certa arrogância americana travestida de humildade que estava começando a dar nos nervos de todo mundo. Isso e o fato de que ele sempre saía da mesa quando estava no lucro.

— Já é tão tarde assim? — Hunter olhou de relance para o antigo relógio de pêndulo no canto da sala. — Acho que é melhor eu parar por aqui.

Ignorando os protestos dos outros jogadores — afinal, já era madrugada —, Hunter pegou o casaco e adentrou a noite.

Ele preferia a Letônia à Romênia, e gostou sobretudo de Riga, uma cidade romântica e rica em história. Seu hotel tinha vista frontal para o domo da catedral em Vecrīga, a cidade antiga. A igreja era uma construção datada do século XIII e que ainda tinha ares da época dos cavaleiros em armaduras brilhantes e donzelas em perigo. Apenas duas semanas antes, o Grupo 99 havia orquestrado um sobrevoo pela região da catedral e jogado centenas de balões vermelhos recheados de dinheiro para os pedintes que ainda se reuniam ali em busca de esmola. Só no mês anterior, a organização havia redistribuído mais de 1 milhão de euros para os pobres do continente, lançando quantias em balões ou de forma menos dramática — simplesmente depositando dinheiro na conta bancária de cidadãos menos favorecidos e enchendo os cofres de várias ONGs e instituições de caridade, sobretudo na Grécia.

Em Riga, Hunter passou os dias trabalhando na matéria e as noites jogando pôquer. Ele teria gostado de ficar mais tempo lá, mas era arriscado demais. Depois de sua passagem pela Romênia, ele começou a usar codinomes e, pouco a pouco, a mudar a aparência. Ele sabia que, uma hora ou outra, a CIA o encontraria. Ele só esperava permanecer fora do radar por tempo suficiente para terminar o artigo, revelar a verdade. Se...

*Vush!* A bala passou zunindo rente à orelha esquerda de Hunter. Ele já havia estado em zonas de guerra suficientes para reconhecer o som, embora o tiro tenha saído de uma pistola com silenciador. É um *profissional.* Instintivamente,

Hunter se jogou no chão e começou a rastejar em direção ao muro de um beco, longe da iluminação dos postes de luz. *Vush!* Outro disparo. Dessa vez a bala retiniu em algum metal. Em uma lata de lixo, talvez, mais à frente. Ou em um mourão.

Hunter olhou ao redor. As ruas estreitas nos arredores do edifício em que Antoine morava estavam completamente desertas àquela hora da noite. Naquela escuridão, ele não conseguia ver quem estava atirando — na verdade, não conseguia ver ninguém. Sua única esperança era sair correndo, tentar chegar a uma das ruas ou praças principais, onde ele se veria em meio à multidão de gente e, com isso, em segurança.

Pensando mais rápido que as próprias pernas eram capazes de correr, Hunter saiu em disparada rumo à Remtes Street. Estava com cerca de 5 mil dólares no bolso, mas ele tinha quase certeza de que o atirador não estava interessado no dinheiro. Ele havia presumido que os americanos o queriam com vida — bom, ao menos na Bratislava ficou nítido que queriam. Mas estava claro que alguma coisa tinha mudado. *A não ser que não fosse a CIA. A não ser que fosse...*

*Vush!* Outro tiro, e dessa vez Hunter ouviu alguém correndo atrás dele, o som de passos pesados como os dele na calçada. Mais à sua frente, as luzes dos faróis de um bonde o acertaram em cheio e o cegaram por um instante. Em pânico, Hunter se virou. A última coisa que viu foi o rosto de Apollo encarando-o com aquele olhar sádico e brilhante de entusiasmo enquanto erguia uma arma. Apollo apontou entre os olhos de Hunter e, com calma, puxou o gatilho.

* * *

SALLY FAIERS ESTAVA em sono profundo quando o celular tocou.

— Pode falar?

Era a primeira vez que recebia notícias de Hunter em quase um mês. Ele parecia ofegante e impaciente. *Provavelmente acabou de fugir pela janela do banheiro da casa de uma mulher casada e foi perseguido pelo marido traído.* Numa atitude típica de Drexel, na primeira ligação ele pediu um favor a Sally — um favor complexo, custoso e que não a beneficiaria em nada — e depois simplesmente desapareceu. Ele admitiu que estava sendo caçado pelo governo mais poderoso do planeta, isso sem falar num grupo de terroristas assassinos. Mas, ainda assim, Sally Faiers considerava aquela situação toda extremamente irritante.

— Não.

— Descobriu alguma coisa sobre o general Frank Dorrien?

— Que parte do "não" você não entendeu, Hunter? É uma hora da manhã agora, porra.

— Não desligue! — Era um grito de pânico, desesperado. Pela primeira vez Sally detectou um medo real na voz de Hunter. — Por favor.

— Onde você se enfiou? — perguntou Sally, com um tom de voz mais suave. — O que aconteceu?

Hunter hesitou.

— Ou você confia em mim ou não confia — insistiu Sally, irritada e coçando os olhos para afastar o sono. — Porque, se não confia, eu paro de me estrepar agora mesmo por causa desse seu artigo idiota. E paro de guardar seus segredos.

— Estou em Riga. O Grupo 99 acabou de tentar me matar.

Hunter lhe contou sobre Apollo, o homem que o mantivera em cativeiro na Bratislava e assassinara Bob Daley.

— Ele estava atirando na minha direção. Na hora H, um caminhão apareceu do nada e bloqueou o tiro. Quando saiu de vista, Apollo já havia desaparecido.

— Ele sabe em que hotel você está?

— Imagino que sim — respondeu Hunter, ofegante. — Ele deve ter me seguido até o prédio onde eu estava jogando pôquer à noite. A não ser que um dos jogadores tenha me entregado para ele. De qualquer forma, não posso voltar para o hotel. E deixei um monte de anotações lá. Da pesquisa para o artigo. PUTA MERDA!

Sally se sentou na cama.

— Calma. Você está vivo, e todas essas anotações ainda estão na sua cabeça, certo?

— Acho que sim. — A respiração de Hunter começou a se normalizar. — E então? Descobriu alguma coisa?

— Depende do que você chama de "alguma coisa" — respondeu Sally, já completamente acordada. — O general Frank não matou o príncipe Achileas. Disso eu tenho certeza.

Hunter deu um longo suspiro de desapontamento.

— Mas ele trabalha, sim, para o MI6. E faz parte da equipe que está atrás de você.

— O MI6 está atrás de mim?

— Está. Depois do assassinato de Bob Daley, os governos americano e britânico criaram uma força-tarefa de inteligência conjunta para combater o Grupo 99. Durante o compartilhamento de informações, acho que os ianques disseram a verdade sobre o que aconteceu na Bratislava, que você fugiu. Ao que parece, eles acham que você está conspirando com o Grupo 99, que seu sequestro pode ter sido encenação.

Hunter ficou calado.

— E foi? — perguntou Sally.

— Eu acabei de contar para você que eles tentaram me matar. Descobriu mais o quê?

— O que eu vou dizer não passa de boato, mas os britânicos estão loucos para encontrar você antes dos americanos. Frank Dorrien, especialmente, não confia nem um pouco na CIA.

— Então temos alguma coisa em comum, afinal de contas — brincou Hunter.

— Não tenha tanta certeza disso. A imagem que eu faço de Dorrien é a de um homem extremamente disciplinado e conservador até o último fio de cabelo. Ele não gostava nem um pouco do príncipe Achileas, que obviamente era gay. Talvez o general não tenha matado o garoto, mas certamente o ameaçava. Daria até para argumentar que ele levou o pobre coitado a cometer suicídio.

Hunter não sabia se chamaria o privilegiado príncipe da Grécia de "pobre coitado", mas entendeu o que Sally queria dizer.

— Achileas de fato conhecia Bob Daley. Eles não eram propriamente amigos, mas pareciam se dar bem. O general Dorrien conhecia os dois e gostava de Daley.

— Era fácil gostar de Daley — comentou Hunter.

Não era essa a novidade sobre Frank Dorrien que ele esperava receber. Isso significava que ele teria de repensar algumas coisas. Mas ainda assim tudo aquilo era interessante, especialmente o fato de os britânicos também estarem à caça dele.

— Hunter — chamou Sally, com a voz distante de uma hora para outra.

— Diga.

— No que você está trabalhando? Me conte. Mande as anotações, qualquer coisa, só por questão de segurança.

— Não posso.

— Você quase foi assassinado hoje à noite — lembrou-lhe Sally. — Se morrer, vai querer levar a matéria para o túmulo?

— Não. Mas prefiro que ela vá para o túmulo comigo, e não com você.

— Não entendi.

— Não é a mim que eles querem enterrar, Sal. É a verdade. E eu não posso colocar você em risco.

— Mas sou *eu* que estou me colocando em risco.

— Obrigado pela ajuda.

Sally pensou em pedir que ele não desligasse, mas sabia que não adiantaria.

Assim que ele desligou, ela afundou outra vez no travesseiro e ficou olhando para o teto.

*Mas que diabos você anda aprontando, Hunter Drexel? O que significa tudo isso?*

Sally ficou imaginando como as coisas entre ela e Drexel poderiam ter acabado de forma diferente se, em algum momento, ela tivesse sido capaz de confiar nele.

FRANK DORRIEN ESPEROU a mulher pegar no sono antes de sair sorrateiramente da cama.

No térreo, em seu escritório, ele acendeu a fraca lâmpada da escrivaninha e ligou o laptop do príncipe Achileas. Após a morte do garoto, ele tivera pouquíssimo tempo para vasculhar seu dormitório. Mas o MacBook Air do grego era fundamental. Frank o enfiara na maleta enquanto o corpo do príncipe ainda pendurado, balançava. Não sentiu o menor remorso.

O MI6 havia recuperado um monte de e-mails deletados, muitos deles criptografados.

Frank Dorrien havia lido todos.

Ele fez uma careta de repugnância ao passar as imagens pornográficas no computador, todas de homens jovens e depravados nos mais variados estágios de humilhação sexual. *Mas o que há de errado com o mundo? Que coisa nojenta.*

Nas últimas semanas, uma jornalista vinha rodeando as imediações do quartel, fazendo perguntas. Era sem dúvida mais um desses liberais de coração mole que esperava do Exército britânico obediência às leis civis ao passo que, de alguma forma, como num passe de mágica, mantinha o país a salvo dos perigos. Será que as pessoas não se davam conta de que havia uma guerra em curso? Não uma guerra entre nações, mas entre ideologias, entre certo e errado?

Frank Dorrien estava a par da Srta. Faiers. Por ora tinha um peixe maior para apanhar. Mas ele não toleraria ninguém que tentasse se meter entre ele e seu dever. A Srta. Faiers que se cuidasse.

Voltando a atenção outra vez para os e-mails, Frank olhou para o canto superior esquerdo da última mensagem apagada por Achileas.

Ali, pairando alegremente, viu um solitário balão vermelho.

O AGENTE MILTON Buck estava em um dia ruim.

Que estava prestes a ficar pior.

Os britânicos estavam mentindo para ele. Disso ele tinha certeza. Eles afirmaram que não haviam progredido no rastreamento de Apollo ou de Althea e que também não haviam recebido nenhuma notícia sobre o paradeiro de Hunter Drexel. Mas, só pelo tom de voz do general Dorrien, o agente Buck sabia que o inglês estava mentindo descaradamente. *Eles estão fechando o cerco. Vão nos fazer de bobos!*

É claro que esse jogo de esconder informações poderia ser feito dos dois lados. O problema era que a inteligência americana não havia feito progresso algum para esconder isso do MI6. A viagem de Tracy Whitney a Genebra tinha sido um fracasso, um completo beco sem saída. O Grupo 99 estava sapateando no túmulo de Henry Cranston, e não havia nada que o FBI e a CIA pudessem fazer. Os insucessos de Tracy refletiam diretamente em Milton Buck. Ele detestava ter de trabalhar com ela, mas sua bizarra ligação com Althea não lhe deixava escolha. Buck tinha certeza de que Tracy também estava mentindo — ela provavelmente conhecia Althea, ou pelo menos tinha alguma suspeita sobre sua identidade —, mas, claro, não sabia como provar isso.

Além de tudo, Greg Walton estava fungando no cangote de Milton Buck dia e noite. Em tese porque o presidente estava fungando no cangote de Walton, mas o agente Buck não dava a mínima para isso. Para ele importava o fato de que, mais uma vez, a chance de obter um grande avanço na carreira estava escapulindo por entre seus dedos graças à incompetência de Tracy Whitney. E, para completar, sua mulher estava menstruada e lhe dava um esporro atrás do outro toda vez que ele passava pela porta do quarto. Isso explicava o fato de Buck ainda estar ali, sentado à escrivaninha de seu escritório, com o olhar inexpressivo voltado para a tela do computador, às oito em ponto da noite.

E foi então que, de repente, quando Milton clicou em sua pasta de documentos, a tela ficou preta.

*Que porra é essa?*

Ele clicou em outros ícones. Nenhum deles abria.

Milton pegou o telefone.

— Jared — vociferou para o gerente de TI — meu laptop acabou de morrer.

— Aconteceu com o de todo mundo, senhor — explicou o técnico. — Pelo que estou vendo... Parece que houve um ataque. Alguma coisa... Ah, merda.

Milton Buck abaixou a cabeça e olhou para o monitor.

Pouco a pouco, a tela preta começou a ser tomada por balões vermelhos.

Greg Walton atendeu ao primeiro toque.

— Estou sabendo — disse Walton a Buck. — Neste exato momento, está acontecendo a mesma coisa em Langley. Nosso pessoal está cuidando disso. Estamos rastreando o ataque. — Então, desligou.

DEZ MINUTOS DEPOIS, ele ligou de volta.

— O hacker está em Londres.

— Tem certeza? — perguntou Milton Buck.

— Absoluta. Tracy conseguiu rastreá-la.

— É uma mulher?

— Sim. É Althea. Menos de um minuto após Tracy descobrir a localização, a própria Althea mandou uma mensagem reivindicando a autoria.

— Mas isso é impossível — resmungou Buck. — Como ela conseguiu invadir de novo? O sistema foi todo reformulado e reprogramado depois da última invasão. Cada firewall, cada senha, cada linha de código.

— Eu sei muito bem o que a gente fez, Milton — retorquiu Greg Walton. — Mas está evidente que não foi o bastante. Esse vírus é muito mais devastador que o anterior. Três quartos dos meus arquivos foram corrompidos. E as coisas estão piorando.

— Piorando? Como? — A cabeça de Milton Buck estava começando a latejar.

— De acordo com Tracy, o vírus se originou em SW1, Albert Embankment, número 85.

— Albert Embankment? — O latejamento piorou. — Esse não é o ende...

— Sim. — Greg Walton deu um profundo suspiro. — A sede do MI6.

# Capítulo 14

— NÃO TEM A menor chance de ter se originado aqui. Nenhuma chance. Para ser franco, Srta. Whitney, não consigo nem acreditar que estamos discutindo isso.

Jamie MacIntosh parecia um sujeito decente, mas Tracy percebeu que seus nervos estavam em frangalhos e que ele se encontrava a ponto de explodir por causa do último ataque virtual do Grupo 99. Enquanto escutava Tracy, não parava de roer as unhas e bater o pé esquerdo num ritmo ansioso.

*Não me admira que ele esteja preocupado*, pensou Tracy. Althea não só havia causado uma vergonha descomunal à inteligência americana e destruído seu sistema, como conseguira envolver a inteligência britânica, fazendo os aliados se atracarem em um momento fundamental de cooperação.

— Eu concordo com você — disse Tracy, em tom apaziguador. — E não estou sugerindo que Althea seja um de vocês.

De acordo com a pesquisa de Tracy, menos de 12 por cento dos funcionários do MI6 eram mulheres, e a maioria ocupava cargos administrativos inferiores ou de secretária.

Das mulheres com instrução ou em posição sênior o bastante para reunir recursos necessários a ponto de planejar um ataque virtual sofisticado, nenhuma sequer chegava perto de bater com o perfil de Althea.

— Mas ela comprometeu os sistemas de vocês, assim como os nossos — continuou Tracy. — E armou tudo isso deliberadamente para dar a impressão de que o ataque partiu daqui de dentro. Isso nos diz algumas coisas sobre ela.

— O quê, por exemplo? — perguntou o general de divisão Frank Dorrien, encarando-a com um olhar suspeito.

Pelo pouco que sabia a respeito de Tracy Whitney, Frank Dorrien não gostou muito dela. Ladrões e vigaristas não eram gente digna de confiança, por mais que alegassem ter mudado.

— Como o fato de ela saber como os serviços de inteligência ocidentais funcionam. Meu palpite é de que ela é uma ex-espiã ou conhece alguém de dentro.

— Ela conhece você, Srta. Whitney — lembrou-lhe Frank Dorrien —, mas pelo jeito seria esperar demais que sua memória tenha voltado a funcionar, não é? Ou que de repente você tenha se lembrado de alguma ligação com ela.

Tracy semicerrou os olhos, sentindo-se ofendida com a insinuação do general, que deu a entender que ela estava mentindo ao afirmar não conhecer Althea e que escondia alguma coisa. E também ressentiu-se da forma como ele a encarara com um olhar superior e aristocrático desde que ela entrou na sala.

— Ela sabe *a meu respeito* — corrigiu Tracy. — Mas qualquer um que trabalhasse aqui 15 anos atrás saberia.

— Certo. — Jamie MacIntosh esfregou os olhos. — Vamos investigar pelo ângulo do ex-espião. Greg Walton deveria fazer o mesmo, mas confesso que, na minha opinião, você está batendo na porta errada.

— Tem alguma outra sugestão? — perguntou Tracy.

— Eu tenho — intrometeu-se o general de repente. — Tem uma jornalista do *Times*, uma jovem de nome Faiers. Sally Faiers. Ela tem rondado Sandhurst, fazendo perguntas sobre mim e sobre a morte do príncipe Achileas. Parece que está investigando uma teoria da conspiração ridícula que diz que eu fiz algum mal ao jovem para silenciá-lo.

— Silenciá-lo por quê? — perguntou Tracy.

— Não faço ideia — respondeu Frank, parecendo entediado. — Mas sei também que ela vem fazendo perguntas a respeito do capitão Daley e quer descobrir se ele e o príncipe se conheciam.

— E eles se conheciam? — perguntou Tracy.

Frank a encarou.

— Não. Vai ver se cruzaram no corredor ou no campo de manobra, mas nada além disso. O capitão Daley era um soldado exemplar. Já o príncipe Achileas... não. Francamente, a ideia de que os dois eram amigos é um insulto.

A antipatia de Dorrien pelo jovem grego era palpável. Tracy achou estranho o fato de ele não fazer a menor questão de esconder o sentimento. Afinal, o garoto estava morto.

— Além do mais, a Srta. Faiers é ex-namorada do nosso esquivo Sr. Hunter Drexel — continuou ele.

Tracy ergueu as sobrancelhas.

— E ela já escreveu diversos editoriais influentes contra a indústria do fraturamento hidráulico, inclusive um artigo fulminante sobre a empresa de Henry Cranston. Isso já é ligação demais com o Grupo 99 para o meu gosto.

*E para o meu também*, pensou Tracy. Ela se lembrou do que Cameron Crewe lhe contara: Henry Cranston havia fechado um acordo com os gregos para começar a extração de gás de xisto, que foi engavetado após o suicídio de Achileas. Depois disso, a Crewe Oil tomara a frente do negócio. Não pela primeira vez, Tracy teve a sensação de que as informações estavam diante de seus olhos e revelavam uma imagem nítida, desde que ela conseguisse enxergá-las pelo ângulo correto.

Ela não simpatizara com Frank Dorrien. O homem era arrogante, grosseiro e extremamente crítico, mas Tracy precisava concordar com o general: a Srta. Faiers de fato parecia interessante.

— Chegou a falar com ela?

— Frank não é a melhor pessoa para isso — respondeu Jamie MacIntosh pelo general. — Está claro que essa Faiers já não confia nele. E, como ela pode ser nossa única ligação com Hunter Drexel, não podemos correr o risco de nos indispor com ela. Pensamos que talvez você pudesse fazer uma tentativa.

QUANDO TRACY FOI embora, Frank se voltou para Jamie.

— Não confio nela.

— Você não confia em ninguém, Frank.

— É sério. Alguém precisa seguir essa mulher. Não podemos perdê-la de vista por um segundo sequer.

Se Jamie MacIntosh ficou irritado ao ouvir seu subordinado lhe dizer como trabalhar, escondeu bem o sentimento.

— Não se preocupe, general — retrucou ele, com calma. — Já tomei as providências.

* * *

Jeff Stevens saiu de seu clube e pisou na Piccadilly Road. Caía uma tempestade, e a água cascateava de seu guarda-chuva enquanto, em vão, ele prestava atenção nas ruas em busca de um táxi. Todos ao seu redor corriam atrás de abrigo, entrando em lojas e se protegendo sob marquises dos pontos de ônibus.

— Sr. Stevens? — chamou de repente um homem louro ao seu lado que usava um casaco impermeável todo amassado. — Podemos conversar um minuto? — O homem gesticulou para um Daimler preto brilhante com placa de representação diplomática que havia estacionado perto do meio-fio. — Em particular.

Jeff fez cara de desconfiado.

— Eu conheço você?

— Ainda não — respondeu Jamie MacIntosh. Então, com um sorriso afável, acrescentou: — É sobre Tracy Whitney.

Sem hesitar, Jeff fechou o guarda-chuva e entrou no carro.

Ao deixar o emblemático edifício do MI6 em Albert Embankment, Tracy decidiu dar uma caminhada para espairecer. Cruzou a Vauxhall Bridge e virou à esquerda na direção dos bairros de Belgravia e Chelsea, seus antigos locais prediletos. A chuva havia começado com uma garoa leve, mas logo se transformou em uma torrente. Para se proteger, Tracy entrou numa banca de jornal, comprou um guarda-chuva barato e continuou andando.

Durante uma hora, ela caminhou sem rumo, pensando em Sally Faiers e na melhor forma de abordá-la no dia seguinte. Às vezes ela entrava em pânico ao pensar que não havia avançado na tentativa de encontrar Althea desde sua chegada. Será que a conversa com Sally era uma distração? Será que o general Dorrien havia armado aquilo para despistá-la? De uma coisa Tracy tinha certeza: ela não confiava em Frank Dorrien. Por outro lado, como ela própria havia contado a Cameron Crewe, sua intuição lhe dizia que Hunter Drexel era um elo fundamental com tudo aquilo. Juntos, Hunter e a indústria do fraturamento hidráulico continham a chave para a identidade de Althea e sua conexão com o Grupo 99. Se Sally Faiers pudesse lhe dizer alguma coisa, qualquer coisa, que esclarecesse a situação de Hunter Drexel e a misteriosa matéria em que o jornalista vinha trabalhando, então valeria a pena ir atrás dela. Quaisquer que fossem os motivos do general Dorrien.

Tracy se deu conta de que gostaria de ter alguém com quem conversar sobre tudo aquilo. Sentiu uma pontada de pesar ao perceber que já não tinha mais nenhum confidente, pois todos haviam morrido ou se perdido para sempre. Seus amados pais. Jeff. Blake Carter.

Foi então que ela teve um estalo. *Já sei aonde preciso ir.*

O CEMITÉRIO FICAVA bem perto da Fulham Road, no limite de Chelsea. Quando Tracy chegou, já era noite. Sepulturas molhadas reluziam sinistramente ao luar. A chuva ainda caía forte, como caíra a tarde inteira, e batia nos caminhos de cascalho como um milhão de balas furiosas disparadas por um céu maligno. Poças fundas obrigavam pessoas de luto e outras que passeavam com seus cachorros a sair do caminho e pisar no gramado empapado, com mais lama do que turfa em alguns pontos.

Gunther Hartog — figura paterna para Tracy em sua época áurea de vigarista e ex-mentor dela e de Jeff — sempre adorou aquele lugar. Tracy nunca entendeu a razão. Para ela, os maciços túmulos vitorianos talhados em pedra cinza e sisuda eram profundamente depressivos. Mas não para Gunther. Tracy era capaz de ouvir sua voz como se ele estivesse ao seu lado:

— O gótico é o que há, minha querida! Eu gosto da cafonice da coisa. Parece que a qualquer momento um fantasma vai pular de trás de uma lápide dessas e agarrar você. Muuuah ha ha ha haaa!

Sua gargalhada grave e melodramática costumava fazer Tracy rir.

Ela se perguntou se um dia voltaria a rir daquele jeito.

Na noite em que jantara com Cameron Crewe em Genebra, ela sentiu algumas leves pontadas de felicidade. Mas a sensação de culpa que se seguiu foi tão profunda e debilitante que Tracy não estava com pressa alguma para repetir a experiência.

*Eu estou com medo de ser feliz*, constatou ela. *Medo de viver.*

Ainda assim, Tracy sabia que precisava viver. Precisava viver para vingar a morte de Nick.

De repente, uma sensação de derrota tomou conta dela. *Eu nunca vou encontrar Althea. Nunca vou saber o que aconteceu de verdade com meu querido Nick.*

Uma coisa era rastrear alguém eletronicamente. Mas essa habilidade de pouco servia no mundo real. Tentar antecipar o movimento seguinte de uma mulher invisível era como jogar xadrez com um fantasma.

*Será que foi assim que a polícia se sentiu durante todos aqueles anos que eles ficaram atrás de mim e de Jeff?*

*Será que a frustração deixou Daniel Cooper louco?*

*Não*, lembrou-se Tracy. *Cooper era um homicida maluco muito antes de me conhecer.*

*Não é por sua causa, Tracy. Isso não é culpa sua.*

Por fim ela chegou ao túmulo de Gunther. Por mais que ele adorasse o pastiche gótico, no fim das contas seu bom gosto falara mais alto, e ele optara por uma lápide simples, discreta, sem gárgulas, rosas ou cruzes cercadas de espinhos. A inscrição dizia apenas *Gunther Hartog — Colecionador de Arte* e exibia as datas de nascimento e morte.

Tracy se aproximou do túmulo, e o guarda-chuva cobriu tanto seu corpo quanto a lápide. Ela não havia levado flores, nem nada mais. De repente, ela não sabia por que tinha ido até lá. Só sabia que precisava do consolo de um velho amigo. De alguém que a amara.

Com a chuva batendo forte no guarda-chuva, Tracy fechou os olhos e se permitiu sentir a dor. A perda. Como se estivesse lendo uma lista de chamada, os rostos de seus entes queridos pairaram à sua frente.

Seu pai.

Sua mãe.

Gunther.

Blake.

Nicholas.

Jeff Stevens, claro, estava vivo. Mas, com a morte de Nick, revê-lo seria doloroso demais. Se Jeff estivesse morto, não faria diferença para Tracy.

— Estou sozinha, Gunther — murmurou ela na escuridão. — Completamente sozinha. — Então, ajoelhou-se no enlameado cemitério londrino e chorou.

* * *

JEFF ESTAVA ATORDOADO e em silêncio no banco de trás do carro.

Jamie MacIntosh falava havia quase quarenta minutos. Durante todo o tempo, Jeff parecia escutar, raciocinando, ponderando. Então, pela primeira, falou:

— Você acha que essa tal de Althea realmente matou o Nick?

— Não sei — respondeu Jamie, com honestidade. — Sei que é nisso que Tracy acredita. Mas é possível que a CIA tenha enfiado essa ideia na cabeça dela só para envolvê-la nisso.

Jeff pensou na resposta de Jamie e assentiu, dizendo:

— Ok.

— Eu sei que Althea deu a ordem para o assassinato do capitão Daley e provavelmente também para o de Henry Cranston. E sei que ela é uma grande ameaça à segurança do mundo Ocidental.

— Nada disso me importa — retrucou Jeff, fazendo um gesto de desdém.

— Mas com Tracy você se importa?

— Claro.

— Então vai nos ajudar? Eu conheço o seu passado, Jeff — comentou Jamie MacIntosh, em tom mais leve. — Nosso arquivo sobre você e Tracy é do tamanho do Alcorão e já tem quase vinte anos.

— Disso eu tenho certeza — comentou Jeff, não sem uma pontada de orgulho.

— Se alguém entende como Tracy pensa e age, esse alguém é você. Por favor. Se não quer aceitar por nós, ao menos faça isso por ela.

Jeff fechou os olhos. O que aquele homem queria — o que o governo britânico queria — era que ele seguisse Tracy. Que ele não só rastreasse sua movimentação física, como também antecipasse sua estratégia, a espiasse, fosse mais esperto do que ela. Que ele a fizesse de *joguete*. O MI6 queria encontrar Althea e Hunter Drexel antes da CIA. O MI6 queria ganhar. Tracy era a aposta dos americanos. Jamie estava pedindo que Jeff se tornasse a aposta dos britânicos.

Seguir Tracy. Ser mais esperto que ela. Proteger Tracy, ou pelo menos tentar. Foi exatamente assim que Jeff Stevens passou a maior parte da vida adulta. As melhores partes, pelo menos.

Provavelmente, ela ficaria com ódio dele por causa disso.

Jeff abriu os olhos e encarou MacIntosh.

— Quando eu começo?

QUANDO TRACY ACORDOU, o sol entrava pela janela. Por um momento ela pensou estar de volta ao Colorado. O sol em Steamboat Springs era sempre fascinante, mesmo no inverno. Mas logo a realidade se abateu sobre ela.

Tracy estava em Londres, no modesto hotel no bairro de Pimlico que a agência havia reservado para ela. As cortinas de um vermelho claro estavam abertas. Ouvia-se o barulho das buzinas na rua. O relógio na mesinha de cabeceira mostrava a hora: 11:15 A.M.

*Onze e quinze?* Tracy esfregou os olhos. Como isso era possível? Provavelmente ela dormiu por umas 14 horas, a primeira noite ininterrupta e sem sonhos que ela tivera desde a morte de Nick. Ela não conseguia se lembrar da volta do cemitério para o hotel nem por quanto tempo ficara sentada, jogada no túmulo de Gunther Hartog, chorando até seu corpo não ter mais forças. Mas ela se lembrava de sentir um frio inacreditável no quarto. Ela tirara a roupa para tomar um banho quente, mas provavelmente a exaustão bateu mais forte antes mesmo de ela chegar ao banheiro. Então, Tracy se enfiara debaixo das cobertas e caíra num sono tão pesado que mais parecia um coma.

Nos últimos tempos, ela precisava tanto chorar quanto dormir. Graças a Gunther Hartog, realizou as duas coisas. *Obrigada, meu querido Gunther.* Tracy estava se sentindo ótima, fisicamente falando, com a mente ágil. Mas não havia tempo para desfrutar essas novas sensações caso quisesse pegar Sally Faiers antes de a jornalista deixar a redação do *The Times* para almoçar.

Tracy pulou da cama e vestiu uma calça jeans e um casaco.

Dez minutos depois estava em um táxi preto rumo a Wapping.

# Capítulo 15

Sally Faiers corria apressada para o metrô quando uma sem-teto se aproximou.

— Sally!

— Sim — respondeu, hesitante.

A mulher a chamou como se a conhecesse, mas a jornalista tinha certeza de que nunca tinha visto aquela figura antes. Os olhos verdes, enormes e tristes, as maçãs do rosto proeminentes e o corpo minúsculo e franzino, que parecia mais de criança que de adulto, eram características marcantes demais para ela esquecer.

— Nós nos conhecemos? — perguntou Sally.

— Não. Meu nome é Tracy Whitney.

*E daí?*

— Preciso falar com você. — continuou a mulher.

— Sobre o quê? — Sally olhou no relógio. Não tinha tempo para brincar de adivinha com aquele fiapo de mulher. Seu aquecedor de água estava quebrado, e a equipe irritante do fabricante estaria em seu apartamento em meia hora para consertá-lo. — Se é sobre uma matéria, pode telefonar para a redação. — Ela vasculhou o bolso para lhe entregar um cartão de visita.

— É sobre Hunter Drexel.

Sally congelou.

— Aqui não — sussurrou ela e então escreveu um endereço num pedaço de papel e o entregou a Tracy. — É um café, perto do mercado da East Street. Encontro você lá em vinte minutos.

O CAFÉ ERA uma espelunca suja com janelas embaçadas. Tinha cheiro de bacon frito e chá barato, e a clientela parecia composta inteiramente de pedreiros poloneses. Tracy adorou o lugar logo de cara.

— Vem sempre aqui? — perguntou ela a Sally.

— Não mais. Estudei aqui perto por um tempinho. — Sally não estava com ânimo para conversa fiada. — Quem é você?

Elas pediram chá, e Tracy lhe contou a versão editada de toda a história: ela trabalhava com a divisão de contraterrorismo da CIA que estava lidando com a ameaça do Grupo 99.

— Mais especificamente, estou tentando rastrear a americana que acreditamos fazer parte da liderança do grupo. Achamos que ela teve participação na morte do capitão Daley e no sequestro de Hunter.

Sally se mostrou cética.

— Então você é agente da CIA?

— Não exatamente. — Tracy encheu o chá de açúcar. — Eu trabalho com eles, não para eles. Pode-se dizer eu sou um tipo de consultora.

— E como você me encontrou? — perguntou Sally; em seguida, diante do olhar de Tracy, tirou um ditafone do bolso, colocou-o sobre a mesa e ligou o gravador. — Só por precaução. Você se importa?

— Nem um pouco. O general Frank Dorrien me deu o seu nome.

— Ah. — Sally revirou os olhos. — O general.

— Não é fã dele?

Sally sorriu.

— E alguém é?

Tracy sorriu para ela também.

— Talvez a Sra. Dorrien.

*Gostei dessa mulher*, pensaram as duas ao mesmo tempo.

— E o que o general Frank disse a meu respeito?

— Que você vem xeretando sobre ele e sobre o suicídio do príncipe Achileas. E que era íntima de Hunter Drexel.

— Hunter é íntimo de muitas mulheres — comentou Sally, com malícia.

— Mas não confia em muitas para pedir que o ajudem com uma matéria enquanto foge do Grupo 99 e do governo americano, provavelmente temendo pela própria vida.

Sally a encarou com admiração.

— Então Hunter está vivo? — continuou Tracy. — Ele entrou em contato com você?

Sally focou no chá. Ela gostou de Tracy Whitney logo de cara, mas seus instintos já haviam falhado antes. E ela prometeu a Hunter que não daria um pio com ninguém sobre o fato de ele tê-la procurado. Percebendo a hesitação de Sally, Tracy soltou:

— Se o Grupo 99 encontrar Hunter antes de nós, eles vão matá-lo. Quer Hunter acredite ou não, estamos tentando salvar a vida dele. Mas para isso precisamos da sua ajuda, Sally.

Um silêncio sepulcral se abateu sobre a mesa. Por fim, a jornalista o quebrou.

— Tudo bem. Sim, ele está vivo. Sim, nós nos falamos. Mas eu não sei onde ele está, e mesmo que soubesse não diria.

— Ele está trabalhando em quê? No próprio artigo?

— Não sei.

— Alguma coisa você deve saber — pressionou Tracy. — Ele pediu para você investigar Frank Dorrien, não pediu? Por quê?

— Eu juro que não sei. — Frustrada, Sally passou a mão em seu cabelo louro escuro. — Hunter prefere literalmente morrer a deixar qualquer um saber de seus furos. Isso vale até para mim. Eu sei que ele suspeitava da participação do general na morte do príncipe grego. Foi por isso que ele pediu que eu o investigasse.

— E o general teve alguma participação? — perguntou Tracy, tentando fazer a pergunta soar descontraída.

Sally balançou a cabeça.

— Não. Foi suicídio. Como eu disse a Hunter, não existe *uma* sujeira sobre ele. Nenhuma mesmo. Talvez Frank Dorrien não seja uma pessoa afetuosa e fofa, mas a verdade é que não tem uma mácula sequer. O cara nunca apostou, quase não bebe, nunca recebeu uma reprimenda no Exército, nunca traiu a mulher. Aposto que todas as camisas dele estão perfeitamente organizadas por cor no armário. Talvez ele seja grosso e meio esquisito, mas ter TOC e ser obcecado com a forma física não transformam ninguém em assassino.

— Não, não transformam. Mas Hunter continua suspeitando dele?

— Hunter suspeita de alguma coisa, mas acho que nem ele sabe exatamente do quê. Um dos problemas dele é a teimosia. Quando Hunter enfia uma coisa na cabeça, você precisa de mais do que simples fatos para convencê-lo do contrário. Neste caso, de mais do que a completa ausência de fatos. É a mesma coisa com o jogo. Quando Hunter joga pôquer ou aposta num cavalo, para ele é como se o resultado já estivesse decidido. Ele precisa ganhar, então vai ganhar. É como se acreditasse no poder do pensamento.

Tracy lembrou que Cameron Crewe tinha lhe dito algo muito parecido sobre isso.

— Não é uma boa característica para um jornalista — comentou ela.

— Não. Hunter tem pontos positivos, mas só enxerga o que quer.

— Sabe por que ele fugiu do resgate? — perguntou Tracy, mudando de assunto abruptamente.

Sally balançou a cabeça.

— Quer dizer, ficou claro que Hunter não confiou neles. Mas, se você me perguntar por que, não faço ideia.

— E ele nunca tocou no nome de Althea com você? Ou de qualquer membro do Grupo 99?

— Não. — Sally terminou de tomar sua xícara de chá. — O estranho é que eles estão tentando matar Hunter. — Então, ela contou a Tracy que Apollo quase matou Hunter, tomando o cuidado de não entregar a localização. — Mas eu tenho um forte pressentimento de que essa tal matéria que ele está escrevendo vai muito além do Grupo 99. É coisa grande, muito grande, e por isso seus amigos da CIA quererem enterrá-la.

Tracy pensou nas palavras de Sally enquanto comia o sanduíche de bacon em silêncio. De repente, Sally acrescentou:

— Sabe por que Hunter e eu terminamos?

— Tinha outra mulher no meio? — chutou Tracy.

Sally sorriu.

— Bom, a traição não ajudava muito. Mas a gota d'água foi a jogatina. Nós morávamos juntos num apartamento fofo em Hampstead, com jardim e tudo. A maior parte do dinheiro para a compra do imóvel foi dada pelos meus pais. Sem eu saber, Hunter fez uma segunda hipoteca da casa para pagar uma dívida de pôquer. — Ela deu uma risada, mas sem um traço sequer de alegria. — Eu amo Hunter. Mas ele é *tão* desonesto que você chega a ficar sem ar. Eu perdi o apartamento, e, francamente, ele nem se arrependeu. Ficava dizendo que aquilo era "só" dinheiro, "só" um monte de tijolos e argamassas. Você deve estar se perguntando por que contei tudo isso, certo?

— Até que fique curiosa, sim — admitiu Tracy.

— A questão é que eu e Hunter *somos* próximos, mas nunca entendi o que se passava na cabeça dele. Provavelmente sou a última pessoa que você deveria procurar para descobrir as motivações dele. Nunca sei o que ele pretende fazer.

Tracy pagou a conta e saiu do estabelecimento com Sally. Elas trocaram números de telefone e prometeram manter contato.

— Alguém mais sabe que você teve notícias do Hunter? Ou que ele fugiu do resgate?

Sally balançou a cabeça.

— Ninguém. Só contei isso para você porque, sinceramente, estou assustada. Tudo o que interessa para Hunter é esse artigo idiota. Mas, como você mesma disse, se o Grupo 99 puser as mãos nele, adeus Hunter. Seja lá o que ele queira esconder do seu pessoal, acho que não é uma coisa pela qual valha a pena morrer.

— Você ama o Hunter de verdade, não ama?

Sally jogou o casaco sobre os ombros com um semblante desolador.

— Infelizmente, amo, sim. Ele é um babaca manipulador. Totalmente egoísta. Mas também é único. Quando você ama alguém como Hunter, não consegue mais gostar de caras normais, estáveis. — Sally deu uma risada, constrangida. — Provavelmente você não faz ideia do que estou falando.

De repente, uma imagem de Jeff Stevens surgiu do nada na cabeça de Tracy.

— Ah, eu sei. Pode acreditar que sei, sim.

NA MANHÃ SEGUINTE, Tracy foi acordada por uma ligação de Greg Walton às seis da manhã.

— Tivemos reclamações.

Tracy esfregou os olhos.

*Bom dia para você também*, pensou.

— Que tipo de reclamações?

— Reclamações sérias. Do Ministério do Interior britânico. De acordo com eles, na reunião de anteontem você não quis cooperar e ficou inventando empecilhos.

— Isso é um absurdo. — Tracy rememorou a conversa com Jamie MacIntosh e Frank Dorrien no MI6. Tentou se lembrar de qualquer coisa que tivesse dito ou feito que pudesse lhe dar uma imagem de uma criadora de caso. — Eles pediram que eu conversasse com uma jornalista, um contato de Hunter Drexel, e foi isso que eu fiz. Quem reclamou, Greg?

— Isso não importa.

— Para mim, importa, sim — retrucou Tracy com veemência. — Foi Frank Dorrien, não foi?

— Como eu disse, a questão não é essa.

— Ontem ele deixou bem claro que não confia em mim. — Tracy sentia a raiva crescer. — Mas quer saber de uma coisa? O sentimento é recíproco. Ele está mais envolvido nisso do que diz. Hunter Drexel não confia nele.

— Como você sabe disso?

Tracy contou a Greg sobre a conversa com Sally Faiers no dia anterior. Ele ficou animado.

— Que ótima notícia, Tracy. Excelente trabalho. Vamos pedir aos britânicos que quebrem o sigilo telefônico dela.

— Não, não faça isso — pediu Tracy, afobada. — Vamos mantê-los fora disso por enquanto. Sally confia em mim. Se ela achar que está sendo vítima de espionagem ou se ela se sentir usada de alguma forma, não vai colaborar. Ela detesta Dorrien quase tanto quanto eu.

— Hmmm. — Walton não parecia contente. — Não sei, não...

— E, além do mais, se quebrar o sigilo telefônico dela, você não vai encontrar nada. Hunter Drexel é profissional. Certamente está usando celulares pré-pagos.

— Tudo bem. Por ora, vamos deixar assim. Mas fique de olho nela. E lembre-se: Dorrien está do nosso lado. Você está aí para encontrar Althea, não para investigar o general.

— Mas e se as duas coisas estiverem ligadas?

— Não estão, Tracy — garantiu Walton, com um tom de voz firme, que logo foi substituído por outro mais caloroso e lisonjeiro. — Pode ter certeza de que vou falar com o presidente sobre o ótimo trabalho que você está fazendo aí. E acredite: ele vai ficar em êxtase quando souber que pelo menos Drexel ainda está vivo. Isso é muito mais do que sabíamos ontem.

— E tomara que isso seja só o começo. Ainda tenho muitas coisas para fazer aqui. Althea não é ninguém do MI6, disso eu tenho certeza, mas...

— Na verdade, Tracy, queria que você voltasse para os Estados Unidos amanhã, no máximo quinta-feira — cortou-a Walton.

— O quê? Por quê? — Tracy ficou desnorteada.

— O agente Buck tem novas pistas.

— Que novas pistas? As maiores pistas que nós temos estão bem aqui, em Londres.

— Buck vai lhe passar os detalhes quando você voltar — disse Greg de um jeito que deixou claro que aquilo era uma ordem, não uma sugestão. — Como eu disse, estamos gratos pelo que você conseguiu. Mas, do ponto de vista diplomático, é importante que volte para cá.

— Ok — concordou Tracy, impassível.

Walton pareceu aliviado.

— Haverá uma passagem reservada para você no balcão da British Airways no aeroporto de Heathrow.

— Certo.

— Mais uma vez, você fez um ótimo trabalho — disse Walton e desligou.

Tracy ficou sentada na cama por um tempo, olhando para o telefone em sua mão.

*Tem alguma coisa errada.*

*Alguém quer que eu saia daqui.*

*Será que é o general Frank Dorrien? O bom e velho, o correto e imaculado Frank?*

Ela começou a se vestir.

* * *

GREG WALTON DESLIGOU o telefone. Estava no Salão Oval, sentado diante da mesa do presidente; o agente Buck se encontrava ao seu lado.

O presidente Havers olhou para Walton.

— Então ele está vivo?

— Está, senhor.

— Mas não sabemos onde?

— Não, senhor. Ainda não.

Com uma expressão amarga, o presidente Havers olhou fixamente para sua foto emoldurada na parede atrás de seus chefes de inteligência. Havia sido tirada em seu primeiro dia de mandato, há menos de um ano. Graças a Hunter Drexel, desde então, ele provavelmente envelhecera uma década.

A campanha de reeleição de Havers começaria a ganhar corpo dali a alguns meses. Alguns grandes doadores já haviam feito contribuições. Mas outros, entre os quais Cameron Crewe, estavam com o pé atrás, esperando para ver qual seria o desenlace da crise com o Grupo 99. A situação na Europa era a mais tensa em décadas. O presidente precisava de uma vitória, e ele sabia disso.

— E quanto a Tracy Whitney? Até onde ela sabe?

— Ela não sabe de nada — desdenhou o agente Buck. — Ela é uma ferramenta, nada mais.

O presidente Havers torceu para que Buck tivesse razão. Tracy Whitney havia se mostrado útil ao rastrear Althea em Londres e conseguir uma pista sobre Hunter Drexel. Mas, se ela não fosse mantida sob controle, sua perícia dedutiva poderia ser extremamente perigosa. Tracy já estava mostrando um interesse perigoso nos lamentáveis eventos ocorridos em Sandhurst. Isso sem contar o fato de bater de frente com a inteligência britânica.

A secretária apareceu na abertura da porta.

— Com licença, senhor presidente, estou com a primeira-ministra britânica na linha e, pelo que percebi, ela não parece nada contente.

O presidente Havers suspirou. Desde a desastrosa incursão na Bratislava, Julia Cabot era a única amiga que ainda lhe restava na Europa. Havers precisava dela.

— Tragam Tracy de volta — sussurrou ele para os oficiais. — Ela está causando muita comoção por lá.

— Sim, senhor. — Greg Walton se levantou. — Considere feito.

— E, de agora em diante, rédeas curtas com ela.

Ao saírem do Salão Oval, Walton e Buck ouviram o presidente usar seu tom mais amigável e conciliatório.

— Julia! — Havers estava praticamente ronronando. — A que devo o prazer?

CAMILLA E RORY Daley moravam numa linda residência georgiana nos arredores de um dos vilarejos mais cobiçados do condado de Hampshire. Os jardins e terrenos maravilhosos desciam suavemente até a margem do rio Test, onde gerações de Daleys haviam desfrutado o direito exclusivo de pescar algumas das melhores trutas do país. Do lado de dentro, antigos tapetes persas cobriam o piso de parquete polido, que conduzia a cômodos espaçosos e elegantes, com janelas de guilhotina originais, lareiras enormes e mobiliário inglês tradicional. Na sala de estar, duas aquarelas de Turner se destacavam penduradas acima de um sofá no qual dois dachshunds desgrenhados dormiam profundamente, um em cada canto.

No geral, pensou Tracy, aquela era a casa de campo inglesa mais charmosa e elegante em que ela entrava desde que Gunther estava vivo. Certamente os pais do capitão Daley faziam parte do um por cento mais rico, isso senão do 0,1 por cento mais rico ainda.

— Tem certeza de que não quer uma xícara de chá, Srta. Arkell? — perguntou Lady Daley, pelo que já devia ser pelo menos a terceira vez.

Tracy havia adotado um sotaque inglês perfeito e imaculado ao se apresentar como Harriet Arkell, escritora que fazia uma pesquisa sobre o filho do casal para uma biografia. Sentia-se mal por ter de mentir àqueles idosos tão encantadores, mas sabia que, no instante em que mencionasse a CIA — ou falasse com sotaque americano —, os Daley ficariam com o pé atrás. Anos morando na Inglaterra haviam ensinado a Tracy que a classe alta do país se mostrava muito mais acessível quando lidava com alguém do próprio círculo social.

— É muita gentileza da parte dos senhores, mas estou bem, obrigada — recusou Tracy. — Não pretendo demorar muito. Na verdade, só queria esclarecer alguns pontos da passagem de Bob por Sandhurst.

— Claro. — Camilla Daley abriu um sorriso. Seus olhos brilhavam no mesmo tom de azul-claro de seu conjunto de blusa e pulôver. Ela claramente tinha prazer em cada oportunidade que surgia para falar do filho. — Bob adorava Sandhurst. Amava demais aquele lugar, não é, Rory?

— Nas duas vezes em que passou por lá — confirmou o idoso. — Primeiro quando cadete, com os fuzileiros galeses. Depois, mais tarde, como instrutor. Acho que ele não sentia nenhuma falta do serviço na ativa.

As papadas de Lorde Daley tremiam quando ele falava, como se ele fosse um buldogue, e seus olhos eram tristonhos e remelentos. Ele parecia mais velho e cansado do que a mulher. Tracy se perguntou se o assassinato brutal do capitão Daley o havia nocauteado com mais força e sentiu a culpa aumentar por enganar o casal.

— Ele tinha muitos amigos na academia?

— Ah, Bob tinha vários amigos. Da escola, do regimento e, claro, também de Sandhurst.

— E tem alguém que se destaque?

— Bom, tem. — De repente, a expressão de Lady Daley ficou entristecida. — Embora se destaque pelos motivos errados. Pobre Achileas.

— O príncipe Achileas? Da Grécia?

— Você já deve ter lido sobre ele — disse Camilla, balançando a cabeça com tristeza. — Achileas e Bob eram grandes amigos. O príncipe veio aqui mais de uma vez, sabe? Mas infelizmente o coitadinho se matou. Não fazíamos a menor ideia de que ele tinha depressão. Foi na mesma semana que Bob... em que nós perdemos Bob.

Tracy pensou rápido. As palavras do general Dorrien ressoaram em sua cabeça como um sino de igreja: *Vai ver se cruzaram no corredor ou no campo de manobra, mas nada além disso. A ideia de que os dois eram amigos é um insulto.*

*Frank, seu mentiroso!*, pensou Tracy.

— Achileas era cadete — comentou Tracy. — Então, tinha uma patente menor que seu filho. E também era muito mais novo. Sabe como os dois ficaram próximos?

— Grécia — respondeu o Lorde Daley, respirando com dificuldade em sua cadeira. — Bob era um classicista, sabe? Tinha obsessão pela Grécia desde garoto. Estava em Atenas quando foi levado por esses covardes.

— Claro que Harriet sabe disso, querido — interveio sua mulher, revirando os olhos. — Ela está escrevendo um livro sobre o que aconteceu.

— Achei que era sobre Robert. Não é isso? — perguntou Rory Daley, parecendo confuso. Ele fazia Tracy se lembrar tanto de seu pai já idoso que ela mal conseguiu conter a vontade de pular em cima dele e lhe dar um abraço.

— Sim, Lorde Daley — assegurou Tracy. — Estou escrevendo sobre Robert, sim. — Voltando-se para Camilla, perguntou: — Será que vocês têm fotografias de Bob com Achileas?

— Vou dar uma olhada — respondeu Camilla com um semblante pensativo. — Mas acho que não. Não somos muito de tirar fotos. E, claro, tinha o fato de Achileas fazer parte de uma família real. Acho que ele não teria gostado se saíssemos tirando fotografias dele como um casal de turistas maravilhados.

Tracy não conseguia imaginar duas pessoas menos parecidas com "turistas maravilhados" do que aqueles dois.

— Mas ficamos muito tristes quando soubemos do ocorrido — prosseguiu Lady Daley. — Segundo amigos de Bob, alguém invadiu o dormitório de Achileas depois da morte dele e roubou algumas coisas. Acredita nisso? Esses caçadores de souvenirs da realeza ficaram loucos. Quer dizer, quem faria uma coisa tão baixa dessas?

— Não consigo imaginar — respondeu Tracy, parecendo apropriadamente horrorizada.

Embora a verdade fosse que ela conseguia imaginar muito bem quem faria isso.

* * *

QUANDO TRACY LIGOU, Cameron Crewe estava saindo da academia que tinha em sua casa em Nova York após uma sessão exaustiva com o personal trainer.

— Cameron?

Ele demorou um momento para perceber quem era. Para sua enorme decepção, não tinha notícias de Tracy Whitney desde o jantar em Genebra, nem sabia se voltaria a ter.

— Tracy! — exclamou ele, ofegante, encostado numa parede para se apoiar. — Que surpresa boa.

— Tudo bem com você? Parece que está tendo um ataque de asma.

Cameron deu uma risada. Ficou maravilhado ao escutar a voz dela. Na verdade, ficou mais feliz do que deveria.

— Estou bem. Só velho. E fora de forma. E onde você está?

— Em Londres. Caminhando pela Wandsworth Bridge Road, para ser mais precisa.

— Que legal.

— Escute, preciso de um conselho.

Cameron Crewe se permitiu esboçar um sorriso.

*Ela quer um conselho meu. Ela confia em mim.*

— Diga.

Durante os dez minutos seguintes, Tracy lhe deu a versão editada dos desdobramentos do caso Grupo 99/Althea/Drexel desde que haviam se encontrado pela última vez. Sem entregar nenhuma informação confidencial, resumiu o encontro com Sally Faiers e conseguiu transmitir suas suspeitas sobre a inteligência britânica, em especial sobre o general Frank Dorrien.

Para surpresa de Tracy, Cameron já sabia da invasão do Grupo 99 aos sistemas da CIA e do FBI. Ela vivia esquecendo que Cameron também já havia trabalhado com Greg Walton por muitos anos e que ela não era a única forasteira a quem a agência já pedira ajuda. Mas ele não sabia que Tracy havia rastreado o MI6 como o ponto de onde ocorrera a invasão, nem que Hunter Drexel ainda estava vivo. Cameron escutou com atenção enquanto ela falava.

Por fim, Tracy contou a Cameron sobre a viagem que fizera para conversar com a família de Bob Daley.

— Para cinco dias, eu chamaria isso de um enorme avanço — comentou Cameron, quando ela finalmente parou para respirar. — Imagino que Greg Walton esteja morrendo de amores por você agora.

— Seria o esperado, não?

Ela explicou que havia sido convocada de volta a Washington pela CIA e que, na verdade, deveria estar num avião no dia seguinte.

— Estou lhe dizendo: de alguma forma, o general Dorrien deu um jeito de conseguir isso — afirmou ela. — Ele está por trás disso. Inventou alguma reclamação contra mim e deixou todo mundo alarmado. Mas o fato é que ele mentiu na cara de pau quando disse que Daley e o príncipe não eram amigos. Disso eu tenho certeza agora. — Ela estava falando tão depressa e com tanta empolgação que Cameron teve dificuldade para acompanhar. Tracy prosseguiu: — Acho que foi ele quem roubou as coisas do príncipe.

— Quem?

— O general Dorrien.

— Fiquei confuso. Dorrien trabalha para o MI6?

— Assim como o capitão Daley.

— E você acha que ele roubou pertences do príncipe morto no dormitório em Sandhurst?

— Acho. Inclusive o computador.

— Mas... qual é a ligação da morte do príncipe com o Grupo 99?

— Isso eu não sei — admitiu Tracy. — Mas acho que Dorrien sabe. E é aí que preciso do seu conselho.

— Tudo bem. — Cameron aguardou.

Tracy respirou fundo.

— Estou pensando em invadir a casa dele.

Cameron caiu na gargalhada, mas parou ao perceber que Tracy estava em silêncio.

— Isso é sério?

— Pode ter certeza. Eu invado, então pego o computador e o que mais ele tenha tirado do dormitório do príncipe e não queira que eu encontre, e levo tudo para Walton já como fato consumado.

— Ok. Posso sugerir um plano alternativo?

— Pode.

— Pegue o avião amanhã, venha para Nova York e jante comigo.

— É sério. Eu preciso muito do seu conselho.

— Meu conselho sobre uma invasão de domicílio? — Cameron deu uma risada. — Eu acabei de lhe dar! Não faça isso, Tracy. O que você está sugerindo é uma maluquice tamanha. Walton ficaria pau da vida, e com toda razão.

— Mas e se eu encontrasse uma prova de que Dorrien não é quem diz ser? Uma prova de que o general está enrolado até o pescoço nessa conexão entre o Grupo 99, o artigo de Hunter Drexel sobre a indústria do fraturamento hidráulico e a morte do príncipe?

— Você não vai encontrar provas!

— E por que diz isso?

— Porque você vai acabar presa, Tracy! Ou pior, vai se esforçar ao máximo e conseguir sair de lá com tudo sem ser pega. Mas, de um jeito ou de outro, vai causar um baita incidente diplomático. Olha, eu detesto ter de estragar os seus planos. Mas, sério, o que você sabe sobre invadir uma casa?

Tracy esboçou um sorriso.

— Guarde essa ideia sobre o jantar — disse ela, então desligou.

Da esquina da Studdridge Street, Jeff Stevens viu Tracy desligar o telefone, olhar furtivamente de um lado para o outro e entrar num ônibus rumo a Chelsea.

Tracy estava de jeans skinny preto e suéter verde-escuro. Seu cabelo esvoaçava ao vento quando ela entrou no ônibus. Estava linda.

Jeff sentiu uma dor aguda no peito.

Reconheceu a pontada: era saudade.

— Eu estou bem atrás de você, Tracy — sussurrou ele em voz alta. Em seguida, esticou o braço e fez sinal para um táxi preto, mostrou uma nota de 50 libras para o taxista e disse:

— Siga aquele ônibus.

# Capítulo 16

JACOB BODIE, VELHO amigo de Tracy e negociante de obras de arte, havia preparado o trabalho para ela.

*Graças a Deus Jacob existe em minha vida.*

Um sessentão jovial, Jacob Bodie já não roubava mais as obras de arte com as próprias mãos. Fazia muito, muito tempo desde a última vez em que ele invadira uma galeria de arte ou uma residência privada. Mas Jacob havia sido o melhor de sua época e ainda trabalhava com os melhores, pesquisando e avaliando cada trabalho em que se envolvia. Assim como Tracy e Jeff, só roubava de quem merecia: incultos, traidores e acumuladores de arte.

Tracy confiava nele.

— A Sra. Cynthia Dorrien sempre sai para jogar bridge nas noites de terça. Ela deixa a casa às seis em ponto e geralmente volta às nove — explicou Jacob em sua voz grave e rouca.

— Geralmente? — perguntou Tracy.

— Geralmente. Ah, Tracy. Você sabe que não há como garantir. Mas é uma janela de três horas que se abre para um trabalho de três minutos. Você entra, pega o que quer e sai. Simples assim.

Tracy se sentiu enjoada.

Quantas vezes ela já havia ouvido a palavra "simples"?

Foi o que lhe dissera Conrad Morgan antes de seu primeiro trabalho, o roubo das joias de Lois Bellamy de sua casa em Long Island. Ela conseguia ouvir a voz de Conrad, baixinha e tranquilizadora, como a música de um encantador de serpentes.

É ridiculamente simples, Tracy.

Mas, claro, que não era. Tracy escapou por um triz de ser pega naquela noite e de ser mandada de volta à Penitenciária Meridional da Louisiana para Mulheres de uma vez por todas.

*Mas eu não fui pega*, lembrou Tracy. *Eu enganei a polícia e Jeff Stevens. Sou boa nisso. É o que eu faço.*

Jacob Bodie lhe dera uma planta da modesta casa dos Dorrien, além das senhas do cofre e do alarme antirroubo e uma cópia da chave da porta da frente.

— Como você conseguiu tudo isso tão depressa? — perguntou Tracy.

Jacob abriu um sorriso satisfeito.

— Eu tenho os meus métodos, minha querida. Mas devo dizer que estou emocionado por conseguir impressionar você. Não é fácil impressionar a grande Tracy Whitney.

Tracy sentiu vontade de dizer que a "grande" Tracy Whitney havia morrido fazia muito tempo. Se é que ela existiu algum dia. Mas conseguiu se conter.

— E quanto ao general? — perguntou.

— Vai estar no quartel, não se preocupe. É um workaholic. Quase nunca chega em casa antes das dez.

Tracy não gostou nem um pouco do "quase".

— E terça-feira agora não há a menor chance de ele voltar cedo — assegurou Jacob. — Vai haver uma reunião de avaliação de todos os oficiais superiores na academia militar. Dorrien vai presidir duas das sessões.

Tracy deixou a galeria de Jacob Bodie na Bond Street sentindo-se confiante e bem preparada.

NA NOITE SEGUINTE, diante da casa de Frank Dorrien em meio ao breu, sentada num carro alugado com o motor desligado, Tracy sentiu toda a sua confiança se esvair. Estava tão petrificada de medo quanto estivera no roubo das joias na casa de Bellamy e em todos outros desde então.

*Mas que diabos estou fazendo aqui?*

*Tenho um lugar marcado em um voo que vai sair do Heathrow. Se eu for embora agora, ainda terei tempo de jantar antes de decolar. Talvez dê até para tomar uma boa e relaxante taça de vinho tinto.*

Mas já era tarde para isso. Tracy encontrava-se ali. A decisão estava tomada.

Ela abriu a porta do carro.

Usando sobretudo, luvas e botas pretas, além de um boné enterrado na cabeça, ela estava praticamente invisível ao se aproximar da casa. Não que isso importasse: a rua estava deserta. Os vizinhos dos Dorriens estavam todos em casa assistindo a reality shows com as janelas fechadas.

O coração de Tracy batia tão depressa que ela não conseguia escutar mais nada. Não se lembrava mais de como a adrenalina a deixava enjoada.

Ela chegou à porta da frente com a cópia da chave na mão.

A voz de Cameron Crewe ressoava em seus ouvidos.

*Você não vai encontrar provas!*

*Você vai acabar presa, Tracy!*

Ela enfiou a chave na fechadura e girou a maçaneta.

De repente, o alarme ressoou ao ganhar vida. Nenhuma sirene estava tocando, mas o sistema fazia um barulho alto, bem alto, como uma abelha irritada pedindo reforços à colmeia. A qualquer minuto, sirenes, luzes e...

*Que merda! Cadê a porra do teclado numérico?*

Afobada, Tracy começou a apalpar a parede. Por fim encontrou o teclado, escondido atrás de um casaco que estava pendurado.

*Graças a Deus!*

Com o coração acelerado, digitou o código.

Nada aconteceu.

*Droga!*

Suas mãos tremiam. Por causa do pânico, ela provavelmente digitou os números na ordem errada. Tracy sabia que tinha apenas vinte segundos para desarmar o alarme. Jacob havia sido bem claro em relação a isso. E pelo menos dez dos vinte segundos já haviam se passado.

O suor começou a descer pelas costas de Tracy como um rio. Ela não se importava em ser pega. Sua vida e sua segurança já não significavam mais nada. Mas precisava saber o que Frank Dorrien estava escondendo. Por Nicholas, precisava juntar as peças do quebra-cabeça.

Forçando-se a ficar calma, ela digitou o código novamente, dessa vez devagar, sussurrando cada número.

*Cinco. Três. Cinco. Seis.*

O som parou.

Tracy deu uma risada. Pela primeira vez desde que abrira os olhos naquela manhã, ela começou a relaxar.

A casa de Frank Dorrien era pequena, limpa, bem arrumada e um pouco sem alma, pelo menos para o gosto de

Tracy. Ela não encontrou fotos de família, flores, livros ou jornais largados numa mesinha de cabeceira. Aquilo mais parecia um escritório do que um lar. Além do mais, o lugar estava cheio de móveis marrons e pesados; não tinha nada claro, colorido ou com um toque feminino. Mas talvez as coisas parecessem piores naquela escuridão. Frank e Cynthia haviam deixado algumas luzes acesas no andar de baixo — "economia de energia" era um termo que os Dorriens não conheciam. Frank certamente pensava que isso era coisa de hippie e gente de esquerda. No entanto, a iluminação era fraca, na melhor das hipóteses. Já no andar de cima, o breu era total.

*Tão escuro quanto o coração do general*, pensou Tracy. *Tão escuro quanto meu mundo sem Nick*

Ela entrou na suíte principal e encontrou outro cômodo sem atrativo algum, tão desinteressante quanto um apart-hotel pré-mobiliado. Havia apenas uma cama simples coberta com uma colcha de linho branca, uma caixa com temática chinesa sobre uma cômoda e um closet com portas espelhadas. O único indício de bom humor ou gosto pessoal do lugar era uma almofada em formato de dachshund apoiada nos travesseiros. Estava claro que, em casa, o general Frank era tão controlador e conservador quanto no trabalho.

O cofre estava exatamente onde Jacob disse que estaria — nos fundos do espaçoso closet principal. Tracy não sabia o que estava procurando, mas o cofre pareceu um bom lugar para começar. Ela digitou o código, e dessa vez não houve contratempos, alarmes, luzes piscantes ou sinais de alerta. Como dizia Jeff, o cofre se abriu tão prestativamente quanto as pernas de uma prostituta.

Por que ela sempre pensava em Jeff em momentos como aquele? Irritada, Tracy voltou a se concentrar na tarefa.

Ela tirou o conteúdo do cofre com bastante cuidado, um item de cada vez, e examinou tudo com a lanterna.

O testamento do general.

A escritura da casa.

Um colar de pérolas que, com seu olhar de especialista, Tracy percebeu imediatamente se tratar de um objeto de mais valor sentimental que material.

Vinte mil libras em espécie.

Isso ela não esperava. Vinte pratas era muito dinheiro para uma família modesta manter dentro de casa, num envelope qualquer. Mas Tracy deixou a curiosidade para lá. Não lhe restava tempo para imaginar onde Dorrien poderia ter arranjado uma quantia daquelas ou o que ele pretendia fazer com ela. Em vez disso, reexaminou tudo, separando com cuidado cada cédula e cada documento, forçando-se a reduzir o ritmo para não deixar nada escapar. Mas não adiantou. Ela estava certa desde a primeira vistoria.

*Não tem nada sobre o príncipe Achileas aqui.*

Tracy trancou o cofre e olhou para o relógio. Ainda eram seis e quarenta e cinco. Faltava muito para Cynthia Dorrien voltar do bridge.

Fez o caminho até o escritório de Frank, no térreo.

A escrivaninha do general estava tão ordenada quanto todo o restante naquela casa, limpíssima, sem um sinal de bagunça. Furiosa, Tracy notou que o computador dele não estava lá. Provavelmente Dorrien o levara para a reunião no quartel. Ela só estava quebrando a cara naquela noite.

Começou então a abrir gavetas, procurar alguma anotação, fotografias, um pen drive, qualquer coisa.

*Nada.*

*Nada, nada, nada.*

*Tem de haver alguma coisa aqui*, pensou. *Deve haver alguma coisa nesta casa.*

Tracy vasculhou todos os cômodos, um a um. No começo foi metódica: fechou os armários de cozinha, pôs os tapetes de volta no lugar, apagou as pistas de sua invasão. Mas, conforme os minutos passavam, e depois as horas, ela foi perdendo o controle e começou a arrancar os quadros das paredes e a derrubar pilhas de livros.

Tracy estava a ponto de se dar por vencida quando finalmente encontrou o que queria. De tantos lugares possíveis, estava no banheiro. Uma caixa de lenços na pia pareceu mais pesada do que deveria. Completamente descontrolada, Tracy a rasgou inteira e tirou o precioso disco rígido como um mergulhador que arranca a pérola de uma ostra.

Ela fitou o tijolinho preto por um instante, maravilhada por finalmente ter encontrado o que procurava após tantas decepções.

*É isso. Tem de ser isso.*

*Consegui!*

Mas não havia tempo para comemorar. Ela enfiou o disco rígido no fundo da mochila e voltou para o hall de entrada no térreo. Estava perto da porta quando de repente ficou cega com os faróis de um carro.

*Merda!*

Tracy ficou petrificada. Ouviu o som inconfundível de um motor se aproximando, sendo colocado em ponto morto e, por fim, desligando. Os faróis se apagaram.

Cynthia Dorrien estava em casa.

E pior: não estava sozinha.

* * *

Dentro de um carro discreto estacionado a alguns metros de distância da casa, Jeff assistia no escuro à chegada da polícia.

As coisas ficaram complicadas no momento em que Jeff compreendeu que Tracy estava invadindo a casa do general Dorrien. Mas, de qualquer forma, tudo em que ela se envolvia virava uma complicação.

Será que ele deveria contar os planos de Tracy a Jamie MacIntosh? Ou era melhor ficar de bico fechado?

Jeff não demorou a escolher a segunda opção. Se Tracy não confiava no oficial do MI6, então Jeff também não confiava. Por outro lado, ele ficou preocupado com a segurança de Tracy. Principalmente depois da chegada da polícia.

Ele estava morrendo de vontade de fazer alguma coisa para salvar Tracy, mas não tinha como intervir.

*Vamos, minha querida*, pensou ele. *Pense em alguma coisa.*

Tracy reconheceu as luzes azuis e brancas da polícia britânica. Em seguida, ouviu vozes masculinas sussurrando em tom de urgência.

Por instinto, ela se jogou no chão. Provavelmente os policiais tinham visto pelo menos a sombra dela pela janela. Mas algo lhe dizia que eles ainda não haviam lhe visto de fato. O motor foi desligando devagar, e com ele os faróis. Tudo voltou a ficar escuro, estranhamente silencioso. A calmaria antes da tempestade. Tracy escutou com atenção. Todos os seus sentidos estavam em alerta máximo. Ela se sentia um violino com cordas tão retesadas que estavam a ponto de arrebentar.

*Como a polícia me encontrou? Será que alguém viu alguma coisa? Um vizinho, talvez?*

Tracy sabia que Jacob não a teria entregado, e ele era o único que sabia que ela estaria ali. Sua cabeça estava a mil.

Ela ouviu passos se aproximando da porta principal e outros correndo em direção à porta dos fundos. Desesperada, olhou para todos os lados em busca de uma maneira de fugir. Mas, mesmo se encontrasse uma rota de fuga, não haveria tempo! Em questão de segundos a porta seria arrombada. Ela seria presa em flagrante. Cameron tinha razão. Na melhor das hipóteses, seria deportada para os Estados Unidos, totalmente humilhada. Ou talvez a CIA a renegasse e a deixasse apodrecer numa prisão britânica, evitando assim o constrangimento.

Com isso, ela nunca encontraria Althea. Nunca descobriria a verdade por trás da morte de Nick.

Alguém bateu com força à porta.

— Polícia! Abra agora!

Tracy tomou uma decisão.

O GENERAL DE divisão Frank Dorrien estava cansado. Detestava reuniões. *Se era para ficar jogando conversa fora sobre enunciados de missões e boas práticas, ou perder noites assistindo a apresentações em PowerPoint, eu mesmo teria posto a mão na massa*, pensou ele, ressentido, enquanto dirigia de volta para casa. Já não bastava perder metade do dia com "conversinhas" enigmáticas com o MI6. Todos esperam que espiões fiquem de enrolação, mas oficiais do Exército britânico deveriam ter juízo para evitar isso. Para ele, a CRFS (Comissão de Revisão de Financiamento de Sandhurst) era outro nome para tortura. Deveria ter sido banida pela merda da Convenção de Genebra. Tudo o que Frank queria era uma dose de uísque, um banho e sua cama.

Dois carros de polícia o ultrapassaram quando ele entrou em sua rua. Estava pensando em como aquilo era inusitado quando viu um terceiro carro parado, com o motor ligado, na entrada da sua garagem. Um policial uniformizado estava diante de sua casa, numa conversa séria com Cynthia, que parecia preocupada e estava claro que ela havia acabado de voltar do bridge.

— Sinto muito, general. — Um policial abordou Frank assim que ele saiu do carro. — Tem outros a caminho?

Frank fez uma cara feia.

— Outros? Que outros?

— Cadetes — respondeu o policial, adotando um tom conspiratório. — Está tudo bem, general. A pessoa especializada em explosivos já nos colocou a par de tudo.

Frank estava começando a ficar irritado. Seu dia havia sido bem longo.

— Tem um especialista em explosivos na minha casa? Do que diabos você está falando, cara?

— Phillips. A pessoa especializada em explosivos que nos deixou entrar em sua casa mais cedo. Phillips nos explicou sobre treinamento e sobre a importância de deixar a casa intocada depois do exercício.

Frank arregalou os olhos.

— Entendemos que esses exercícios "surpresa" são importantes, general — prosseguiu o policial. — Seus cadetes precisam aprender a lidar com ameaças de bomba, e terroristas de verdade não avisam com antecedência. Nós compreendemos. Mas esta é uma área residencial. No futuro, seria bom sermos alertados caso o senhor planeje realizar esse tipo de exercício. Queremos no mínimo avisar aos seus vizinhos.

— E que tal *me* avisar? — interveio Cynthia, indignada.

— O velho Sr. Dingle, do outro lado da rua, pensou que alguém tinha invadido a sua casa para roubar. — O policial deu uma risadinha. — E foi o que também pensamos assim que chegamos.

Frank Dorrien afastou o policial do caminho e entrou em casa. Correu direto para a pia do banheiro do andar de baixo. Encontrou os restos da caixa de lenços despedaçada no chão.

Frank sentiu a bile subir pela garganta. Então correu de volta para onde o policial estava e perguntou:

— Quando foi que o especialista em explosivos foi embora?

— Faz uns dez minutos. Logo antes da sua mulher chegar. Ela disse que voltaria para o quartel mas que os outros já estavam a caminho. Tentamos contatar o senhor no celular, general, mas...

— Ela? — interrompeu Frank.

— Exato, general. Capitã Phillips.

— Phillips... era uma mulher?

Foi a vez de o policial ficar confuso.

— Sim, senhor. Mas o senhor certamente sabia, não? Não foi o senhor mesmo quem ordenou o exercício?

Devagar, numa lentidão dolorosa, a ficha começou a cair.

Jeff Stevens arrancou com o carro, os ombros tremendo de tanto rir.

*Minha querida Tracy!* Ele sorriu. *Você não perdeu o jeito.*

* * *

HUNTER DREXEL DEU duas estocadas fortes, animalescas, e chegou ao clímax.

A garota embaixo dele, Claudette, rolou de costas na cama e abriu um sorriso lânguido.

— *Encore une fois?*

Hunter balançou a cabeça. Estava esgotado demais para fodê-la outra vez, ou sequer fazer qualquer outra coisa além de dormir. Fazia um bom tempo que ele não transava, e ainda mais com uma profissional. Havia pegado Claudette no Crazy Horse, onde ela era dançarina. Por 500 euros a noite. Ela era cara, mas valia muito a pena. Além do mais, estava claramente preparada para trabalhar duro pelo dinheiro. Isso se Hunter não estivesse esgotado demais para aproveitar.

Ele correra um grande risco ao ir a Paris. A chance de ser reconhecido numa cidade cosmopolita como aquela era muito maior. Mas, se Hunter queria publicar a matéria antes de o Grupo 99 meter uma bala no meio de sua testa ou de a CIA levá-lo às escondidas para um campo de tortura em algum buraco, ele precisava de assistência. Sally estava fazendo o que podia, mas sua ajuda de pouco adiantava, e, para Drexel, ir a Londres seria se arriscar demais. Em Paris, ele tinha amigos, jornalistas e subversivos que poderiam ajudá-lo. E a cena do pôquer na Cidade Luz era maravilhosa.

Quando estava prestes a cair no sono, uma sequência de imagens pairou diante de seus olhos.

Sally Faiers nua em sua cama.

O fuzileiro naval estendendo-lhe a mão no Chinook na Bratislava. "*Entre!*"

Bob Daley sorrindo para ele pouco antes de ter os miolos estourados.

Apollo, no beco escuro em Riga, sorrindo por trás do cano da pistola.

Hunter acordou sobressaltado, pulou da cama e segurou o braço direito de Claudette atrás de suas costas, de um jeito doloroso. A desgraçada estava remexendo os bolsos de suas calças, tentando roubá-lo!

— *Qu'est-ce que tu fais?* — sussurrou Hunter, virando o rosto de Claudette para ele. — *Putain.*

— Babaca! — retrucou a garota. — Eu sei quem você é.

O rosto de Hunter se transformou em um semblante ameaçador. De repente, Claudette começou a sentir o estômago embrulhar de medo. Havia ido longe demais. Aquele homem era perigoso. Muito perigoso. Na boate, ele parecia tão bonito, tão charmoso. Mas ali, naquele instante, seu olhar era gélido.

— *Tu connais rien. Je pourrais te casser. Comme un poulet. Tu comprends?* — sussurrou Hunter, sombriamente.

Ela assentiu sem dizer nada.

— Vista-se e vá embora.

Hunter soltou o braço dela e, satisfeito, observou-a pôr as roupas e fugir aterrorizada.

CAMERON CREWE JÁ estava indo para a cama quando o porteiro interfonou para seu apartamento.

— O que é? — perguntou, ríspido. Ele não estava a fim de receber visitas.

— Desculpe, senhor. Mas tem uma mulher aqui procurando pelo senhor.

— Uma mulher?

— Sim, senhor. É a Srta. Whitney. Diz que é urgente.

O mau humor de Cameron sumiu na hora. Ele não tinha notícias de Tracy desde o telefonema alguns dias antes e estava na expectativa de que a ligação seguinte fosse feita de uma prisão. Mas ali estava ela, em Nova York, à sua porta.

— Tudo bem, Billy. Ela pode subir.

Cameron mal teve tempo de trocar a camisa e passar uma colônia antes de Tracy irromper pela porta, exalando uma energia tensa.

— Oi — cumprimentou ela. Logo em seguida tirou o *trench coat* molhado e o jogou no caríssimo sofá italiano de Cameron, deixando a camurça encharcada. — Desculpe aparecer sem ligar, mas eu precisava ver você.

Cameron ficou desconcertado com a felicidade que sentiu ao ouvir aquela frase.

— Não precisa se desculpar. Pode aparecer a hora que quiser. Posso lhe oferecer...

— Você precisa ver isto — interrompeu-o Tracy, tirando o disco rígido do bolso e balançando-o à frente de Cameron. — Onde fica o seu computador?

— No escritório. Mas calma lá, Tracy. Isto aí é do general Dorrien?

— Não. É do príncipe Achileas.

— Você invadiu a casa de um agente do MI6 e roubou isso?

— Não *roubei*, eu *recuperei* — corrigiu-o Tracy. — Foi Frank Dorrien quem roubou esse HD.

— Não sei se é desse jeito que a inteligência britânica vai enxergar o assunto. Ou mesmo a CIA. — Cameron passou a mão no cabelo, preocupado. — Greg Walton *chamou você de volta*, Tracy. Pediu especificamente que se afastasse de Dorrien.

— Pois é. E você já parou para se perguntar por quê?

— Não. Mas tenho certeza de que ele teve seus motivos. Não acredito que você levou isso a cabo. Você invadiu a casa do sujeito!

— Computador — insistiu Tracy.

Ainda de cara feia, Cameron a levou para o escritório.

Ele a observou se sentar, conectar o disco rígido e começar a digitar códigos num ritmo assustadoramente rápido, seus dedos longos voando sobre o teclado como uma revoada de pássaros a uma velocidade arrebatadora.

— O que está fazendo?

— Recuperando arquivos — respondeu Tracy sem levantar a cabeça.

Ela usava um vestido de caxemira azul-escuro que suavizava sua silhueta esguia, e seu cabelo estava preso no alto de qualquer jeito. Exalava um leve aroma doce. Cameron sentiu uma onda de desejo percorrer seu corpo.

— Frank Dorrien é esperto — continuou Tracy. — Ele apagou esses arquivos e não deixou rastros.

— Mas imagino que você seja mais esperta.

— Óbvio. — Ela abriu um sorriso. — Podemos começar pelas imagens?

Tracy começou a passar uma boa quantidade de imagens pornográficas gays, intercaladas com fotos do próprio Achileas em diversos atos sexuais com um homem desconhecido.

— Então ele *era* gay.

— Ou um bissexual muito animado — brincou Tracy.

— Pois é. Tem uns 15 centímetros duros de pura animação nesta foto — comentou Cameron.

— Talvez ele tenha sido vítima de chantagem. Encontrei 20 mil libras em espécie no cofre do general.

— Isso sustentaria a tese de suicídio — disse Cameron.

— Certo. Mas ainda não é tudo. Dê uma olhada nisto.

Tracy abriu imagens de Achileas à vontade num piquenique com Bob Daley. Estava brincando com os filhos do capitão. A mulher de Bob deve ter tirado as fotos. Os dois eram claramente íntimos. Bem no canto direito de uma das fotos, havia outra mulher. Destacada e de costas para o grupo, a mulher alta, esguia e de longos cabelos escuros que caíam nos ombros parecia estar olhando para um rio.

— Achileas conhecia Bob Daley muito bem — comentou Tracy. — E *ela* também.

— Quem é ela?

— Não sei. Mas eu visitei a viúva de Bob, Claire, e perguntei sobre essa mulher. Claire respondeu que o nome dela era Kate, uma americana amiga de Achileas. Pensou que talvez os dois fossem namorados.

— Parece improvável.

— Bastante — concordou Tracy. — Mas "Kate" era íntima o suficiente para ser convidada para o piquenique. Então, qual é a ligação entre eles?

Cameron presumiu que a pergunta fosse retórica.

— Dê uma olhada nisto — prosseguiu ela.

Tracy mostrou uma sequência de e-mails, uns trinta ao todo. No topo de cada um, Cameron notou, de cara, o famoso logotipo com o balão vermelho.

— Não. — Ele parecia realmente chocado. Então puxou uma cadeira, sentou-se ao lado de Tracy e começou a ler as mensagens. — Por que um rapaz da *realeza* grega, rico e bem relacionado se envolveria com o Grupo 99? Ele era a personificação de tudo o que eles odiavam.

— Eu consigo pensar em inúmeros motivos. Rebeldia. Vontade de irritar os pais. Ou vai ver ele de fato acreditava no que o grupo defendia. Afinal, ele não pediu para nascer rico ou fazer parte da realeza.

Cameron parecia cético.

— Talvez ele estivesse financiando o Grupo 99, não? Dinheiro certamente não lhe faltava.

— Pode ser — concordou Tracy, empolgada. — E talvez a mulher da foto seja Althea. Talvez ela tenha envolvido Achileas no esquema. Ou quem sabe ela ajudou o príncipe a conseguir o dinheiro. E talvez Frank Dorrien tenha descoberto e...

— Ei! Espere um pouco. — Cameron pousou a mão no ombro de Tracy. — São conjecturas demais. Tem certeza de que não está colocando o carro na frente dos bois?

Tracy desligou o computador e o encarou.

— Pode ser. Mas a questão é que eu estou guiando os bois. Existe uma ligação aí, Cameron. Na verdade, várias ligações. Frank Dorrien não quer que ninguém as descubra. E a CIA está do lado dos britânicos nisso, tentando me assustar. Por quê?

Tracy notou que, sem pensar, pôs a mão sobre a de Cameron. Fazia muito tempo que ela não tinha tanta intimidade física com alguém, muito menos com um homem atraente. Mais uma vez o desejo e a culpa competiam por sua atenção.

E a culpa venceu. Tracy recuou.

— Se esta é Althea, é a única foto que alguém possui dela — comentou Cameron.

— Eu sei.

— Já mostrou isso a Greg Walton?

— Não. Só a você.

Cameron corou de alegria. Adorou saber que Tracy foi até ele primeiro. *Só a você.* Ela estava incrivelmente sexy em uma calça cigarrete e sapatos brogue — num visual andrógino e levemente masculino, mas ao mesmo tempo bastante sedutor —, e seus olhos verdes brilhavam enquanto ela usava toda a inteligência e se enchia de determinação.

— E vai mostrar a Walton?

— Não — respondeu ela, depois de pensar por um tempo. — Pelo menos não por enquanto. A verdade é que não confio na CIA. Não totalmente. E tenho certeza de que eles não confiam em mim.

— Não leve isso para o lado pessoal. Eles são espiões. O trabalho deles é desconfiar das pessoas.

— Não estou levando isso para o lado pessoal. Só não estou preparada para trabalhar para eles às cegas. Tenho para mim que eles já sabem por que Hunter Drexel se recusou a entrar naquele helicóptero.

— Ah, é?

Tracy fez que sim.

— Teve algo a ver com o artigo que ele estava escrevendo. Algo a ver com o fraturamento hidráulico. É a única coisa que faz sentido. A família de Achileas queria vender terras ricas em gás de xisto para Henry Cranston. Agora, o príncipe grego e Cranston estão mortos. O governo americano tem um enorme interesse por essa indústria. Estamos falando de uma indústria multibilionária, fundamental para os interesses do país.

— Nem precisa me dizer — falou Cameron.

— Sorte sua não ter sofrido consequências tão pesadas. Não é só o Grupo 99 que quer uma parte desses bilhões, uma fatia do bolo. As pessoas matam por uma quantia dessas.

— Ninguém vai me matar.

Cameron se aproximou dela e deu um beijo suave nos lábios de Tracy.

Ela não retribuiu o beijo. Mas também não impediu que ele a beijasse.

*Isso não deveria estar acontecendo. Isso não pode acontecer.*

Quando Tracy abriu os olhos, Cameron estava sorrindo para ela.

— E que tal aquele jantar que me prometeu?

ELES FICARAM NO apartamento.

O chef particular de Cameron já havia saído do serviço e voltado para casa, mas, para surpresa de Tracy, ele preparou rapidamente um espaguete bem gostoso para os dois.

— Nunca imaginei que você fosse uma pessoa prendada — falou Tracy.

Cameron notou que Tracy estava devorando a massa como se estivesse comendo pela primeira vez em dias. Para uma pessoa tão franzina, ela comia feito um cavalo.

— Quando se é divorciado, você acaba aprendendo. — Cameron serviu mais vinho para os dois. — Não sou o próximo Jamie Oliver, mas de fome não morro.

Eles comeram na bancada da cozinha. Tracy havia presumido que eles falariam mais a respeito do Grupo 99 e do que ela descobrira na casa do general Dorrien, mas a conversa desviou rapidamente para o âmbito pessoal. Era estranha a facilidade com que as coisas fluíam entre os dois. Aquela era apenas a segunda noite que Tracy passava na companhia de Cameron, mas, mesmo antes do beijo, os dois já haviam estabelecido uma intimidade que não condizia com o pouco tempo que se conheciam.

*Talvez seja o sentimento de luto que compartilhamos*, pensou Tracy. *Ou talvez o fato de eu confiar nele. De um confiar no outro.*

A confiança era algo cada vez mais em falta no mundo de Tracy, e ela suspeitava de que o mesmo valia para Cameron. Ele parecia uma pessoa tão despreocupada; ficava fácil esquecer que era dono de uma grande fortuna. Isso, por si só, já deveria lhe valer um monte de inimigos, além de um número ainda maior de falsos amigos.

*Ou talvez eu esteja me enganando. Talvez isso não seja nada mais que uma clara atração sexual.*

A química entre os dois era inegável. Tracy a percebera assim que entrou no apartamento. Sentira outra vez quando se sentaram juntos ao computador. Quando se beijaram. E, pouco antes, enquanto observava Cameron no fogão. O sexo era capaz de transformar velhos amigos em completos desconhecidos. E também de interferir na capacidade de discernimento.

— O que foi? — Cameron estava olhando de forma estranha para ela. — O que aconteceu?

— Nada. — Tracy baixou a cabeça e olhou para o espaguete.

— Nada não é. Sua cara acabou de mudar. Você está se sentindo culpada, não é isso?

— Por que eu me sentiria culpada?

Tracy tentou não mostrar seu intenso nervosismo. Como Cameron era capaz de compreendê-la desse jeito?

— Porque está se sentindo feliz, apesar da morte de Nick.

A resposta de Cameron não foi indelicada. Na verdade, muito pelo contrário. Mas aquilo foi demais para Tracy, e ela começou a sentir os olhos ficarem marejados.

Cameron esticou o braço e segurou a mão dela, assim como fez no restaurante em Genebra. Dessa vez, porém, Tracy não recuou.

— Ficar feliz não significa que você está traindo o seu filho — disse Cameron. — Pelo menos, se for isso, então nós dois somos culpados.

Cameron apertou a mão de Tracy. Ela apertou a dele.

Eles não precisavam de palavras.

DEPOIS DO JANTAR, eles foram para a sala de estar e beberam conhaque sentados diante de uma lareira enorme e imponente.

Então, do nada, Cameron disse:

— Acho que você deveria mostrar as fotos a Walton.

Tracy arregalou os olhos.

— Hein? Por quê?

— Por dois motivos. Um: enquanto você estiver de posse desse HD, sua vida provavelmente correrá perigo.

Tracy não argumentou.

— Dois: Althea precisa ser detida. Talvez você possa encontrar essa mulher sozinha. Mas encontrar é uma coisa, capturar é outra completamente diferente. Você não vai conseguir deter Althea sem ajuda. A CIA dispõe de recursos.

Tracy observou o rosto de Cameron com toda a atenção. O desvio de septo, o intenso olhar acinzentado. Cameron tinha olhos lindos. Eles passavam um ar de honestidade e complementavam perfeitamente seu jeito franco e direto de se expressar.

*Se fosse capaz de me apaixonar outra vez, eu me apaixonaria por ele num piscar de olhos*, pensou Tracy.

Essa era uma montanha-russa de emoções em que ela sem dúvida já não entrava mais. Graças a Deus.

— E se eu não estivesse sozinha? E se você me ajudasse? E se nós dois procurássemos Althea juntos?

— Eu? — perguntou Cameron, depois de soltar uma gargalhada.

— Por que não? Afinal, você também tem recursos para isso.

— Eu tenho dinheiro. Não são exatamente sinônimos.

— Claro que são. E, além disso, não se trata só de dinheiro. Você tem uma vasta rede de contatos espalhada pelo mundo. Não só na política, como no jornalismo e no terceiro setor. Você conhece pessoas influentes.

— Verdade, mas, Tracy, eu sou um empresário. Não sou espião nem paramilitar. Não disponho dos meios necessários para pôr fim a terroristas.

— Há seis meses eu era uma simples mãe que levava o filho de carro para jogar futebol — disse Tracy.

— Vou fingir que acredito nisso. — Cameron a encarou com um olhar de quem conhecia muito bem o passado de Tracy.

Ela estreitou os olhos.

— Você andou pesquisando a meu respeito?

— Talvez um pouquinho. — Cameron deu um sorriso tímido. — Mas gostei do que encontrei.

— Ok, talvez eu não fosse uma mãe comum — admitiu ela. — Mas a questão é que eu era uma civil e agora não sou mais.

— Não — concordou Cameron. — Agora não é mais.

— Por favor, pense no assunto. Eu sei que, juntos, podemos conseguir. Podemos encontrar Althea *e* Hunter Drexel.

— O mundo inteiro está atrás de Hunter. Por que acha que nós conseguiríamos encontrá-lo?

— Nós temos Sally Faiers. Ela confia em mim, e eu acho que vai me ajudar. Ainda mais se Hunter quiser ser encontrado.

— Se ele quisesse ser encontrado, teria entrado no helicóptero — retrucou Cameron, de maneira sensata.

— Não se achasse que a CIA pretendia lhe fazer mal. Ou silenciá-lo. Mas nós dois somos diferentes deles. Só queremos a verdade. E eu aposto que é exatamente isso que Hunter Drexel está querendo fazer. Contar a verdade. Lembre-se de que ele estava indo encontrar você quando foi sequestrado.

— E daí?

— E daí que ele tinha alguma coisa para contar. Ou perguntar. E imagino que ainda tenha.

— Isso é só uma teoria — retrucou ele, cético.

— E você tem uma ideia melhor?

— Acho que não.

Cameron se aproximou dela. De repente Tracy sentiu as mãos dele em seu corpo. O calor do toque de Cameron, sua força, sua proximidade. A tensão sexual entre os dois era vibrante e sufocante, como uma tempestade de raios prestes a se abater sobre Nova Orleans.

Cameron passou a mão na nuca de Tracy, puxou-a para perto e a beijou. Não foi um beijo suave como o anterior, mas vigoroso, apaixonado. Ela reagiu de forma instintiva e se deixou levar pelo momento. O beijo foi uma explosão selvagem e urgente. Era como se os dois quisessem vencer a corrida contra um relógio invisível. Cameron desceu a mão, segurou a bainha do vestido de Tracy e tirou-o por cima com um único movimento.

Tracy ofegou e fechou os olhos. As mãos dele em suas costas lhe proporcionaram uma sensação divina, de um calor rústico. A dúvida, o medo e a culpa a atacaram ao mesmo tempo, passaram zunindo por ela como tiros no meio de uma selva, mas erraram o alvo e se dissolveram contra o calor furioso de seu desejo. Era como se ela tivesse se jogado de corpo e alma em um caldeirão fervente de ânsia e só quisesse se afogar.

— Faça amor comigo. Por favor. Agora.

As costas da mão de Tracy resvalaram pela perna de Cameron. Por baixo da calça jeans, ela sentiu coxas firmes, musculosas, duras como pedra, como concreto.

— Tem certeza, Tracy? — A voz dele saiu rouca de tanto desejo. — É isso que você quer?

— Sim.

E de repente ela descobriu que tinha certeza, sim, e era uma certeza completa, feliz.

Cameron a levou para o quarto. O cômodo era, ao mesmo tempo, grandioso e estranhamente impessoal, com carpete cinza e abajures com cúpula de seda preta, tal qual uma suíte de hotel caríssima. Não que nenhum deles estivesse focado na decoração.

Cameron tirou a roupa íntima de Tracy e deitou-a nua em sua cama king size. Depois, tirou as próprias roupas, ajoelhou-se diante de Tracy e observou o corpo dela, maravilhado. Cada gota de sangue correu para seu pênis. E ele estava tão excitado que chegava a doer.

— Você é absolutamente linda.

Tracy ergueu os braços e envolveu Cameron pelo pescoço. Enquanto o puxava para baixo, enroscou as pernas em volta da cintura dele e fez do homem um prisioneiro voluntário.

— Chega de conversa — disse ela.

E Cameron não precisou ouvir duas vezes.

As horas seguintes foram mágicas. Tracy tinha o corpo de uma mulher com a metade de sua idade, mas a sensualidade e a confiança que só se encontram nas mulheres mais experientes. Já ela descobriu em Cameron um amante incrível — habilidoso, sensível, carinhoso e ávido, tudo ao mesmo tempo. Eles fizeram amor sem parar, por horas a fio, até que já estava prestes a amanhecer e nenhum deles tinha mais força para se mexer, então eles se abraçaram e, enquanto o sol nascia, conversaram sobre seus filhos mortos, as sensações de perda e culpa, as lembranças e a dor, um sabendo que o outro entenderia de uma forma que ninguém mais seria capaz.

Quando já estavam quase caindo no sono, Tracy aninhou a cabeça no peito de Cameron.

— Você vai me ajudar, não vai? — sussurrou ela.

Cameron afagou o cabelo dela. Parte de Tracy Whitney sempre estava concentrada no trabalho. Era sua natureza. Prazer e trabalho andavam de mãos dadas.

*Outra coisa que temos em comum*, pensou ele.

*Se não for muito cuidadoso, vou acabar me apaixonando por essa mulher.*

Mas Cameron Crewe era cuidadoso. Precisava ser.

— Você sabe que eu vou — respondeu ele. — Boa noite, minha querida.

# Capítulo 17

FAZIA UMA MANHÃ idílica em Neuilly-sur-Seine. Havia semanas que o sol não brilhava tanto, e o céu estava de um azul estonteante, um prelúdio do verão que se aproximava e dos dias mais longos e relaxantes que estavam por vir.

Lexi Peters havia se mostrado receosa quanto ao ano que passaria na França. Depois de ser rejeitada pela organização Teach for America — *Você tem muito potencial. O único problema é que este ano a linha de corte está muito alta. Ficaríamos muito felizes caso você se candidatasse outra vez* —, ela continuava querendo fazer a diferença. Estava quase aceitando uma vaga numa escola rural minúscula no Quênia, quando seu pai mencionou a oportunidade no Camp Paris:

— O salário é ótimo. Talvez você consiga guardar um dinheirinho. E no Teach for America disseram especificamente que falar outro idioma ajudaria na sua candidatura para o ano que vem.

Lexi ainda não estava certa daquilo. Sim, o salário era ótimo, mas isso porque a escola para adolescentes desobedientes no bairro parisiense elitista de Neuilly era tão cara que só os muito ricos podiam mandar seus filhos para lá.

— Não quero ficar bajulando um monte de riquinhos mimados e cheios de si — disse ela ao pai. — Quero fazer algo significativo.

— Não seja uma esnobe às avessas — retrucou Don Peters com firmeza. — Você acha que crianças ricas não sofrem? Acha que vícios e distúrbios mentais são coisas só de quem não tem dinheiro? Todas as crianças do Camp Paris têm problemas, Lex. Ajudá-las seria fazer algo significativo. Acho que você poderia aprender muito lá.

*Bom, nesse ponto ele tinha razão*, pensou Lexi, encostando a bicicleta na parede do estábulo. *Aprendi muita coisa aqui. Vou ficar triste quando voltar para casa.*

O château que abrigava o Camp Paris era um edifício exageradamente grandioso, construído antes da revolução. O local dispunha de estábulos para terapia com uso de cavalos, três piscinas e seis quadras de tênis com a grama mais bem aparada que Lexi já havia visto. A maioria dos funcionários deixava as bicicletas ou os carros nos estábulos, então percorriam um caminho curto margeado por árvores até a escola.

Lexi tirou uma pilha de livros de psicologia da cestinha da bicicleta e começou a caminhar rumo ao portão do pátio do estábulo, quando um Nissan chumbo estacionou.

O motorista saiu do carro e olhou ao redor. Ele era lindo e estranhamente familiar, embora não fosse funcionário do lugar. Somente 15 pessoas trabalhavam ali em horário integral, e Lexi conhecia todas elas.

— *Bonjour* — cumprimentou-o, animada. — *Vous êtes nouveau ici?*

— É, pode-se dizer que sim — respondeu ele, sorrindo para Lexi.

— Ah, você é americano. Eu também. Meu nome é Lexi Peters.

— Oi, Lexi.

— Eu ficaria feliz de...

A primeira bala abriu um buraco do tamanho de uma ameixa no peito de Lexi. Ela cambaleou para trás. O segundo e o terceiro tiros acertaram seu ombro e seu pescoço, e o quarto provocou uma perfuração perfeita em seu crânio.

Era o começo.

Cameron Crewe estava na Polônia em uma viagem de negócios quando a notícia foi divulgada. Tracy foi a primeira pessoa para quem ele ligou.

— Viu as reportagens?

— Estou assistindo ao noticiário agora mesmo — respondeu ela, com a voz embargada de emoção. — Estão falando em 26 mortos. Quatro professores, 22 crianças. Não consigo suportar uma coisa dessas.

— Foi o Grupo 99 mesmo?

— É o que parece. Quatro atiradores. Um morreu, foi baleado no local, mas três escaparam. Como isso é possível? Como a polícia francesa deixou que eles escapassem?

— Não sei — respondeu Cameron, amargamente.

Por um instante, ele e Tracy ficaram em silêncio. O massacre inexplicável de adolescentes que tinham a vida toda pela frente revoltara o mundo inteiro. Mas Cameron e Tracy sentiram muito mais aquilo do que a maioria das pessoas.

— Queria que você estivesse aqui — Tracy se ouviu dizendo.

— Eu também. Estou com saudade. Walton chegou a falar alguma coisa sobre o que aconteceu na Inglaterra?

— Não. Agora todos estão focados em Neuilly.

— Claro.

— Na verdade, estou a caminho de Langley neste momento. A maioria das crianças era americana. O presidente Havers deve fazer um pronunciamento nos próximos minutos.

— Alguma pista?

— Só uma.

Cameron passou a ouvir com mais atenção.

— Segundo nossas fontes, adivinha só quem deu as caras em Paris na semana passada? — perguntou Tracy.

— Quem?

— Nosso velho amigo Hunter Drexel. Já notou que onde Drexel pisa as pessoas começam a morrer?

Cameron Crewe já havia percebido isso.

Ele desligou o telefone com um forte pressentimento.

ALTHEA ESTAVA EM seu apartamento em Nova York quando viu a manchete aparecer em uma barra de notícias no seu computador.

*Tragédia em Paris. Grupo 99 massacra 26 em escola.*

Ela ligou a televisão. Aos gritos, crianças ensanguentadas e aterrorizadas corriam para os braços dos policiais. Havia cadáveres de adolescentes no chão — alguns ainda nem cobertos —, que haviam sido brutalmente assassinados enquanto tentavam fugir.

*Não! Não não não!*

Ela sentiu vontade de vomitar.

Isso não deveria ter acontecido. Não era essa a vontade de Daniel. Ninguém em sã consciência iria querer uma coisa dessas.

Ela correu para o banheiro e vomitou. Por um minuto inteiro permaneceu ajoelhada no piso gelado, a cabeça pressionada na porcelana fria enquanto tentava se acalmar e pensar com clareza.

*Talvez isso não tenha sido obra nossa.*

*Talvez a responsabilidade seja de outro grupo tentando denegrir nosso nome.*

Um dos atiradores havia sido morto. Em questão de horas, seriam divulgados detalhes sobre sua identidade. Mas, no fundo, Althea sabia que o homem morto era integrante do Grupo 99.

*Será que era um sádico como Apollo? Ou só mais um garoto com raiva, mal orientado e corrompido pela retórica do grego, dando tiros como se sua arma não fosse de verdade, como se aquilo não passasse de um jogo de computador violento?*

Como as coisas haviam chegado a esse ponto? Como tudo aquilo se desenrolara?

E foi o dinheiro *dela*, o apoio *dela*, que ajudou a tornar aquilo realidade.

Althea levou as mãos à cabeça. O enjoo tinha dado lugar a um latejar violento. Ela estava vendo pontos pretos.

Será que Tracy Whitney também estava assistindo àquilo?

Tracy a culparia. O mundo inteiro a culparia. No entanto, era ela quem havia sido enganada! Ela só vinha tentando fazer justiça, justiça para Daniel.

Althea andou cambaleando até o quarto, fechou as cortinas e se encolheu na escuridão.

DE ALGUMA FORMA, conseguiu dormir. Quando acordou, horas haviam se passado. Quase uma noite inteira. No entanto, ela ainda se sentia completamente exausta.

*Os ímpios não têm paz.*

Ela abriu as cortinas e viu os primeiros raios tênues de sol sangrarem em vermelho-escuro na silhueta da cidade.

Quando estava no banho, o telefone tocou. A tentativa de se purificar com a água não estava adiantando. Ela nunca conseguiria se livrar das cenas em Neuilly.

Althea fechou a torneira, se enrolou numa toalha e foi atender o telefone.

— Kate?

A toalha caiu no chão. Ela se apoiou no encosto do sofá. Ninguém a chamava de Kate. Não mais.

Ela era Althea. Kate estava morta.

— Quem é?

— Ah, acho que você sabe quem é. Precisamos conversar, Kate. Não acha?

Ela prendeu um soluço de choro.

— Acho.

Fazia mais de dez anos que ela não ouvia aquela voz.

Mas o timbre de Hunter Drexel não havia mudado nada.

# PARTE TRÊS

# Capítulo 18

TRACY ABRIU UM olho e viu um beija-flor pairar bem diante dela, enfiar o longo bico numa flor alaranjada e voar para longe. Extremamente delicado, tinha no máximo o tamanho de uma mariposa. Suas penas iridescentes e seu voo davam a impressão de que ele estava em uma dança frenética. Era uma visão mágica, como tudo o mais no Havaí.

— Ah, você acordou.

Cameron Crewe foi até a sacada. Tracy estava deitada em uma espreguiçadeira, bronzeando seu corpo atlético. Cameron havia levado Tracy ao Ritz-Carlton de Maui para uma rápida viagem romântica. Ele reservara uma suíte presidencial com vista para o mar e uma sacada com tantas flores que mais parecia uma selva em miniatura.

O massacre do Grupo 99 em Neuilly havia mexido com os dois profundamente, em especial com Tracy — afinal, ela achava que seu filho adolescente havia sido morto pelas mãos do grupo. Quando Cameron telefonou da Polônia, percebeu o tom de angústia na voz dela. *De alguma forma, ela se sente culpada, responsável pelo que aconteceu, porque ainda não encontrou Althea.*

Ele precisava fazer Tracy entender que nada daquilo era culpa dela.

E o mais importante: Cameron precisava estar com ela. Ao pegar um voo direto da Polônia de volta para casa, ele esperava que Tracy se opusesse à viagem, tendo em vista que a luta da CIA contra o Grupo 99 se encontrava em um estágio crucial. Cameron já conseguia ouvi-la dizer:

*Eles precisam de mim aqui. Podemos nos concentrar em nós dois depois.*

Mas Tracy não se opôs. Para surpresa — e alegria — de Cameron, ela ansiava por intimidade tanto quanto ele.

— Eu não estava dormindo — murmurou ela, meio grogue. Todo aquele sol fazia com que ela se sentisse meio mole. — Só estava relaxando.

— Bom, então pode continuar.

Sentado na beirada da espreguiçadeira, Cameron começou a passar bronzeador nas costas de Tracy, que fechou os olhos novamente. Tudo cheirava a coco. Ela conseguia ouvir as ondas quebrando lá embaixo. Seria maravilhoso poder ficar ali para sempre e esquecer tudo, evaporar.

*Bom, quase tudo.*

É claro que ela nunca esqueceria Nick. E só descansaria quando descobrisse a verdade sobre a morte dele. Mas, pouco a pouco, a cada minuto que Tracy passava na companhia de Cameron, aquela angústia causada pela ausência do filho perdia força. O amor por Nick não estava ficando mais fraco, apenas a dor da perda. Só um pouquinho. E era um alívio.

No entanto, outras coisas eram mais difíceis de deixar para lá. Enquanto Tracy bebia coquetéis de Kahlúa com Cameron no Havaí, o Grupo 99 continuava matando pessoas. Matando crianças.

*Eu não deveria ter vindo*, pensou Tracy pela milésima vez. *Não deveria ter deixado Cameron me convencer.*

Mas na verdade ela se sentia tão cansada que sabia estar à beira de um colapso. Seu corpo aceitou o descanso de muito bom grado. Já sua mente era outra história.

As agências de segurança francesas ainda tentavam capturar os outros atiradores do ataque em Neuilly, mas, a cada dia que passava, aquilo parecia menos provável. Enquanto isso, apesar de informações confiáveis apontarem que Hunter Drexel se encontrava em Paris no momento do massacre, Greg Walton e Milton Buck estavam fazendo o possível para manter Tracy afastada do rastro do jornalista.

— Você está aqui para encontrar Althea — dizia Greg Walton, sempre que Tracy mencionava Hunter. — É você quem tem uma ligação com ela, Tracy. Estamos focados na busca por Hunter. Você não pode ficar dispersa.

E mesmo assim eles não haviam encontrado Hunter Drexel. Mais uma vez ele escapara. Até Sally Faiers alegava que ele estava se escondendo.

— Faz semanas que não tenho notícias do Drexel — disse a jornalista a Tracy. — Estou preocupada com ele.

*Eu também*, pensou Tracy. Dentro dela, a voz baixinha que dizia que Hunter era a chave de tudo havia se transformado em um grito ensurdecedor. Ela também não conseguia se livrar da inquietante sensação de que, se Walton e Buck *de fato* encontrassem Drexel, talvez ela nunca descobrisse a verdade.

— A CIA acha que ele está envolvido no massacre do Camp Paris, não acha? — perguntou Sally, sem fazer rodeios. — Eles acham que ele é um terrorista.

— Sinceramente, não sei. Se ele estava em Paris naquele dia, com certeza levanta suspeitas.

— Ele não faria isso — retrucou Sally, com fervor. — Sei que ele correu dos americanos na Bratislava. E talvez tenha alguma simpatia pelas crenças do Grupo 99. Ele nega, mas eu consigo ver isso nele. Mas ele nunca, nunca mesmo, participaria de qualquer coisa parecida com o massacre de Neuilly. Eu conheço o Hunter.

*Conhece mesmo?*, perguntou-se Tracy. *Será que algum de nós conhece outra pessoa a fundo?*

*Neste exato momento, quantos assassinos e estupradores espalhados pelas prisões do mundo tinham namoradas que não faziam a menor ideia do que eles eram?*

Ainda assim, Tracy compartilhava das preocupações de Sally Faiers. O fato de Walton e Buck fazerem tanto segredo sobre a busca por Hunter não era bom presságio. Será que eles tinham mesmo a intenção de resgatá-lo? Ou queriam silenciá-lo para sempre? Tracy não sabia. Mas a pergunta a assombrava. Porque, sendo Hunter Drexel terrorista ou não, Tracy precisava encontrá-lo vivo. Ela não conseguiria obter respostas de um homem morto.

De repente, Tracy se sentou na espreguiçadeira e falou com Cameron o seguinte:

— Estou me sentindo culpada.

— Por quê? — Cameron lhe deu um beijo carinhoso no pescoço.

— Porque eu não deveria estar aqui. Neste exato momento, eu deveria estar na França. E nós dois sabemos disso.

Cameron suspirou.

— Ah, vamos lá, Tracy. Já discutimos este assunto.

Ele passou um dedo lentamente pela coxa de Tracy, que usava um biquíni com estampa tropical. Suas longas pernas reluziam com o bronzeador, e seu cabelo molhado e penteado para trás a deixava ainda mais sexy.

Ninguém estava mais surpreso com os sentimentos de Cameron por Tracy do que ele mesmo, tanto em respeito à rapidez com que surgiram quanto à intensidade.

Por outro lado, a vida de Cameron Crewe havia sido uma longa sequência de surpresas. Algumas maravilhosas. Outras terríveis. Ele havia se tornado um mestre em esperar o inesperado, e em se adaptar a novas realidades.

— Você não tem nada por que se sentir culpada — disse ele. — Paris não vai sair do lugar. Em alguns dias você vai estar lá. E até parece que nesse meio-tempo você não trabalhou. Desde que chegamos, esta é a primeira vez que vejo você longe do laptop.

Era verdade, embora Tracy não soubesse de que havia adiantado. Até então nada ligava Althea ao massacre de Neuilly. Tirando a execução de Bob Daley — e talvez o "acidente" de Nick —, todas as ações de Althea pelo Grupo 99 haviam se mostrado sofisticadas, engenhosas e não violentas. Em todas, ela deixou alguma pista, um cartão de visita virtual, não porque fosse descuidada, mas porque tinha orgulho de se responsabilizar por seu trabalho.

Neuilly era diferente. Mandar atiradores invadirem uma escola para massacrar adolescentes só porque eles tinham pais ricos não fazia o estilo de Althea. Seu silêncio ensurdecedor, tanto no mundo real quanto no virtual, confirmava a suspeita de Tracy.

Para ela, a impressão era de que o Grupo 99 estava se tornando cada vez mais a lendária hidra: quando uma cabeça é cortada, outras duas nascem bem diante de seus olhos, ambas mais perigosas que a primeira.

Enquanto isso, Hunter Drexel continuava à solta, guardando seus segredos até encontrar alguém corajoso ou imprudente o bastante para publicá-los, para fazer caírem todas as máscaras, mostrando a verdadeira face dos atores deste drama terrível e violento...

— Venha aqui.

Cameron puxou Tracy para o seu colo, passando os braços em volta da cintura dela.

— Por favor, fique mais um pouquinho. Eu preciso de você.

NA SACADA DE uma casa luxuosa do outro lado da baía, Jeff Stevens assistia à cena com um telescópio de alta potência.

Uma gama de emoções fluía através dele, nenhuma delas boa.

Jeff tentava não odiar ninguém, mas achava praticamente impossível começar a gostar do Sr. Cameron Crewe.

*Por que um magnata do ramo do fraturamento hidráulico estaria no rastro de Tracy? A mesma Tracy que, por acaso, está trabalhando para a CIA na luta contra o Grupo 99? A mesma Tracy que, por acaso, vê os magnatas da indústria do fraturamento com os mesmos olhos que o restante da população vê os pedófilos?*

*E que conveniente era o fato de ele tê-la trazido para Maui exatamente quando a merda está sendo jogada no ventilador lá na França.*

Um dia antes, Jamie MacIntosh havia contado a Jeff que Hunter Drexel certamente se encontrava em Paris e que o

MI6 estava "bem perto" de capturá-lo. De acordo com Jamie, os americanos ainda tateavam no escuro.

Jeff sabia que deveria ficar feliz com a notícia. E com o fato de, pelo menos por enquanto, Tracy estar em segurança do outro lado do mundo, longe de perigos iminentes.

No entanto, ele tinha cada vez mais dificuldade para se concentrar.

Segundo o Google, no Havaí aconteciam em média três ataques de tubarão por ano.

Seria pedir demais que Crewe fosse um dos três azarados?

TRACY ESTAVA SENTADA diante do computador, cruzando referências da inteligência francesa sobre Henri Mignon, o atirador morto em Neuilly, com dados da CIA sobre agentes do Grupo 99 atuando em solo americano. Alguns sobreviventes do Camp Paris haviam confirmado que um dos atiradores mascarados tinha sotaque americano. Até então, Tracy não conseguira encontrar uma ligação sequer.

Esfregando os olhos para espantar o cansaço, ela decidiu fazer uma pausa e tentar outra coisa.

Hunter Drexel. Se as informações eram precisas e ele realmente se encontrava em Paris, estava se saindo muito bem na tentativa de viver no anonimato eletrônico. Não estava usando cartão de crédito, celular ou nenhum de seus e-mails conhecidos. Ele também havia conseguido cruzar diversas fronteiras europeias sem passaporte — na verdade, sem qualquer documento que atestasse sua identidade. Isso significava que ou Hunter estava recebendo ajuda de amigos e/ou estava se virando com dinheiro vivo.

— Pôquer — disse Tracy em voz alta.

— Hein?

Cameron saiu do banheiro com uma toalha enrolada na cintura. Enquanto Tracy trabalhava, ele passara a maior parte da tarde na academia do hotel e havia acabado de tomar um banho demorado para tirá-la da frente do computador e levá-la para jantar.

— Hunter Drexel joga pôquer. Aposto que é assim que consegue dinheiro.

— Pode ser. E isso nos ajuda?

— Talvez. — Tracy o encarou com um entusiasmo no olhar. — Eu poderia ir a Paris fingindo ser uma texana divorciada, meio burra, viciada em jogo e cheia de dinheiro para torrar. Poderia fazer com que me convidassem para todas as mesas com apostas altas da cidade.

— E esbarrar com ele? — perguntou Cameron, cético.

— Coisas mais estranhas já aconteceram. Mesmo que eu não o encontre, vou descobrir alguma coisa. Conseguir pistas. Talvez descobrir que codinome ele está usando, o que planeja... alguma coisa. Vale a pena tentar.

— Quem vai tentar é Greg Walton... vai tentar matar você se descobrir que está caçando Drexel quando deveria estar procurando Althea — lembrou-lhe Cameron, enquanto vestia uma calça de linho branca.

— Não me importo com Greg Walton. Além do mais, estou procurando Althea. É exatamente por isso que eu preciso encontrar Hunter antes deles.

Uma batida na porta do quarto interrompeu a conversa.

Cameron fez cara feia.

— Mas quem pode ser?

— Você pediu serviço de quarto? — perguntou Tracy.

— Não.

As batidas estavam ficando mais altas e rápidas. Parecia que alguém estava martelando a porta pelo lado de fora.

— Mas o que... — Tracy se levantou para atender quando Cameron a segurou de repente.

— Espere. Não abra a porta.

— Por quê?

— Não podemos nos dar ao luxo de correr riscos, Tracy.

Cameron a afastou para o lado e pressionou o rosto na porta para ver pelo olho mágico. Tracy percebeu seus ombros relaxarem e sua mandíbula ficar contraída. A tensão deu lugar à irritação. Ele suspirou fundo.

— Isso *só* pode ser brincadeira.

— Quem é?

Cameron abriu a porta.

— Minha ex-mulher. Tracy, esta é Charlotte. Charlotte, esta é Tracy.

Charlotte Crewe invadiu a suíte com uma fúria cega e bateu a porta com força. Estava de short branco e tênis, com o cabelo preso em um rabo de cavalo meio infantil.

*Ela é incrivelmente bonita*, pensou Tracy. *E tão jovem.*

No entanto, o mais impressionante sobre a ex-mulher de Cameron era a expressão de raiva efervescente estampada em seu rosto, aqueles lábios comprimidos. Combinando o semblante furioso com os punhos cerrados e uma linguagem corporal que beirava o cômico e o agressivo ao mesmo tempo, Charlotte Crewe parecia uma bomba humana prestes a explodir.

— O que você está fazendo aqui?

A saudação de Cameron foi menos do que afetuosa. Talvez fosse compreensível, considerando o modo como Charlotte o encarava com raiva. Toda a situação parecia esquisita. Cameron contara a Tracy que o casamento deles havia terminado de forma amigável, e os arquivos da CIA diziam a mesma coisa.

— Adivinhe — respondeu Charlotte, em tom ameaçador.

— Realmente não faço ideia — retrucou Cameron com ar de entediado. — De qualquer forma, seja o que for, não consigo imaginar que não fosse possível discutir por telefone.

— Ah, não consegue imaginar? É mesmo? Você não atende a nenhum dos meus telefonemas nem aos do meu advogado há um ano e meio e *não consegue imaginar* por que eu simplesmente não liguei?

Tracy resolveu intervir.

— Tracy Whitney. Prazer em conhecê-la.

Tracy ofereceu a mão. Para sua surpresa, Charlotte aceitou e a cumprimentou com cordialidade.

— O prazer é meu.

Será que Tracy estava apenas imaginando ou ela notou um tom de compadecimento, até de piedade, na voz de Charlotte?

O que quer que fosse, evaporou-se no momento em que Charlotte se virou outra vez para o ex-marido.

— Faz um ano e meio que você não paga um mês sequer de pensão — vociferou ela.

— Isso não é verdade — retrucou Cameron com tranquilidade.

— É verdade, sim! Você sabe que é. Você é um dos homens mais ricos dos Estados Unidos e tem uma vida de rei com o dinheiro do seu império sujo de gás de xisto. Eu estou sendo despejada do meu apartamento enquanto você aproveita a vida na suíte presidencial com a crédula da sua nova namoradinha. Por favor, não se ofenda, Srta. Whitney — acrescentou ela voltando-se para Tracy. — Você não tem culpa de ele ser uma cobra, um mentiroso de marca maior, um safado.

Tracy olhou para ele desconfiada. *Império sujo.* O que Charlotte Crewe queria dizer com isso? Será que aquilo não passava de recalque de uma ex-mulher amargurada? Poderia ser, claro. Ainda assim, algo estranho pairava no ar. Afinal, Charlotte e Cameron haviam tido um filho juntos. Perdido um filho juntos. Será que isso não significava nada? Apesar do jeito extravagante e agressivo, Charlotte não passou a Tracy a impressão de ser uma pessoa maldosa.

Tracy se viu observando atentamente as reações de Cameron.

— Charlotte, isso é ridículo — retrucou ele, bruscamente. — Por favor, pare com isso. Você está envergonhando a mim e a si mesma. Ninguém está despejando você. Isso é fantasia da sua cabeça. — Ele lançou um olhar rápido de desculpas para Tracy, então se voltou para a ex e perguntou: — Quando foi a última vez que você esteve com o Dr. Williams?

A pergunta pareceu ser a gota d'água para Charlotte.

— Foda-se o Dr. Williams! — gritou ela. — E foda-se você, Cameron. Você é um desgraçado! Com tanto dinheiro na conta, ainda fica fazendo esses joguinhos de poder patéticos? Marcus teria vergonha de você.

Um sentimento bem parecido com ódio relampejou nos olhos de Cameron.

— Não ouse citar o nome de Marcus nessa conversa.

— Vou citar o Marcus quando eu bem entender — retrucou Charlotte em tom desafiador. — Ele era meu filho.

Você não é dono das lembranças dele, Cameron. Isso você não pode comprar, ao contrário de tudo o mais, que você pode e compra. E também não pode me silenciar, porra! — Ela se virou para Tracy. — Você acha que eu me enfiaria nesse quarto se não estivesse desesperada? Eu mal consegui pagar as passagens de avião. Por favor, converse com ele, faça-o pôr a mão na consciência. Peça para ele pagar o que deve.

— Charlotte — chamou Cameron, com um tom comedido, mas firme. — Você não está bem. Precisa de ajuda, e eu vou ajudá-la. Ninguém vai despejar você. Mas preciso que vá embora agora. Não quero acionar a segurança do hotel, mas, se for preciso, é o que vou fazer. Por favor, querida. Vá para casa.

Ele tentou segurar Charlotte, mas ela puxou o braço com raiva.

— Você fala como se eu tivesse uma casa para onde ir. Não se preocupe, eu já estou de saída. Mas esse assunto ainda não acabou, Cameron. Eu quero o meu dinheiro e vou conseguir. Você *não* me assusta.

Ela enfatizou o "não" enfiando o dedo no peito de Cameron. Tracy notou um músculo da mandíbula dele saltar duas vezes. Ele estava com uma cara de quem era capaz de matar.

Uma sensação de desconforto percorreu o corpo de Tracy. Os pelos de seus braços ficaram arrepiados.

— Adeus — disse Charlotte a Tracy. — E boa sorte.

Ela bateu a porta com força ao sair e foi embora.

Por um instante, nem Tracy nem Cameron deram uma palavra. Então, ele a envolveu em um abraço.

— Lamento por isso. Você está bem?

— Estou — mentiu Tracy. — Só fiquei surpresa. Achei que você tinha falado que sua relação com a mãe do Marcus era boa.

Cameron a soltou e se sentou na beirada da cama.

— E é.

Tracy ergueu as sobrancelhas.

— Quando ela está bem — explicou Cameron. — Não tire conclusões precipitadas sobre Charlotte. Não é à toa que ela está mentalmente instável. Você sabe o inferno pelo qual ela vem passando.

— Sei — disse Tracy, e sabia mesmo. A verdade é que ela não estava tirando conclusões precipitadas sobre Charlotte. Para Tracy, a mulher pareceu perfeitamente sã. Furiosa, com certeza, e também emotiva. Mas louca, não.

— Fazia um bom tempo que eu não a via desse jeito. — Cameron balançou a cabeça com um ar de tristeza.

— De que jeito?

— Bem, você viu. Delirante. Falando sobre essas teorias conspiratórias malucas.

— Então ela não está sendo despejada? — perguntou Tracy com toda a calma.

Cameron pareceu magoado.

— Despejada? Como assim? Não! Claro que não. Eu nunca deixaria uma coisa dessas acontecer. Charlotte tem e sempre terá mais dinheiro no banco do que um dia vai precisar.

Cameron se levantou, foi ao guarda-roupa e pegou um paletó. Era um Savile Row feito sob medida, com corte clássico, que lhe caía perfeitamente. Então, foi até Tracy e lhe deu um beijo no topo da cabeça.

— Não se preocupe com isso, meu anjo. Você já tem muito com o que lidar. Vou ligar para o Dr. Williams amanhã cedo e pedir para que ele entre em contato com a Charlotte. Também vou falar com os fiduciários, só para ter certeza de que ela não tem mandado todos os cheques da pensão alimentícia para a cientologia ou coisa do tipo. Ela vai ficar bem. Prometo. Vamos jantar e tentar esquecer essa história toda.

— Está bem. Vou me maquiar.

Tracy entrou no banheiro, trancou a porta e olhou fixamente para seu reflexo no espelho.

Tudo o que Cameron disse fazia sentido.

O luto pode causar delírio. E nos arquivos da CIA constava que o acordo de divórcio com Charlotte havia sido generoso do ponto de vista financeiro e incluído, além de uma pensão polpuda, a escritura do apartamento do casal na Park Avenue.

*Isso se ele estiver honrando o acordo*, pensou Tracy.

Por outro lado, por que ele não faria isso? Não seria mais provável ver uma mãe enlutada sofrer de paranoia do que um homem rico como Cameron ficar contando centavos para pagar a pensão de uma ex-mulher com quem ainda claramente se importava?

Claro que seria.

*Estou sendo boba*, pensou Tracy.

Quando acabou de se maquiar, ela já quase acreditava em sua conclusão lógica.

LUCY GREY ABRIU um sorriso para a jovem nervosa sentada na beirada do sofá.

— Quanto tempo, Kate. Como vai?

— Vou bem.

A jovem não sorriu. Em vez disso, alisou com todo o cuidado uma prega na saia e olhou para a paisagem do outro lado da janela.

A Dra. Lucy Grey era terapeuta fazia mais de vinte anos e havia lidado com centenas de pacientes. Mas poucos tinham lhe marcado tanto quanto Kate.

Era sempre dos fracassos que Lucy se lembrava.

A jovem viúva começara a fazer terapia cinco anos antes, logo após a morte do marido. Compareceu às sessões com regularidade durante mais de um ano até que aos poucos foi deixando de ir, embora continuasse aparecendo vez ou outra. Ainda assim, Lucy tinha vergonha de dizer que ela não havia feito real progresso durante todo aquele tempo. Ainda não conhecia praticamente nada da rotina diária de Kate. De seu trabalho, sua vida social, suas amizades. Por outro lado, Lucy conhecia muito bem o luto de Kate. A saudade do marido falecido, que a consumia profundamente. Mas isso era tudo o que Lucy sabia, tudo o que existia entre as duas. Era quase como se Kate Evans lhe *causasse* uma sensação de luto. E não deveria ser assim. Não depois de cinco anos.

Após alisar a saia, Kate tirou um fiapo de tecido quase imperceptível de seu suéter de caxemira. Como sempre, ela estava impecavelmente arrumada — suas longas pernas estavam perfeitamente depiladas e seus cabelos escuros reluziam como uma mancha de óleo no mar que escorria por seus ombros.

Essa era outra coisa a respeito de Kate Evans que incomodava a Dra. Lucy Grey: como a jovem viúva era *cuidadosa*. Como era cautelosa, controlada. Cada movimento e cada fala pareciam perfeitamente calculados. De alguma forma, essa atitude tornava as coisas menos reais entre as duas. Menos honestas. Mais reservadas.

Aquilo fazia Lucy se sentir como uma atriz interpretando o papel de terapeuta numa peça, o que era extremamente desconcertante.

— Por que está aqui? — perguntou, com toda a delicadeza.

Kate a encarou com o olhar de uma pessoa torturada e respondeu:

— Você já fez ou começou alguma coisa pelo motivo certo e ela acabou gerando consequências que saíram do seu controle? Consequências terríveis?

Lucy olhou fixamente para ela.

— Já fiz coisas que não deram o resultado que eu esperava. Ou que eu queria.

— Mas ninguém morreu, certo? Por causa dos seus erros.

— Não, Kate. Ninguém morreu. Quer me contar do que se trata?

Kate balançou a cabeça. *Queria* contar à Dra. Grey. Desesperadamente. Ou pelo menos contar a alguém. Tirar aquele peso dos ombros. Mas como conseguiria fazer isso? Se pelo menos Daniel ainda estivesse vivo...

Por outro lado, se Daniel estivesse vivo, nada disso teria acontecido.

Desde que Hunter Drexel ligou, ela mal conseguia dormir. Ele queria vê-la, encontrar com ela, e Kate não podia fazer isso! Só de pensar, ficava com urticária.

Como Althea, ela havia sido poderosa, protegida, invencível. Mas Hunter Drexel sabia a verdade. Ele a havia chamado de Kate. Bastou o som da sua voz para tudo cair por terra, para arruinar sua ilusão, como quando Dorothy puxou a cortina em *O mágico de Oz*.

Mas Hunter não era o único a assombrá-la. As imagens dos adolescentes de Neuilly, aqueles corpos jovens crivados de balas, estavam em sua cabeça noite e dia. A morte de Henry Cranston era diferente. Havia sido desnecessária, sim, e sem cabimento. Mas era difícil derramar lágrimas por um homem tão abominável. No entanto, aquelas crianças...

Será que, ao orquestrar a morte do capitão Daley, ela havia sido a responsável por iniciar toda aquela onda de violência, todo aquele horror?

Teria Kate aberto a Caixa de Pandora?

Na época, ela estava tão segura, tão certa. Depois do que Bob Daley havia feito, parecia correto. Justo. Necessário. Mas ali, naquele momento, ela começou a duvidar até da decisão de exterminá-lo. Era como se tivesse perdido a capacidade de diferenciar o certo do errado. O que antes havia parecido tão cristalino, tão preto no branco, ganhou contornos menos nítidos e uma coloração mais acinzentada.

*Foi essa a experiência que você viveu, Tracy, ao fugir da lei durante tantos anos? Ao fugir de nós? Você sempre se sentiu um dos mocinhos, uma Robin Hood? Ou em algum momento chegou a duvidar, a acordar no meio da noite e pensar: "No que foi que eu me transformei? Eu não passo de uma ladra mentirosa."*

É claro que Tracy Whitney havia mudado. Largado a vida do crime. Sossegado.

Mas seria possível mesmo fugir do passado? Do lado sombrio de sua natureza?

— Kate?

A voz da Dra. Lucy Grey interrompeu seu devaneio. Kate se perguntou quanto tempo havia ficado ali, perdida em seus pensamentos.

— Por favor, me deixe ajudar. Me conte o que aconteceu. Você obviamente veio aqui por algum motivo.

Kate Evans se levantou.

— Não posso. Me desculpe. Eu não devia ter vindo.

Kate estava prestes a ir embora quando de repente sentiu uma pontada de dor lancinante, como se um raio tivesse atingido sua cabeça. Ela soltou um gemido horrível, se deixou cair de volta no sofá e pressionou a cabeça com as duas mãos.

— O que está acontecendo? — perguntou Lucy, aproximando-se às pressas da paciente. — Você está bem?

Kate gemeu outra vez; um som terrível, animalesco, carregado de angústia.

— Vou chamar uma ambulância.

— Não! Por favor. — O pânico reluziu nos olhos da jovem viúva. — Vai passar. São aquelas crianças. Na França. Os corpos estraçalhados... Não consigo parar de vê-las!

Lucy ficou em alerta. Aquilo era uma pista. Era alguma coisa.

Ela estava falando do massacre no Camp Paris, em Neuilly. Os assassinatos não saíam do noticiário.

O marido de Kate, Daniel, havia sido morto no Iraque, durante uma missão para a CIA. Provavelmente a tiros. Teria a última atrocidade do Grupo 99 trazido de volta lembranças dolorosas? Talvez as imagens assombrosas veiculadas na TV tivessem feito Kate rememorar a morte de Daniel. Ou os filhos que eles nunca teriam.

— Você tem sonhado com o massacre na escola de Neuilly?

De repente, Kate se inclinou para a frente e segurou as mãos da terapeuta.

— Tenho sonhado, sim. Mas *aconteceu*. E eu sou a responsável.

— Talvez você tenha essa impressão, Kate, mas aquilo não aconteceu por sua causa. Você não tem esse poder. Ninguém tem.

— Mas a questão é exatamente essa. Eu tenho! — lamentou-se Kate. — Daniel morreu. Aquelas crianças morreram. Elas morreram, morreram, morreram. Estão mortas, se foram. Nunca vão voltar.

— Exato — concordou Lucy, calmamente. — Elas nunca mais irão voltar. Mas você não é a responsável por todas aquelas mortes nem pela do seu marido.

Segurando a cabeça, Kate afundou novamente no sofá, enquanto gemia como se estivesse em trabalho de parto. Era uma cena agoniante, mas a Dra. Grey se sentiu pisando em um terreno mais firme. Já havia perdido as contas de quantas vezes ao longo da carreira presenciara esses episódios de surtos psicóticos causados pelo estresse, pelo luto ou por um evento traumático isolado.

Ela iria telefonar para Bill Winter, seu amigo psiquiatra.

Bill medicaria Kate da forma correta. Depois disso, seria questão de descansar apenas.

— Fique deitada aqui um pouco. — Ela cobriu a paciente com um cobertor como se fosse uma criança adormecida. — Vou dar um telefonema.

UMA HORA DEPOIS, a Dra. Lucy Grey viu Kate Evans ser fortemente sedada e levada embora de ambulância.

— Você fez a coisa certa ao me ligar — assegurou-lhe Bill Winter. — Depois de duas semanas de descanso, ela será uma nova pessoa.

— Tomara — disse Lucy. — Tomara mesmo. Ela tem passado por muita coisa. E sinto que não a ajudei muito. Não de verdade.

— Tenho certeza de que ajudou, sim. — Bill entrou em seu carro. — Aliás, ela trabalha? O seguro vai cobrir uma internação?

— Ah, vai. — A Dra. Lucy Grey sorriu. — Com isso você não precisa se preocupar. O marido de Kate, Daniel, trabalhava para a CIA e morreu no Iraque durante uma operação, mas a agência ainda paga todas as contas de sua mulher. Acredito que ela esteja assegurada pelo resto da vida.

# Capítulo 19

HUNTER DREXEL ADMIROU o próprio reflexo no espelho.

Ele estava nervoso por causa do cabelo louro. Tinha medo de ficar nítido que era pintado. Mas funcionou. Cortado curto e acompanhado de sobrancelhas também pintadas, seu cabelo transformou sua aparência. Ele parecia mais jovem, mais forte, com mais personalidade. Parecia um soldado.

O que, de certa forma, ele era. *Sou um guerreiro que defende a verdade.*

Rindo da própria vaidade, ele colocou um Rolex falso no pulso e começou a fechar as abotoaduras.

Os quartos nos quais vinha se hospedando estavam um pouco aquém dos que costumava usar. Com o massacre de Neuilly, a cidade inteira estava tomada de policiais em busca dos três atiradores foragidos. Por causa disso, Hunter deixou imediatamente o hotel de luxo onde havia se hospedado na Avenue Montaigne e foi para uma pousada bem mais modesta perto do Bois de Boulogne.

Foi de lá que Drexel telefonou para Kate, no que se mostrou um momento de triunfo e um ponto crítico no artigo que estava escrevendo. Era óbvio que Drexel ainda precisaria falar com ela cara a cara. Mas em Paris ele havia feito enormes avanços, e em pouco tempo estaria pronto para procurar a imprensa. Então, por fim, sairia das sombras e encararia o mundo — amigos e inimigos da mesma forma.

*Em breve.*

No momento, sua prioridade era escapar da França. Ele realmente deveria ter saído no dia seguinte ao massacre de Neuilly, mas se sentira tentado a ficar para jogar uma última partida de pôquer.

Pascal Cauchin daria as caras naquela noite. Sozinho, Pascal havia comprado e destruído milhares de acres de uma antiga floresta no Chile e bombeado água bem no fundo da terra para extrair o equivalente a centenas de milhões de dólares de gás de xisto. Ele não apenas havia roubado os chilenos com eficácia, ao trapacear para comprar sua terra a preço de banana, como tinha devastado centenas e centenas de hectares do ecossistema local. Junto com Henry Cranston, Cauchin estava entre os primeiros da lista de grandes líderes irresponsáveis e detestáveis do setor.

Ao contrário de Cameron Crewe, que era um santo.

Hunter Drexel não conseguiu resistir à tentação de poder olhar Pascal Cauchin no fundo dos olhos em uma mesa de pôquer, enquanto escondia a identidade *e* levava milhares de dólares do francês. Ele jogaria sob o pseudônimo de Lex Brightman, empresário do ramo teatral de Nova York e entusiasta amador do pôquer.

*Uma última partida. Depois eu caio fora.*

* * *

Jeff Stevens estava sentado diante de Frank Dorrien a uma mesa de canto no Café Charles, perto da Catedral de Notre Dame.

— Faz ideia de como está com cara de inglês? — perguntou Jeff ao general, dando uma olhada na roupa de passeio de Frank, que usava sapatos brogues, calça de veludo verde-escura, blusa de botão listrada e gravata de um tradicional clube de críquete londrino. — Você não é lá a pessoa mais discreta do mundo, é?

— Preferia o quê? Uma malha listrada, boina e um colar de cebolas em volta do pescoço? — retrucou Frank, sarcástico.

Apesar das profundas e talvez até abismais diferenças pessoais entre os dois, Jeff e Frank haviam desenvolvido uma relação de trabalho produtiva. Como Jamie MacIntosh explicara a Jeff em poucas palavras "às vezes Frank causa um pouco de atrito, mas se você quer ajudar Tracy Whitney, é melhor aturá-lo".

Jeff havia levado o comentário a sério, embora o "um pouco de atrito" tenha se revelado algo semelhante a uma cueca feita de lixa, mas ele conseguia lidar com Frank.

— Como foi no Havaí?

— Horrível — respondeu Jeff, fechando a cara.

— Conseguiu alguma informação útil?

— Não. Tracy está com Cameron Crewe, da Crewe Oil. Mas isso nós já sabíamos. Parece que os dois estão trabalhando juntos e deixaram Walton e Buck de fora.

— Hmmm. — Frank refletiu sobre a informação. — Isso pode nos dar uma vantagem. Quanto menos a CIA souber, melhor.

— Falou como um verdadeiro aliado agora.

Por outro lado, Jeff não via nenhuma vantagem em saber que Tracy e Cameron estavam trabalhando tão próximos. Ele não confiava nem um pouco em Crewe.

— E agora Tracy está aqui em Paris? — perguntou Frank.

Jeff fez que sim e tomou um gole do café. Estava absurdamente forte, parecia alcatrão, mas o ajudava a vencer o jet lag.

— Isso, no Georges V.

— Sozinha?

— Até agora, sim — respondeu Jeff, fazendo uma careta.

— Ela e Crewe têm mantido contato?

Jeff balançou a cabeça.

— Não.

Jeff não vira graça nenhuma em espionar Tracy, muito pelo contrário. Além do mais, não estava convencido de que sua presença protegia Tracy de qualquer coisa ou de alguém. Não se ele estivesse tão longe. Estava começando a se sentir um voyeur da pior espécie. Colocar escutas no quarto dela e grampear seu telefone foi relativamente fácil. No entanto, era apavorante ter de escutar suas conversas íntimas com Cameron Crewe ao telefone, e por pouco ele não instalara câmeras na suíte em que ela estava hospedada.

— Fique de olho nela — instruiu Frank Dorrien. — Hunter Drexel ainda está na cidade. Achamos que ele vai agir em breve. Estamos perto, Jeff. Mas não podemos deixar Tracy chegar a ele primeiro, ela pode assustá-lo. Ou coisa pior.

Jeff fechou a cara.

— Como assim "coisa pior"?

Frank colocou um arquivo confidencial na mesa.

Jeff o leu em silêncio. Depois o releu.

Por fim, olhou para Frank com uma expressão de puro horror estampada no rosto.

— Vocês têm *certeza* disso?

— Claro que não temos certeza — respondeu Frank, abruptamente. — É por isso que precisamos pôr as mãos nele. Mas acho que podemos dizer que Hunter Drexel não é quem o mundo pensa que ele é. Se Tracy o encurralar sozinha...

Frank nem precisou terminar a frase.

Jeff terminou o café.

— Não se preocupe. Eu não vou perdê-la de vista.

TRACY OLHOU PARA seu relógio, uma belíssima e delicada antiguidade da década de 1920, com pulseira de ouro branco e mostrador cravejado de diamantes.

*6:15 P.M.* Faltam exatamente duas horas.

Tracy pôs brincos de diamante para combinar com o relógio, olhou para seu reflexo no espelho e ficou envergonhada do prazer que sentia com tudo aquilo. Ela estava gostando de ser Mary Jo. Tracy sempre gostara de criar personagens diferentes. Durante mais de uma década, ela e Jeff haviam sido mestres nessa arte. Mas, desde a morte de Nick, quando Tracy deixara sua existência torturante e entrara na pele de outra pessoa, aquilo era mais do que um jogo. Era uma fuga. E foi só ali, naquele momento, que ela percebeu o quanto precisava de uma válvula de escape.

Seus antigos contatos em Paris haviam se mostrado uma mina de ouro de informações sobre as mesas de pôquer com apostas altas espalhadas pela cidade. O que era ótimo, pois até então Cameron não descobrira nada. Era quase como se ele não *quisesse* que ela encontrasse Hunter Drexel. *Provavelmente ele acha que está me protegendo*, pensou Tracy. Mas talvez fosse melhor assim. Ela estava acostumada a trabalhar sozinha. Trabalhar com Cameron poderia atrapalhar... o que quer que estivesse acontecendo entre os dois. Tracy ainda não conseguia chamar aquilo de relacionamento; aquela palavra dava a ideia de algo permanente. No entanto, os dois tinham alguma coisa, e ela não estava pronta para um término, pelo menos não ainda.

*Se eu encontrar Hunter, ou melhor, quando eu encontrar Hunter, vou trazer Cameron para a jogada.*

Tracy sentiu as esperanças renovadas assim que Harry Blackstone — seu velho amigo e mestre da falsificação que morava em Paris havia muito tempo — mencionou as festas que Pascal Cauchin dava todo mês com direito a mesas de pôquer. Cauchin era um expoente no ramo do fraturamento hidráulico, do mesmo porte de homens como Cameron e Henry Cranston. Era inconcebível pensar que Hunter Drexel nunca tivesse ouvido falar dele. E era quase bom demais para ser verdade o fato de Cauchin abrir sua cobertura em Montmartre para sediar mesas de pôquer particulares com uma lista de convidados secreta e guardada a sete chaves. Seria uma grande imprudência da parte de Hunter Drexel não comparecer a uma dessas jogatinas. Mas, como Sally Faiers havia contado a Tracy, Hunter *era* imprudente. O alto risco era seu oxigênio, sua adrenalina, sua *raison d'être*.

No passado, o alto risco também já havia representado tudo isso para Tracy.

*Eu conheço você, Hunter*, pensou ela, colocando os brincos. *Sei como você age.*

*Eu vou encontrá-lo. E, quando isso acontecer, você vai me levar a Althea. Vai me ajudar a dar um descanso digno para o meu filho.*

ALEXIS ARGYROS ESTAVA excitado.

A cena de filme pornô que simulava um estupro violento na tela de seu computador ajudava um pouco, mas ele estava tão acostumado a imagens de depravação sexual que elas, por si sós, já não bastavam mais.

O que realmente o excitava era o poder. O poder de causar dor, de gerar medo. O poder de dar fim a vidas.

Hunter Drexel acreditava que conhecimento era poder. Conhecimento e verdade.

Alexis pensava diferente — quem se importa com o que você pensa quando pedaços do seu cérebro estão se espatifando nas paredes?

Violência era poder. Violência, terror e morte.

O massacre de Neuilly havia deixado Alexis excitado. Ele não parava de assistir aos noticiários e de se lembrar das crianças americanas gordas gritando e correndo de um lado para outro para se salvar, guinchando como porcos.

Mas naquela noite, depois de muita espera, seria a vez de Hunter Drexel guinchar.

Os americanos, os britânicos, a Interpol — todos estavam bem ali, em Paris, enxameando a cidade como moscas em volta da merda, atrás de Hunter e dos três atiradores do Grupo 99 que haviam causado um estrago extremamente delicioso. Mas eles não tinham a menor ideia de nada. Ele, Alexis Argyros, havia passado a perna em todos.

O prazer de matar Hunter Drexel seria dele, e só dele.

*Esta noite.*

No trailer imundo que havia estacionado em uma área de acampamento, Argyros vestiu o sobretudo e a balaclava de tecido fino e preto que usaria até o exato momento em que mataria Drexel. Ele queria que o jornalista visse seu rosto. Não só seu olhar, mas seu sorriso, enquanto lhe tirava a vida, o derradeiro ato de dominação.

Seus dias de humilhação haviam acabado.

*Eu sou Apollo, o Grande.*

*O Deus das pragas e da destruição.*

*O flagelo dos prepotentes.*

*O Matador de Gigantes.*

Alexis Argyros mataria Hunter Drexel naquela noite.

JEFF STEVENS LIGOU para o general de divisão Frank Dorrien.

— Será hoje à noite. Tracy vai participar de uma mesa de pôquer na cobertura de Pascal Cauchin.

Frank respirou fundo.

— Drexel vai estar lá?

— É possível, mas não tenho certeza. Só sei que Tracy vai se passar por uma viúva texana rica com 100 mil euros em espécie.

— Merda.

Jeff era capaz de ouvir a cabeça do general trabalhando a toda. Em tese, Tracy Whitney acreditava que Hunter Drexel daria as caras, caso contrário não iria. E fazia sentido. Cauchin possivelmente era o maior nome do ramo do fraturamento hidráulico na França.

— A CIA sabe disso? — perguntou Dorrien.

— Acho que não. Walton pensa que ela está atrás de Althea.

— E Cameron Crewe?

— Tracy não telefonou para ele hoje. Acho que ela está trabalhando sozinha nisso. Precisamos ir lá, Frank. Precisamos proteger Tracy.

— Claro — concordou Frank Dorrien com tranquilidade. — Vamos cuidar disso. Mas fique calmo.

— Ficar calmo? Não vou ficar calmo coisa nenhuma. Eu vou lá.

— Não seja ridículo! Você vai ser desmascarado. No momento em que Tracy vir você vai... Jeff? Jeff!

A linha estava muda.

PASCAL CAUCHIN ESTAVA de excelente humor.

Ele havia acabado de finalizar um lucrativo acordo para uso conjunto em um novo gasoduto que ia da Bratislava à Polônia e seguia para o leste. Na noite anterior, sua amante voltara de uma viagem à Flórida com implantes de silicone ainda maiores, e ele mal podia esperar para pôr as mãos neles. E a mesa de pôquer daquela noite parecia ter tudo para ser extremamente interessante.

Lex Brightman, o extravagante gay nova-iorquino, compareceria. Pascal Cauchin havia estado com ele apenas uma vez, durante uma festa na casa de um conhecido no fim de semana anterior, mas, durante o curto período, o produtor teatral o impressionou com uma combinação tipicamente americana de arrogância e estupidez que era um ótimo sinal para a jogatina daquela noite.

— Eu sou um ótimo jogador de pôquer, sem querer me gabar — dissera Brightman a Pascal. Em seguida, explicara passo a passo algumas daquelas que considerava suas melhores técnicas para enganar os adversários.

Pascal não via a hora de tirar uma soma considerável de Lex Brightman.

Outro novo jogador também era esperado — Jeremy Sands, uma adição de última hora. Antoine de la Court, negociante de arte e amigo de Pascal, havia ligado uma hora antes para incluir Sands na lista de convidados.

— Você vai gostar dele. É um bom jogador, engraçado e muito bem relacionado.

Pascal hesitou.

— Ele investiu 400 milhões em empresas de geração de energia alternativa no ano passado — continuou Antoine de la Court.

Sands estava dentro.

E por fim havia a adorável Sra. Morgan Drake. *Mary Jo.* A viúva texana não fazia o tipo de Pascal. Geralmente ele preferia louras cheias de curvas e quase nunca olhava para qualquer garota acima de 25 anos. Mary Jo era uma mulher feita e tinha um corpo tão esguio que mais parecia um garoto. Quando eles se esbarraram no bar do Ritz na semana anterior, seus seios pequenos estavam discretamente escondidos sob uma blusa chique de seda cinza, e seu cabelo castanho-escuro estava preso em um coque discreto. No entanto, ainda assim ele viu nela algo intensamente atraente do ponto de vista sexual — seriam aqueles olhos verdes inebriantes? De qualquer forma, na semana que se passou desde que eles se conheceram, Pascal se pegou fantasiando cada vez mais com a Sra. Morgan Drake — levando-a para a cama, arrancando aquelas roupas comportadas e libertando o que ele esperava ardentemente ser a tigresa interior da viúva. Quando ela admitiu ter interesse em jogos de carteado, Pascal a convidou de imediato para a mesa daquela noite e providenciou que sua esposa, Alissa, fizesse uma visita à irmã que morava em Lyon.

Pascal iria garantir que Mary Jo ganhasse pelo menos algumas rodadas e que as bebidas preparadas para ela estivessem bem fortes. Depois disso, seria mamão com açúcar.

— Com licença, senhor. — Um mordomo de fraque apareceu no vão da porta do suntuoso salão de Cauchin. — A Sra. Morgan Drake chegou mais cedo. Peço que ela espere na biblioteca?

Pascal escancarou um sorriso.

*Perfeito! Ela foi a primeira a chegar. Obviamente está interessada.*

— Não, não, Pierre. Tudo bem. Pode trazê-la direto para cá.

JEFF SE SENTOU no banco de trás do táxi, com os punhos cerrados. Por todos os lados os motoristas buzinavam, formando uma cacofonia estressante cujo efeito prático era exatamente nulo no engarrafamento da hora do rush.

— Você não pode fazer nada? — perguntou Jeff ao taxista com seu francês capenga. — Tentar pegar outro caminho?

O homem deu de ombros com indiferença, num gesto tipicamente gaulês.

— Sexta à noite. *Les embouteillages sont partout.*

— É muito importante que eu chegue lá bem rápido.

Antoine de la Court, um velho amigo da época em que Jeff era ladrão de obras de arte, havia mexido muitos pauzinhos para fazer Jeff ser convidado para o jogo daquela noite, mas, se Hunter Drexel chegasse lá antes dele... e se Tracy tentasse confrontá-lo sozinha... Jeff sentiu a pressão sanguínea bater no teto.

— Por favor! — disse Jeff, oferecendo um maço gordo de notas de euro para o taxista. — *C'est très important.*

O taxista esticou a mão para trás, pegou o dinheiro, sorriu, se debruçou sobre o volante, buzinando inutilmente e avançou alguns centímetros no congestionamento.

— O QUE está acontecendo?

Tenso, Jamie MacIntosh zanzava em seu escritório em Londres. O Tâmisa se arrastava lentamente debaixo de sua janela manchada por um fluxo constante de garoa cinzenta. Era o dia mais agourento que ele já vira. Chuvoso. Maçante. Sem vida. No entanto, em Paris, a equipe de Jamie talvez estivesse a minutos de capturar Hunter Drexel.

— Já viu Drexel?

— Ainda não.

O general de divisão Frank Dorrien soava tão tenso quanto Jamie. Jeff Stevens estava planejando agir por conta própria e aparecer lá como jogador, revelando-se para Tracy e possivelmente fazendo toda a operação ir por água abaixo. Frank estava em um café do outro lado da rua, bem em frente à entrada do edifício onde Cauchin morava. Ele contava com o apoio de um homem no terraço, outro no lobby e mais dois nas saídas para a rua, uma na frente e outra atrás do prédio.

— E quanto aos outros? — perguntou Jamie.

— Tracy Whitney está lá dentro, além de outros três jogadores. Por ora, Stevens não deu as caras.

— Talvez ele não tenha conseguido entrar na lista de Cauchin tão em cima da hora — sugeriu Jamie, esperançoso.

— Jeff vai dar um jeito de entrar lá — disse Frank, sério. — Ele teme por Tracy. Ontem eu mostrei a ele o arquivo que temos de Drexel.

— Você *o quê*? — explodiu Jamie.

— Foi um risco calculado.

— Um risco nada calculado! Onde você estava com a cabeça?

— Ele chegou — informou Dorrien, abaixando o tom de voz.

— Quem? Quem chegou? Drexel ou Stevens?

— Tenho que ir.

— FRANK! — urrou Jamie MacIntosh, mas já era tarde demais.

Frustrado, ele bateu o telefone com força e voltou a andar de um lado para outro.

— MARY JO, permita-me pegar outra bebida para você.

Pascal Cauchin se curvou para perto de Tracy na chaise longue. Estava tão próximo que ela conseguia sentir o cheiro de pasta de dente em seu hálito e do desejo escorrendo por seus poros. Cauchin era alto e esguio. Tinha a pele seca e lábios finos que vivia lambendo para mantê-los úmidos, além de dedos longos e olhos grandes e separados que se esbugalhavam e giravam de um lado para outro pelo cômodo, como se estivessem procurando o perigo. Ou talvez uma oportunidade. Para Tracy, ele lembrava um lagarto: era rápido e escorregadio e tinha sangue-frio, além de um perverso senso de ataque.

— Ah, eu estou bem. Obrigada, querido — rejeitou Tracy.

O último gim-tônica estava absurdamente forte. Ela ainda não havia formulado um plano de ação definitivo para quando Hunter Drexel chegasse, mas sabia que precisaria agir com perspicácia

— Eu insisto — murmurou Cauchin. — Pierre, mais um gim-tônica para a madame.

— Já não é hora de começarmos, Pascal? — perguntou Albert Dumas.

O magnata do ramo dos jornais e frequentador assíduo das noites de pôquer em Montmartre estava ficando irritado. Pascal não era de esperar os retardatários. Se os dois americanos — Jeremy Sands e o outro sujeito, o tal Brightman — não se deram ao trabalho de chegar na hora marcada, então não mereciam jogar numa das principais mesas da França.

— Vamos esperar mais cinco minutos — respondeu Cauchin, sem tirar os olhos de Mary Jo, que havia se valido de todos os seus recursos ao aparecer com um vestido verde decotado nas costas que estava tirando a concentração do anfitrião. Quanto mais bêbado ele conseguisse deixá-la antes de começarem a jogar, melhor.

HUNTER VIU FRANK Dorrien primeiro. Reconheceu o general no café a partir da descrição que havia recebido de Sally Faiers, embora mesmo sem a ajuda estivesse óbvio que o general se valia de um exemplar do *Le Figaro* para esconder o rosto.

*Então os britânicos estão aqui.*

Hunter prestou atenção na direção dos olhares de Dorrien e concluiu que eles tinham um homem no terraço e possivelmente outro nos fundos do edifício de Cauchin. Não havia sinal da CIA.

*É arriscado*, pensou Hunter. *Muito arriscado. Mas não impossível.*

De sua posição estratégica em um beco, ele viu outros jogadores chegarem. Reconheceu Albert Dumas, mas não o sujeitinho peculiar de gravata-borboleta nem a mulher linda e superproduzida de vestido de festa verde.

Hunter estava louco para jogar aquela noite. Queria derrotar Pascal Cauchin, ver sua cara quando ele perdesse tudo. Mas não a qualquer custo.

Hunter recuou para as sombras, continuou observando e aguardou.

— Acho que Jeremy está preso no trânsito — disse Antoine de la Court, nervoso. — Geralmente ele é muito pontual.

Albert Dumas lançou um olhar desdenhoso para o comerciante de obras de arte. Nunca fora fã do efeminado De la Court, com suas gravatas-borboleta, suas fofoquinhas do mundo da arte e seu jeito afetado de jogar a careca para trás quando ria. E não ajudava em nada o fato de Antoine ser um excelente jogador, tão astuto e habilidoso quanto charmoso. Ao longo dos anos, Albert havia perdido muito dinheiro para aquela bichinha detestável.

Parecia que um dos novatos que Cauchin havia convidado para aquela noite também era gay, um nova-iorquino do ramo do teatro. *Provavelmente Pascal está querendo limitar a competição pela texana*, pensou Albert, com amargura. *Que patético o jeito como ele não sai de cima dela.*

A campainha tocou.

— Deve ser o Jeremy — disse Antoine, com um tom de voz aliviado.

— Que bom. — Pascal sorriu para Mary Jo. — Com isso, só vai faltar Lex Brightman. Assim que ele chegar, nós vamos começar.

*Jeremy Sands, Lex Brightman*, pensou Tracy. *Um deles é Hunter Drexel. Tenho certeza.*

Estaria Hunter prestes a entrar no salão?

O coração de Tracy começou a bater mais depressa. Talvez ela realmente precisasse de uma segunda dose.

ALEXIS ARGYROS BAIXOU o visor de seu capacete de motociclista.

*Mas que diabos! Cadê ele?*

*Cadê o Drexel?*

A van de uma lavanderia passou por ele, seguiu para os fundos do prédio e desapareceu na garagem subterrânea. Alexis sentiu o estômago embrulhar.

Será que, de alguma forma, Hunter havia passado despercebido? Será que o desgraçado já havia entrado?

Ele deu partida na moto.

— O HOMEM que está se aproximando daí é o Stevens! — sussurrou Frank Dorrien para o sujeito parado diante do prédio de Cauchin. — E ele está atravessando a rua agora. Pelo amor de Deus, detenha-o.

O homem começou a caminhar na direção de Jeff quando outra voz em seu ouvido o fez hesitar.

— Alvo avistado! — Era o homem no terraço falando. — Repito, Drexel avistado.

— Onde? — perguntou Frank, olhando freneticamente de um lado para outro da rua.

— Está indo em sua direção, general. Vai passar bem na sua frente em uns vinte segundos. Cabelo louro, casaco preto.

— Merda! — Frank se levantou às pressas e acabou derrubando chá quente entre as pernas. — Não o perca de vista, mas não atire — disse ele ao homem no terraço. — Jim, venha aqui agora! — ordenou ele para o primeiro homem.

OFEGANTE, JEFF STEVENS enxugou o suor da testa diante da porta de entrada do edifício de Pascal Cauchin.

Estava atrasado, mas apenas alguns minutos.

Será que Drexel já havia chegado? Será que ele estava lá dentro? E quanto a Tracy?

Acima de tudo, era a perspectiva de ficar cara a cara com Tracy outra vez que fazia seu coração bater acelerado e suas palmas suarem descontroladamente.

*Controle-se*, pensou Jeff, com firmeza. *Você é Jeremy Sands, um investidor rico do ramo da energia que mora em Manhattan.*

Tracy não iria delatá-lo. Não poderia correr o risco de acabar com a própria farsa. Mas, assim que ela o visse, o jogo seria para valer. Tracy iria querer saber como ele a havia encontrado e por que estava atrás dela. Jeff teria de contar a verdade, ou pelo menos uma versão da verdade. *Estou aqui para proteger você* não cairia bem. Tracy não gostava de ser protegida. Ele podia muito bem tomar conta de si. E ficaria furiosa com Jeff por arruinar sua chance de confrontar Hunter Drexel.

*Que pena. Ela não deveria ter fugido de mim depois da morte de Nick. É ela quem me deve explicações, e não o contrário.*

O portão do prédio foi aberto.

— Posso ajudar?

Jeff se empertigou e abriu um sorriso.

— Jeremy Sands. Estou aqui para jogar.

HUNTER ESTAVA QUASE chegando à entrada de serviço quando ouviu uma moto acelerar poucos metros atrás dele.

Mesmo antes de olhar por cima do ombro, ele já sabia.

*Apollo!*

O que era arriscado havia acabado de se tornar fatal. Hunter precisava cair fora dali. Ele saiu rapidamente de seu esconderijo sombrio como uma barata que corre do ninho e se forçou a manter o ritmo de caminhada enquanto dobrava a esquina.

À esquerda havia um beco sem saída. À direita ele daria no café onde estavam os agentes do MI6.

*Não. Não posso deixar isso acabar aqui, assim, como se eu fosse um rato preso em uma ratoeira.*

*Não vou deixar isso acontecer.*

A entrada principal do prédio de Cauchin estava bem à sua frente, do outro lado da rua. Havia um homem bem--vestido no alto da escada da entrada do prédio. O porteiro abriu a porta e foi falar com o homem.

De repente, Hunter mudou de direção e saiu correndo para o portão aberto.

TRACY AINDA ESTAVA rechaçando os avanços de Pascal Cauchin quando ouviu o primeiro tiro.

— Mas que diabos foi isso? — perguntou Antoine de la Court.

— Provavelmente é o cano de escapamento de algum carro — respondeu Albert Dumas.

Então eles ouviram o segundo e o terceiro tiros, um logo após o outro, seguidos de um berro vindo da rua.

— São tiros! — Pascal largou a mão de Tracy como se fosse uma pedra incandescente e se jogou na direção do botão de pânico na parede oposta. — Abaixem-se! — exclamou, amedrontado, elevando a voz uma oitava. Apesar disso, todos lhe obedeceram e se jogaram no chão da sala.

Todos menos Tracy. Aproximando-se calmamente da janela, ela afastou a cortina e observou a rua lá embaixo. Um homem de preto acelerou sua moto Ducati e sumiu de vista. O atirador, ao que tudo indicava. Mas será que ele havia acertado o alvo?

No começo foi difícil entender o que estava acontecendo. Pessoas corriam e gritavam por todos os lados, se dispersando em pânico. Mas o olhar treinado de Tracy rapidamente encontrou três indivíduos no meio da balbúrdia.

O primeiro era o general de divisão Frank Dorrien, parado no meio da rua gritando ao telefone e gesticulando feito um louco.

*Então o MI6 sabia que Drexel estaria aqui!* Que interessante. Eles nunca disseram uma palavra sobre isso à CIA.

O segundo era um homem louro que parecia querer esconder que estava mancando. De onde estava, Tracy não conseguiu ver o rosto do sujeito, mas notou que os músculos do homem estavam retesados de dor enquanto ele tentava correr em direção ao rio.

O terceiro indivíduo que chamou atenção de Tracy estava de costas. Era um homem alto e bem-vestido. Tinha cabelo castanho-escuro e cacheado. Era a única pessoa andando, e não correndo, para a estação de metrô.

Tracy sentiu o estômago embrulhar.

*Eu reconheço esse andar.*

Naquele exato momento, uma mão a segurou bruscamente pela cintura e a puxou para o chão.

— *Mon Dieu*, Mary Jo! Perdeu a cabeça? — sussurrou Pascal Cauchin no ouvido dela. — Fique longe da janela. Pode ser um ataque terrorista! A polícia já está a caminho, mas você precisa ficar deitada.

— Desculpe, Pascaaaal — disse ela, arrasando a fala. Décadas de prática haviam ensinado Tracy a nunca escorregar quando interpretava um personagem. — Só fiquei curiosa.

Deitada no piso de madeira, o coração e a cabeça dela estavam a mil.

*Eu devo ter me confundido. Não pode ser ele.*

*Simplesmente não pode.*

HELENE FAUBOURG QUASE morreu de susto. Um homem louro e bonito apareceu bem na frente de seu Renault Clio e praticamente se jogou no para-brisa com um olhar desvairado e uma expressão apavorada.

— Me ajude — pediu ele, ofegante, já abrindo a porta do carona e entrando assim que Helene freou bruscamente.

— Saia! — gritou ela. — Saia do meu carro!

Helene tinha uma lata de spray de pimenta, mas teria que pegá-la no porta-luvas do outro lado do carro.

— Por favor. Eu não vou machucar você. Eu fui baleado. Está vendo?

O homem levantou a perna da calça e revelou um rio de sangue que escorria sob ela.

— Vou levar você para o hospital. O da Rue Ambroise Paré é o mais próximo. Você vai ficar bem.

— Não. Nada de hospitais. Por favor. Eu preciso sair de Paris. Só dirija.

Ele enfiou a mão no bolso do casaco e tirou um maço de notas que provavelmente continha dezenas ou até centenas de milhares de euros.

— Pegue — ofereceu, falando com dificuldade e tremendo de dor. — Por favor, só me tire daqui.

Helene olhou para o dinheiro, então encarou o sujeito. Por fim, tomou uma decisão.

*Que se dane. Só se vive uma vez.*

# Capítulo 20

TALVEZ TRACY NÃO fosse uma jogadora de pôquer de verdade, mas sabia muito bem manter uma expressão impassível.

Dois dias depois do misterioso tiroteio em Montmartre, ela fez uma visita oficial à cena do crime em Neuilly. Apesar das inúmeras testemunhas, tanto o suposto assassino quanto a vítima que ele havia ferido desapareceram sem deixar rastro.

— A Srta. Whitney é consultora especial da CIA em assuntos relacionados ao Grupo 99 — explicou Greg Walton por telefone a Benjamin Liset, sua contraparte dos serviços de inteligência franceses em Paris. — Tenho certeza de que você dará a ela todo o apoio necessário.

Benjamin logo percebeu que não teria problema algum em dar suporte à Srta. Whitney, que ele descobriu ser não só educada, inteligente e atraente, mas uma mulher bonita, esbelta e bem-vestida — uma avalanche de surpresas agradáveis vinda de uma americana.

O mesmo não se podia dizer do colega de Tracy, o agente do FBI Milton Buck, o sujeito mais grosseiro, arrogante e autoritário que Benjamin Liset já havia visto na vida.

— Presumo que a perícia já tenha revistado todo o campus, certo? — perguntou Buck em um tom de voz que deixava bem claro que não presumia nada daquilo.

— Naturalmente — respondeu Benjamin, num tom gélido.

— E por que não recebemos nenhum relatório?

— Porque a investigação não é de vocês, agente Buck. Espero que eu não precise lembrar que vocês estão aqui como nossos convidados, como um gesto de cortesia.

— Cortesia? — Buck deu uma risada grosseira. — Eu diria que vocês, franceses, não têm fama de serem corteses. E *eu* espero não ter de lembrar que o seu governo prometeu ao nosso presidente nos revelar todas as informações e trabalhar em cooperação total. Quer dizer, vamos encarar os fatos, Ben: vocês estão precisando de uma ajuda, certo? Quanto tempo já faz? Duas semanas? E vocês ainda não conseguiram nenhuma pista?

Sentindo um constrangimento que a estava deixando agoniada, Tracy observou o francês dar as costas e se afastar.

— São idiotas como você que dão má fama aos americanos, Buck.

Milton Buck deu de ombros e retrucou:

— A verdade dói. Só estou descrevendo o que vejo. — Então, voltou-se para Tracy e continuou: — E por falar em "nenhuma pista", seu último relatório sobre Althea me deixou deprimido, Tracy. Você não está nem um pouquinho mais perto de encontrá-la do que quando começou a procurá-la, não é?

Tracy o encarou com raiva.

— Você pediu que eu procurasse ligações entre Althea e o que aconteceu neste campus.

— Exato.

— Bom, não existe ligação nenhuma. Sei que você está bem longe de ter um pingo de inteligência, agente Buck, mas acho que não consigo simplificar ainda mais as coisas, nem para você. Aliás, como vai a caça a Hunter? Ouvi dizer que ainda não saiu da estaca zero.

Foi difícil se segurar para não jogar na cara do detestável Milton Buck que ela já havia rastreado Hunter Drexel, que tinha chegado *muito* perto de confrontá-lo cara a cara, e que os britânicos também chegaram perto, o que o deixaria num vexatório terceiro lugar junto com sua agência terrivelmente arrogante. A única pessoa a quem ela havia contado sobre o episódio em Montmartre era Cameron Crewe. Mas nem a ele Tracy contou que tinha visto Jeff.

*Porque você não o viu. Não pode ter visto. No calor do momento, você cometeu um erro de julgamento.*

— Como sempre, você não sabe do que está falando — retrucou Milton Buck com sarcasmo. Em seguida, ele se aproximou de Tracy e sussurrou em seu ouvido: — Walton não vai proteger você para sempre. Se encontrar alguma informação sobre Althea em breve, as pessoas vão começar a fazer perguntas, a imaginar que talvez você saiba mais do que está contando.

— Como você com Hunter Drexel, certo? — sussurrou Tracy para ele.

Por um instante, Buck deu a impressão de que estava se segurando para não bater nela.

— Faça um favor a si mesma e esqueça Drexel. Eu sou um agente sênior do FBI, Srta. Whitney. Você é uma ex-vigarista, que está correndo o risco de não ter mais serventia.

Para alívio de Tracy, uma francesa charmosa do setor de balística os interrompeu, levou-a para longe do agente e começou a dar explicações detalhadas do que exatamente havia acontecido em Neuilly. Afastar-se de Buck era uma alegria, mas, como sempre acontecia após os encontros com ele, Tracy experimentou uma ligeira sensação de medo na boca do estômago.

*Ele é repugnante, mas um dia talvez acabe comandando o Bureau.*

*Se isso acontecer, ele não vai descansar enquanto não me trancafiar de volta na cadeia e jogar a chave fora.*

Tracy fez diversas anotações com a especialista em balística, em seguida subiu para almoçar no château que havia sido o edifício principal da escola. No entanto, logo perdeu o apetite ao ver Frank Dorrien caminhando em sua direção na fila do bufê.

— Srta. Whitney. — Frank abriu o mesmo sorriso robótico e inexpressivo do qual ela se lembrava do encontro anterior em Londres. O general era tão sincero quanto um elogio dentro de um biscoito da sorte. — Imagino que tenha tido uma manhã informativa.

— Obrigada. Tive. E você?

— A minha também foi bem interessante.

Da última vez que Tracy havia encontrado Frank, ele estava balançando os braços feito um frango agitado no meio da rua em Montmartre, enquanto o homem que ela procurava, Hunter Drexel, escapava, assim como a pessoa que tinha tentado assassiná-lo. Tracy concluíra que o louro que mancava provavelmente era Hunter.

Mais tarde, naquela mesma noite, ela disse a Cameron:

— Era Hunter, tenho certeza. E acho que ele levou um tiro na perna.

Como sempre, Cameron acabou fazendo o papel de advogado do diabo.

— Pode ter sido uma pessoa qualquer ferida no meio do fogo cruzado.

Mas Tracy não engoliu a explicação.

— Se fosse uma pessoa qualquer, teria se deitado no chão e esperado socorro, ainda mais sabendo que o atirador tinha fugido às pressas. Mas o homem que eu vi estava tão desesperado para sair da cena do crime quanto o atirador. Ele não podia correr o risco de ser identificado.

E Hunter Drexel *de fato* havia escapado novamente, deixando o general de divisão Frank Dorrien furioso e de mãos abanando. Pela segunda vez no mesmo dia, Tracy se viu tendo de resistir à tentação de humilhar um homem que abominava, no mínimo porque, se *ela* tinha visto Dorrien em Montmartre, existia pelo menos uma chance de *ele* tê-la visto entrar no prédio de Pascal Cauchin. Tracy, porém, preferiu permanecer calada e não falar nada sobre o assunto.

*Será que estamos os dois guardando segredos?*

*Tanto um do outro quanto da CIA?*

— Sabe o que eu descobri de mais interessante hoje? — perguntou Frank como quem não queria nada, enquanto se servia de uma fatia grande de queijo brie e a espalhava generosamente em sua baguete. — Um dos adolescentes assassinados se chamava Jack Charlston.

Frank encarou Tracy com um olhar questionador, mas o nome não significava nada para ela.

— Jack era filho de Richard Charlston. Aliás, filho único.

*Richard Charlston.* Era um nome familiar. Tracy revirou a memória para tentar descobrir exatamente de onde o conhecia.

— Richard foi o membro do Parlamento Europeu que se opôs às tentativas da Crewe Oil de assegurar os direitos de extrair gás de xisto pelo método do fraturamento hidráulico em toda a Europa, inclusive bem aqui na França — lembrou-lhe Dorrien. — Ele fez uma oposição ferrenha. E conseguiu o que queria.

*Isso mesmo.* Cameron havia mencionado o nome de Richard Charlston a Tracy logo no primeiro encontro dos dois, em Genebra. Ele havia viajado para a Suíça em busca de apoio no Parlamento Europeu para expandir seus negócios no continente, e o político britânico estava fazendo oposição a ele.

— Eu me lembro — disse Tracy.

— Richard Charlston discursaria aqui, no Camp Paris, no dia do massacre, mas acabou desistindo na última hora. Tenho para mim que ninguém do Grupo 99 foi informado da mudança de planos. Mesmo assim — Frank sorriu —, pelo menos eles pegaram o filho. Eu diria que, do ponto de vista do seu namorado, isso já é melhor do que nada.

Tracy largou o prato.

— O que você quer dizer com isso?

— Só estou dizendo que Cameron Crewe era inimigo de Richard Charlston. Assim como era inimigo de Henry Cranston. Não acha curioso que o Grupo 99 pareça ter como alvos os inimigos do seu namorado? — Frank pegou um punhado de tâmaras e um pouco de patê. — É quase como se eles estivessem fazendo o trabalho sujo da Crewe Oil.

Uma onda de total repugnância percorreu o corpo de Tracy.

— Cameron perdeu um filho — constatou ela. Seu tom de voz era baixo, mas Tracy tremia de raiva. — Marcus. Ele era adolescente, assim como as crianças assassinadas aqui.

— Sim, eu...

— Eu ainda não acabei — cortou-o Tracy, furiosa. — Eu também perdi o meu filho. Com a mesma idade. Então, como pode ver, general, Cameron e eu *sabemos* como isso é difícil. Nós sabemos o que os pais das crianças mortas no massacre estão sentindo de um jeito que você nunca vai entender. E se, por algum motivo, você acha que Cameron é capaz... que ele se envolveria num massacre de crianças, ou daria qualquer tipo de apoio a um ato desses... então é mais fanático do que parece. É um desequilibrado.

Frank olhou para Tracy com toda a calma.

— Eu acredito que todos os seres humanos são capazes de cometer atos terríveis, Srta. Whitney. Assim como todos somos capazes de realizar atos de grandeza. Não concorda?

Tracy o encarou com raiva, mas não disse uma palavra.

*Que sujeito detestável*, pensou, enquanto ele se afastava.

Mas os nomes de Jack e Richard Charlston a assombraram pelo resto do dia.

*Grupo 99. Fraturamento hidráulico. Cameron.*

Existia uma ligação ali. Não a ligação insinuada por Frank Dorrien. Mas *havia* uma ligação. Alguma coisa conectava Cameron, ou pelo menos seu ramo de atividade, àqueles atos terroristas vis e covardes.

Será que Hunter sabia que ligação era essa e por isso teria fugido?

Será que Hunter havia enxergado seja lá o que Tracy não estava enxergando?

E onde Althea, quem quer que ela fosse, se encaixava nesse quebra-cabeça?

Não pela primeira vez, Tracy ficou com o inquietante sentimento de que nada nem ninguém eram o que pareciam.

* * *

A REGIÃO NORTE do estado de Nova York era um encanto naquela época do ano. Da janela de seu quarto na clínica de reabilitação, Kate Evans desfrutou de paisagens gloriosas de campos ondulados. Áreas verdejantes e prados cobertos de flores se estendiam até onde a vista alcançava, pontilhados de vacas, cercas, carvalhos e uma ou outra fazenda com suas cercas de madeira pintadas de branco. Não existia uma coisa feia sequer naquele cenário. Nada barulhento ou desagradável, nenhum sinal de pobreza, doença, sujeira ou dor. Na verdade, não se via uma folha de relva fora do lugar, apenas aquele tipo de beleza higienizada, inofensiva e bem-cuidada que surge quando o ser humano pega a natureza pela mão e a distorce de acordo com sua vontade. Ali a ordem e a paz reinavam absolutas. Era o lugar perfeito para descansar, e Kate havia descansado. Mas já era hora de ir embora.

— Gostaria que você reconsiderasse a decisão.

Bill Winter, psiquiatra de Kate, tentou outra vez fazê-la mudar de ideia. Alto e magro, dono de um rosto enrugado como o leito de um rio seco e de olhos castanhos intensos e contemplativos, o Dr. Winter fazia Kate se lembrar do pai. Owen Evans morrera quando a filha estava no primeiro ano do ensino médio — teve um infarto fulminante que o levou na hora, como uma árvore atingida por um raio. Foi a primeira vez que o coração de Kate ficou despedaçado, e ela não superou esse acontecimento, pelo menos totalmente, até conhecer Daniel.

— Eu sei que você gostaria. — Ela sorriu para o Dr. Winter. — Mas eu realmente não posso mais ficar aqui. Preciso ver uma pessoa. E de fato já estou me sentindo muito melhor.

A última frase era verdade. No entanto, a maior parte do que Kate havia revelado aos médicos e terapeutas do

Westchester Meadows tinha sido uma teia de meias verdades entremeada por mentiras descaradas. Essa era uma das vantagens de ter passado a vida trabalhando em uma agência de inteligência. Quando você descobre o que significa usar um disfarce ultrassecreto — se transformar em outra pessoa, tanto pela sua segurança quanto pela de outros —, aprende a se agarrar a essa outra faceta com mãos de ferro. Mesmo sob efeito de hipnose, Kate poderia ser quem precisasse. E, ainda assim, quando chegava a hora de sair do disfarce, ela era capaz de se desfazer dele sem olhar para trás.

Daniel costumava comparar essa habilidade a uma cobra trocando de pele.

Althea havia sido um disfarce necessário, um papel que precisara interpretar. Mas era hora de se livrar dele.

O telefonema de Hunter Drexel dera início ao processo. Ali, em Westchester Meadows, a própria Kate o finalizou. Os medicamentos haviam ajudado, assim como a terapia e o descanso. Mas o fator preponderante tinha sido a aparição de Daniel em seus sonhos.

*Você precisa se perdoar, Kate.*

*Tudo o que você fez foi por mim. Por nós dois.*

*Mas agora você já pode deixar isso para trás. Seguir em frente.*

Daniel! Às vezes Kate ainda sentia tanta saudade que era difícil até respirar.

Ela já era capaz de se livrar de Althea e do que seu personagem havia feito, mas não conseguia seguir em frente. Não ainda. Não até se encontrar cara a cara com Hunter Drexel. Não até que ela colocasse um ponto final no assunto.

— Para onde você vai? — perguntou Bill Winter. — Se ficar em Nova York, gostaria que fosse me ver pelo menos uma vez por semana. Além disso, você deveria voltar à terapia com Lucy Grey. Não deixe as coisas se complicarem outra vez. É mais fácil do que você pensa.

— Pode deixar. — Kate o abraçou e fechou o zíper da mala. — E prometo que vou marcar consulta com vocês dois assim que eu voltar.

— Voltar? — repetiu o Dr. Winter com um semblante intrigado. — Aonde você vai?

Kate abriu um sorriso.

— À Europa. Como eu disse, tem uma pessoa que preciso ver lá. E ele está me esperando há muito tempo.

SALLY FAIERS SE encolheu debaixo do guarda-chuva e acendeu outro cigarro.

Chovia, e ela nem na droga da Inglaterra estava. O mau tempo claramente a perseguia. Assim como a má sorte também parecia não sair de seu pé. Ou talvez fossem as más decisões.

O dinheiro de má procedência.

Os homens maus.

Ela sabia que não deveria estar ali. Parada do lado de fora do castelo Chimay, como se fosse uma turista solitária na histórica porém desconhecida cidade belga a poucos quilômetros da fronteira com a França, ela sentiu toda a estupidez humilhante de sua decisão.

E se Hunter não aparecesse?

E se Hunter aparecesse, a tragasse para um mundo repleto de problemas, não só problemas típicos de jornalistas, mas problemas sérios do mundo real — como sequestro, tortura e morte — nos quais ele parecia ter se enfiado nos últimos tempos, e por fim a deixasse por outra mulher, por outra reportagem?

É claro que Sally já estava trabalhando na própria reportagem. Cansada de esperar Hunter deixá-la a par do furo que estava investigando, ela havia passado os últimos meses desencavando informações do mundo sombrio da indústria global do fraturamento hidráulico. Seria seu primeiro artigo publicado por conta própria, presumindo-se que o *Times* a tivesse demitido durante o último período prolongado de ausência sem autorização. Por ironia, aquele era seu melhor trabalho em anos. No entanto, Sally se conhecia bem o suficiente para saber que não era esse o verdadeiro motivo para estar ali.

Como sempre, não tinha sido sua cabeça a responsável por empurrá-la de volta para Hunter Drexel, mas seu coração.

Seu coração idiota, fraco, feminino.

*Eu me odeio.*

E o pior de tudo era que Hunter nem sequer tinha se dado ao trabalho de ligar para pedir ajuda. Ele mandou uma moça fazer isso, uma tal de Helene, sem dúvida a mais nova garota ingênua, crédula e vagabunda que ele estava comendo.

— Um amigo seu está muito doente — informara a garota.

— Um amigo?

— Isso. Você sabe quem. Ele não quer ir hospital. Quer que você encontrar ele em Bélgica — continuara Helene num inglês macarrônico.

Sally havia concluído que essa garota, Helene, havia resgatado Hunter na rua em Paris — obviamente ele fora baleado em Montmartre — e sido convencida a tirá-lo da França. Talvez ele tenha lhe dado dinheiro para isso. De qualquer forma, ficou claro que depois disso a garota repensou toda a situação. Alguma coisa dera errado entre os dois. A ferida de Hunter estava infeccionada, e ela estava desesperada.

— Ele assusta. Ele fala... coisas malucas. Eu precisa voltar para Paris, mas se ele ficar sozinho vai morrer.

Sentindo-se uma idiota, uma imbecil, Sally se viu concordando em encontrá-lo perto do castelo Chimay na manhã de segunda-feira. E ali, claro, estava ela. E não havia sinal de Hunter, aquele desgraçado.

Para passar o tempo, ela começou a brincar do jogo do "se":

*Se ele não der as caras nos próximos dez minutos, eu vou embora.*

*Se ele quiser minha ajuda, vai ter que me dar crédito no artigo. Mas vou impor que meu nome apareça antes do dele.*

*Se ele quiser voltar comigo, vou acabar com o moral dele na hora. Não existe a menor chance de um dia nós voltarmos a...*

Ela ouviu o barulho de um carro se aproximando antes de vê-lo. Era azul e compacto e subia o morro com dificuldade, como se fosse uma mula asmática, o motor chiando e engasgando na chuva. Sally estava do lado de fora das muralhas do castelo, a poucos metros do estacionamento vazio onde o único carro parado era o que ela havia alugado. O local ficava no alto de uma estradinha longa e sinuosa, mas, em vez de seguir a duras penas rumo ao topo, o carro azul parou num acostamento no meio da subida. Sally viu uma loura magrela de jeans e chapéu de feltro, que estava dirigindo, sair do carro, tirar uma pequena mochila do porta-malas e jogá-la sem a menor cerimônia na estrada. Todos os seus movimentos e gestos eram apressados. Frenéticos.

*Aquela deve ser Helene.*

Em seguida, ela escancarou a porta do carona. Intrigada, Sally viu um homem sair devagar e com todo o cuidado e parar na estrada. Ansiosa, a garota esperou que ele se afastasse do carro. Então bateu a porta do carona, deu a volta no veículo, entrou, manobrou o carro na outra direção e partiu a toda em meio à névoa densa formada por fumaça de escapamento e desespero, tomando o caminho de volta para a França.

Parado ao lado de sua mochila debaixo da chuva torrencial, o pobre passageiro abandonado — um homem magro, fragilizado, maltrapilho e com um cabelo platinado — parecia completamente consternado e atordoado.

*Houve algum engano*, pensou Sally logo de cara.

O homem não se parecia nada com Hunter.

Antes de ela ter tempo para avaliar a situação, viu, horrorizada, o homem cair de joelhos, depois tombar para a frente e bater de cara no chão, aparentemente sem vida.

*Merda!* Sally olhou ao redor.

Além dos dois, não havia mais ninguém ali.

*Merda, merda, merda!*

Sally fechou o guarda-chuva e começou a correr.

A SUÍTE PRESIDENCIAL de Tracy no Georges V em Paris parecia um cenário de contos de fadas — lembrava mais um luxuoso apartamento em Marais do que um quarto de hotel. A suíte ostentava uma luxuosa cama king size coberta com lençóis de linho e seda da melhor qualidade, uma banheira de mármore, uma antiga escrivaninha de nogueira e uma sala com obras de arte refinadas e uma vista espetacular da cidade. A diária de quase 6 mil euros era escandalosamente cara, mas a verdade era que Tracy não tinha muito mais onde gastar seu dinheiro. Além disso, ela merecia um mimo depois daquele dia, no qual não só foi a Neuilly obter informações do massacre como teve de discutir com duas das pessoas que mais detestava — Milton Buck e Frank Dorrien. Passar a noite no Georges V era como deitar a cabeça em uma cama de nuvens. Pelo menos dessa vez, Tracy mal conseguia esperar a hora de dormir.

Ela jogou a bolsa Dior, o telefone e o laptop na cama, então acendeu uma vela perfumada da Diptyque, deixou o aroma de flores de figueira tomar conta do quarto e sorriu ao ver a foto de Nicholas que colocara na mesinha de cabeceira. Na foto, ele estava com 9 anos e sorria de orelha a orelha ao lado de Blake Carter enquanto segurava um salmão enorme à margem do rio Colorado. Tracy adorava aquela foto, não só porque mostrava a personalidade irreverente do filho, mas também seu amor por Blake. E porque, quando ele sorria, ficava a cara de Jeff. Aquele era o Jeff que Tracy queria guardar em sua memória. O Jeff que ela havia amado com tanta passionalidade antes de as complicações da vida afastarem os dois com uma corrente forte demais para eles resistirem.

Mas Tracy não deveria viver no passado. Cameron Crewe a havia ajudado com relação a isso.

— Não exclua o passado da sua vida, porque assim você só está dando mais poder a ele. Mas também não se deixe consumir pelas lembranças.

Era esse o mantra de Cameron. Foi assim que ele conseguiu sobreviver à morte do próprio filho. E essa técnica também vinha funcionando com Tracy. Cameron tinha sido o responsável por encorajá-la a viajar com uma foto de Nick.

— O rosto dele está gravado em sua memória. Então por que não olhar para uma foto dele? Ele vai estar sempre com você, Tracy. Permita que isso aconteça.

*Graças a Deus que Cameron entrou na minha vida*, pensou ela pela milionésima vez, enquanto tirava as roupas e entrava no banho. *Sem ele, eu seria oficialmente um caso perdido.*

Ao se lembrar das insinuações perversas de Frank Dorrien sobre Cameron na fila do almoço daquele mesmo dia, Tracy sentiu a raiva voltar a dominá-la. Também a irritava o fato de Frank ter se referido a Cameron como seu "namorado" duas vezes. Primeiro porque Tracy não fazia ideia de como o general sabia qualquer coisa de sua vida pessoal, segundo porque ela não se considerava em um relacionamento. O que quer que Cameron significasse para ela — amigo, amante, terapeuta — era algo temporário. Assim que toda aquela história acabasse, assim que Tracy encontrasse Althea e descobrisse a verdade por trás da morte de Nick, cada um seguiria seu caminho. Nenhum dos dois havia dito isso com todas as letras, mas estava implícito.

Pelo menos Tracy esperava que estivesse. Frank Dorrien, aquele desgraçado, havia plantado uma dúvida em sua cabeça. Será que Cameron se considerava namorado dela? Será que imaginava os dois juntos no futuro?

Enquanto ensaboava seu corpo com sabonete líquido com aroma de lavanda, Tracy se esforçava para desfazer o emaranhado de emoções. Pensar em Cameron Crewe a deixava feliz e triste ao mesmo tempo. Feliz porque, de diversas formas, ele a havia levado de volta para a vida. Era interessante, engraçado, apaixonado e uma companhia adorável. Mas ela também se sentia triste porque sabia não ser mais capaz de amar do jeito que faria *Cameron* feliz. Ele havia mostrado a Tracy que ainda existia vida depois da morte de

Nick, mas também confirmara o que ela já sabia: que parte dela *de fato* morrera com o filho. Sim, ela ainda conseguia sentir prazer. Ainda conseguia saborear a comida, se deliciar com a música e sentir afeto, talvez até amor. Mas, se antes Tracy guardava esses sentimentos em um poço sem fundo, agora não passavam de uma poça. Tracy os sentia na pele, mas não na alma. Sua alma estava enterrada bem fundo no solo do Colorado, junto com Nick.

Antes de Tracy conhecer Cameron Crewe, nada disso importava para ela.

Agora importava, mesmo que só por ele.

Tracy se enxugou, vestiu o roupão e enrolou a toalha ultramacia do hotel na cabeça. Em seguida, saiu do banheiro, foi à janela do quarto e contemplou a paisagem parisiense. Os telhados que tomavam a cidade eram um mundo à parte, uma miscelânea de telhas de concreto e cobre, de agulhas de prédios e domos majestosos. À distância e acima de tudo se assomava a icônica Torre Eiffel, vigiando toda a cidade como um deus feito de ferro forjado que se entretinha ao inspecionar seu reino.

Tracy adorava Paris. A França, em geral, era um país de recordações felizes. Havia o Château de Martigny, em Cabo de Antibes, onde ela e Jeff roubaram 2 milhões de dólares em joias e um quadro de Leonardo da Vinci; a cidade de Biarritz, onde ela passou a perna no repulsivo Armand Grangier. Mas a capital francesa sempre havia ocupado um lugar especial no coração de Tracy, talvez porque ela nunca tivesse realizado um trabalho ali. Para ela e Jeff, Paris significava prazer, um descanso do estresse e da adrenalina da vida de vigaristas. Paris significava comida, arte e amor. Paris significava beleza.

Tracy sempre teve vontade de apresentar a Cidade Luz a Nicholas um dia, quando ele fosse mais velho.

Mas, claro, Nicholas nunca ficaria mais velho.

Não haveria mais nenhum "um dia" para o filho.

Ela ainda contemplava a cidade quando escutou um barulho. Foi um *clique* baixo, quase inaudível. Mas o ouvido treinado de Tracy reconheceu o som da porta se abrindo.

O que a deixou petrificada. A porta de sua suíte estava trancada. Ela não havia pedido serviço de quarto, e as camareiras nunca entravam para arrumar o local àquela hora. Além do mais, se fosse o serviço de limpeza, o funcionário teria feito mais barulho.

*Tem alguém invadindo o quarto.*

A porta do banheiro estava entreaberta. Por uma parede espelhada, Tracy captou um movimento, um vulto masculino atravessando o quarto. Sua cabeça foi a mil. A qualquer segundo ele entraria no banheiro para atacá-la. A suíte ficava no oitavo andar, da janela do banheiro até a calçada a queda era grande, e não havia saída de incêndio. Ela poderia correr até a porta do banheiro para tentar se trancar por dentro, mas provavelmente o homem chegaria antes e a impediria. E, mesmo que não chegasse, poderia destruir a tranca da fechadura em segundos, presumindo-se que estivesse armado.

Ao concluir que o ataque era não só sua melhor defesa, como a única, Tracy pegou uma saboneteira pesada de mármore ao lado da banheira, ergueu-a acima da cabeça e entrou em disparada no quarto, gritando feito uma louca. O homem estava ao lado da cama e de costas para ela, admirando contra a luz um dos vestidos de Tracy que havia tirado do closet. Pego de surpresa, ele mal teve tempo de dar meia-volta quando ela pulou em cima dele e usou de toda a força para atacá-lo na cabeça com o braço direito.

Mas os reflexos do homem eram mais rápidos do que ela havia imaginado. Aturdida pelo excesso de adrenalina, Tracy sentiu os dedos dele agarrarem seu braço como um torno, forçá-lo para trás e sacudi-lo dolorosamente, como um terrier sacudiria um rato, até a saboneteira cair e ressoar alto ao bater no chão.

— Tracy!

Ela estava fazendo tanto esforço que não escutou seu nome.

— Tracy, pelo amor de Deus, relaxe. Sou eu.

Pela segunda vez em pouquíssimo tempo, Tracy ficou petrificada.

Ele a soltou e, por um longo momento, os dois permaneceram sentados na cama, em estado de choque, se encarando.

Então Jeff Stevens abriu um amplo sorriso.

— Vista isso. — Ele entregou a Tracy o vestido que segurava, um vestido vermelho Chanel de seda. — Vou levar você para jantar.

# Capítulo 21

— Olha que ótimo, querida. Como nos velhos tempos, não acha?

Tracy e Jeff estavam em uma mesa de canto, escondidos nos fundos de um bistrô pouco conhecido próximo ao hotel dela. Jeff estava mais elegante do que nunca em um terno escuro sob medida. Tracy usava um suéter preto leve e uma saia na altura do joelho; estava sem joias e com pouca maquiagem. Fizera questão de não usar o vestido vermelho. Em parte porque Jeff o havia escolhido, pois Tracy não gostava de que tomassem decisões por ela. E em parte porque aquele vestido era sensual demais. O que quer que fosse aquele jantar, não era um encontro.

— O que você está fazendo *aqui*, Jeff? — perguntou Tracy, mais acusando do que questionando.

Ele tomou um gole do vinho.

— Jantando com uma mulher estonteante.

— Quero saber o que você está fazendo aqui em Paris — insistiu Tracy com firmeza.

— A cidade é linda. — Jeff partiu um pedaço de pão alegremente. — E ouvi dizer que as mesas do pôquer aqui são fantásticas.

— Bom, isso eu não saberia dizer.

— Claro que não saberia, querida.

Jeff deu uma risada. Ele sempre adorou esses jogos com Tracy. Tanto ele quanto ela sabiam que ambos haviam ido ao apartamento de Pascal Cauchin em Montmartre para jogar pôquer, mas nenhum deles queria ser o primeiro a dar o braço a torcer.

— É sério, Jeff. Por que você está aqui? — perguntou Tracy, usando um tom sério de repente. — A verdade, por favor.

Ele pareceu magoado.

— Alguma vez eu já menti para você?

Tracy ergueu as sobrancelhas.

— Está bem, está bem — disse Jeff. — A verdade. Estou trabalhando para o MI6.

Tracy soltou uma gargalhada.

— *Você?*

— Pode me dizer por que isso é tão engraçado?

— Bem, deixe-me pensar... Talvez porque, da última vez que eu soube, você estava na lista dos mais procurados.

Jeff encolheu os ombros.

— Os tempos mudam. Afinal, você está trabalhando para a CIA. Ou seria para o FBI?

— Isso é diferente.

— Diferente como? Num mundo em que você e o agente Buck são colegas de trabalho, eu diria que tudo está de cabeça para baixo, não acha?

Isso Tracy não podia negar. Mesmo assim, teve muita dificuldade para imaginar Jeff como um subalterno do MI6.

— Tudo bem. Então você está trabalhando para os britânicos. Em quê? No caso do Grupo 99?

Jeff fez que sim e sussurrou:

— Eu estou aqui pelo mesmo motivo que você. Os britânicos querem encontrar Hunter Drexel. Estão loucos atrás dele. Julia Cabot não confia nem um pouco no presidente Havers. Ela quer que o MI6 encontre Drexel primeiro para descobrir o que os americanos estão escondendo.

— E o que ela acha que os americanos estão escondendo?

— Não faço ideia. Vamos fazer o pedido?

Ambos escolheram salada verde de entrada. Tracy pediu um *bouillabaisse* leve como prato principal. Como já era de se esperar, Jeff optou por um bife com batatas fritas.

— Essa situação toda claramente tem alguma coisa a ver com a indústria do fraturamento hidráulico — comentou Jeff quando as saladas chegaram. — A Europa inteira está sendo fatiada de acordo com um mapa subterrâneo das reservas de gás de xisto. É o novo Velho Oeste, e bilhões de dólares estão em jogo. Neste exato momento, os Estados Unidos são os líderes mundiais nesse setor e a China está logo atrás. Mas isso pode mudar. Polônia, Grécia, Bratislava... todos esses países possuem reservas. Os civis desses países estão sofrendo, mas eles têm uma fortuna em recursos naturais literalmente debaixo dos próprios pés.

— Então você entende por que isso irrita o Grupo 99 — concordou Tracy. — É a mesma história de sempre. Como os diamantes da África ou o petróleo da Arábia Saudita. Uma parcela ínfima está ficando inconcebivelmente rica enquanto o resto do povo morre de fome.

— Mas os governos deixam isso acontecer porque as receitas fiscais são enormes.

— E o PIB explode.

— Pois é.

Jeff sorriu. Era maravilhoso conversar novamente com Tracy, esclarecer toda aquela história com ela. Olho no olho. Ele sentia falta disso.

— Bom, esse é o pano de fundo do cenário — comentou Tracy. — Eu compreendo o interesse do MI6, mas onde você se encaixa nisso tudo? Qual é a sua ligação?

— Minha ligação? — Jeff deu uma risada. — Minha ligação é você, Tracy.

Ela pareceu confusa.

— Eu entrei no jogo para ficar de olho em *você* — continuou ele. — Para descobrir o que você estava fazendo para os americanos. E o que poderia estar fazendo pelas costas deles — acrescentou, como quem sabia o que falava. — Eles tinham outros candidatos, mas eu era o único com vinte anos de experiência de perseguição a você ao redor do mundo.

Ele sorriu, mas Tracy não achou graça.

— Vamos colocar os pingos nos is: então o plano era que *eu* fizesse todo o trabalho duro. Encontrasse Althea e Hunter Drexel, descobrisse as ligações entre todos. Aí, no fim, *você* chegaria para roubar minhas descobertas e levar todo o crédito?

— Algo assim. — Jeff abriu outro sorriso. — Afinal, funcionou em Madri. Quando você foi muito prestativa e roubou o *Puerto* para mim. Lembra?

— Como eu poderia esquecer? — retrucou Tracy.

Aquilo ainda doía. Jeff lhe passara a perna na ocasião e levara a Gunther Hartog a famosa obra-prima de Goya em que Tracy havia conseguido pôr as mãos de forma meticulosa, valendo-se de um roubo brilhante que havia lhe consumido meses de preparação. Na época, a rivalidade entre os dois se mostrara algo divertido e empolgante, uma espécie de preliminar, embora nenhum deles tivesse percebido isso na época. Mas ali, naquele instante, tudo estava muito diferente. Aquilo não era mais um jogo. Era real. E o Grupo 99 não era uma galeria ou um colecionador abastado, e sim uma organização terrorista. Inocentes estavam sendo sequestrados, torturados e assassinados. Sistemas de governo vinham sofrendo ataques de hackers. Crianças eram mortas a tiros, tudo em nome de um grupo que já havia defendido a bandeira da justiça e da igualdade e pretendido consertar os problemas do mundo.

A onda de violência havia começado quando os miolos de Bob Daley explodiram diante de uma tela. E desde então não havia mais cessado. Althea permanecia à solta, Hunter Drexel continuava desaparecido. Aquilo não estava nem perto do fim.

O garçom recolheu os pratos de salada e voltou prontamente com os pratos principais. Jeff comeu um pedaço de seu bife suculento, de dar água na boca, então voltou ao assunto.

— Você sabe que eu não estou fazendo isso só porque o MI6 me pediu, certo? — perguntou, enchendo a taça de Tracy outra vez. — Eu tinha um objetivo próprio em mente.

— Qual? — Tracy o encarou com um olhar questionador. — Deixe-me adivinhar. Tem um Renoir em algum château que você precisa pilhar? Ou uma coleção de ovos Fabergé desesperada por um novo lar?

— Não. Eu aceitei para proteger você.

Tracy fez uma careta.

— Eu não preciso de proteção. Posso muito bem cuidar de mim mesma.

— Discordo. — Jeff tomou um gole do vinho. — Pelo que tenho visto, nos últimos tempos você fez alguns amigos perigosos.

Tracy estreitou os olhos.

— E isso significa o quê?

— Ah, acho que você sabe. Faz ideia de quantas ações do Grupo 99 nos últimos seis meses beneficiaram a Crewe Oil direta ou indiretamente?

— Ah, você também não... — murmurou Tracy, desanimada.

— É sério. Pense: você conhece bem esse sujeito? Quer dizer, conhece *de verdade*?

— Conheço bem o suficiente para saber que ele é um homem bom — retrucou Tracy, zangada. — E essa fala é de Frank Dorrien, Jeff, não sua.

— Isso não é verdade.

— Não é? Bom, então agora é a *minha* vez de perguntar: você já parou para se perguntar *por que* o general quer tanto provar que existe uma ligação entre o Grupo 99 e Cameron Crewe? Será que não é para tirar a pressão de cima dele?

Foi a vez de Jeff fazer uma careta.

— Pressão? Que pressão?

— Frank Dorrien está usando você, Jeff! Ele está envolvido nisso até o pescoço, começando pelo suicídio do príncipe Achileas. Ele fez de tudo para encobrir o que aconteceu.

— Talvez — admitiu Jeff. — Mas você está enganada quanto a Frank. Ele é um homem decente.

— Decente? — Tracy arregalou os olhos. — Quando soube que Achileas morreu, ele saqueou o dormitório do garoto. Roubou o computador dele. Disso eu tenho certeza absoluta. Ele é um mentiroso, sexista e homofóbico, isso sem contar que é antiamericano. E *eu* acho que é um assassino.

— Isso é ridículo, Tracy.

— Será mesmo?

— É! Eu conheço Frank Dorrien. Você, não.

— Ah, é? Bem, *eu* conheço Cameron Crewe. E *você*, não. Cameron é decente, Jeff. Mais do que decente. É uma ótima pessoa.

— Eu sei que você quer acreditar nisso, Tracy — disse Jeff, tentando sem sucesso bloquear em sua cabeça as imagens dela com Cameron no Havaí.

— Eu não quero acreditar. Eu *acredito*. E se você não acredita é porque ou Frank Dorrien fez sua cabeça contra Cameron ou porque está com ciúme!

Tracy se arrependeu do que disse assim que as palavras saíram de sua boca. A última coisa que queria era tornar a situação entre ela e Jeff algo pessoal, abrir uma porta para o passado, para o passado que os dois tinham em comum. Mas havia acabado de fazer exatamente isso.

Jeff esticou o braço e segurou a mão de Tracy.

— Eu fui atrás de você. Quando você me ligou em Londres para falar que Nick tinha morrido, eu peguei o primeiro avião para os Estados Unidos.

— Eu sei — resmungou Tracy.

— Então por que você fugiu?

Ela balançou a cabeça em silêncio. Seus olhos ficaram marejados.

— Você me deve uma resposta, Tracy.

— Eu pedi para que você não aparecesse — disse ela, ao encará-lo.

— Ele também era meu filho, sabe?

Para a surpresa de Jeff, ela reagiu com raiva.

— Mas não é a mesma coisa. Está longe de ser a mesma coisa. Eu criei o Nick, Jeff. Eu o criei sozinha.

— Isso porque eu nunca soube que ele existia! — protestou Jeff. Tracy, no entanto, não estava escutando.

— Nick era o meu mundo. Meu mundo todo. Você não sabe como é perder isso, não sabe como é ter e perder um filho.

— Tem razão — concordou Jeff, com a voz mais baixa. — Não sei. Mas eu o amava. E queria estar lá, presente. Não só por ele, mas por você também.

Os dois permaneceram em silêncio por um momento, envolvidos por uma bolha frágil criada pelo luto.

Então Jeff a estourou.

— Eu te amo, Tracy.

Ela caiu de volta à realidade com uma pancada dolorida.

— Por favor. Não.

— Não o quê? Quer que eu não ame você? Ou que eu não diga isso em voz alta?

— As duas coisas!

Tracy tentou puxar a mão, mas Jeff a segurou com força.

— Por que não? É verdade. Eu te amo, e você me ama. Você não pode fugir disso pelo resto da vida, Tracy.

— Ah, posso, sim! Você não percebe? — Ela o fitou com um olhar exaltado. — Você é a única pessoa, a *única* pessoa, com quem eu não posso ficar. Nunca.

— Por que não? — perguntou Jeff, a voz titubeante. Sentiu que estava quase chorando.

— Porque tudo em você me faz lembrar dele: seu rosto, sua voz, seu jeito de andar. Tudo. Quando eu olho para você, vejo Nick.

— Mas você me ama, Tracy. Nós dois nos amamos — suplicou Jeff.

— Isso não basta — disse Tracy, com tristeza. — Quando eu vejo você, me sinto puxada de volta para a escuridão.

— E imagino que Cameron Crewe traga você para a luz, certo? — perguntou Jeff com amargura. Ele sabia que era uma pergunta injusta, mas não conseguiu se controlar.

Tracy não respondeu. Um silêncio sombrio se abateu sobre a mesa enquanto o garçom tirava os pratos e voltava com o menu de sobremesas.

Foi Jeff quem o quebrou.

— Eu tenho uma proposta.

Ele se debruçou na mesa, e seus olhos já estavam brilhando outra vez. Era o velho Jeff. Irrefreável. *Ele continua vivo por dentro*, pensou Tracy. *E eu não. Essa é a grande diferença entre nós dois. O abismo insuperável.*

— Vamos caçar Hunter juntos, como uma equipe — continuou ele. — Talvez Cabot e Havers não confiem um no outro. A CIA e o MI6 certamente não confiam. Mas nós, sim. Você e eu podemos fazer muito mais do que todos eles juntos.

Era uma proposta interessante, a mesma proposta que Tracy fizera a Cameron havia pouco tempo, embora ela precisasse admitir que, além de dar opinião sobre suas ideias, na prática Cameron ainda não tinha ajudado muito. Pelo menos ela e Jeff sabiam trabalhar juntos.

— O que vamos fazer quando encontrarmos Drexel? — perguntou Tracy. — Nós o entregamos aos britânicos ou aos americanos?

— Depende.

— Do quê?

— Do que ele tem a dizer em defesa própria. Do que ele está escondendo. Aliás, adorei ouvir você dizer "quando".

Tracy pensou por um instante. Seria bom ter a ajuda de Jeff, não só para encontrar Hunter, mas para fazê-lo contar a verdade. Ter um parceiro facilitaria muito as coisas para ela. Mas, se Jeff estava disposto a arriscar tudo para ajudá-la, a fazer um jogo duplo com seus chefes britânicos, Tracy tinha obrigação de ser honesta com ele a respeito de seu envolvimento em toda a situação.

Então ela respirou fundo e disse:

— Tem uma coisa que eu preciso lhe dizer.

Devagar e sem fazer contato visual uma vez sequer, Tracy contou a Jeff a história que ele próprio já havia escutado de Jamie MacIntosh. Falou que Althea pediu à CIA para incorporar Tracy à equipe, mencionando seu nome. Falou que uma mulher com descrição semelhante à de Althea havia mexido no carro de Blake antes de ele sofrer o acidente na estrada e mais tarde apareceu no hospital onde os médicos lutavam para salvar a vida de Nick.

— Se é verdade — finalizou Tracy, amassando o guardanapo de pano sem parar com as mãos —, se ela realmente matou Nicholas, então foi por minha causa. A morte de Nick foi culpa minha.

Jeff segurou as mãos de Tracy.

— Não, não foi. Não foi culpa sua, Tracy. Olhe para mim. Você não pode pensar assim.

— Mas Althea sabia quem eu era! Ela sabe! Queria me arrastar para tudo isso, e, como eu recusei, Nick acabou morrendo.

— Isso não significa nada. Não dessa forma, como um fato isolado. Você está somando dois mais dois e encontrando vinte.

— Você faz alguma ideia de quem ela poderia ser, Jeff? — perguntou Tracy, desesperada. — Faz alguma ideia de como ela me conhece? O que quer comigo?

— Não, não faço. Mas aposto que Hunter Drexel faz. E, quando pusermos as mãos nele, essa vai ser a nossa primeira pergunta, ok?

Sentindo-se grata, Tracy fez que sim.

— Ok — concordou ela.

— Ele já deixou Paris.

— Como você sabe?

Tracy já suspeitava, mas ficou surpresa ao ouvir a confirmação de Jeff.

Fazia cinco dias que Sally não mandava um sinal de vida a Tracy. O telefone da jornalista estava desligado, e ela havia parado de checar seu e-mail, o que era muito estranho. Um mês antes, Sally havia comentado com Tracy que estava trabalhando em algo importante — uma matéria —, mas foi muito cautelosa ao tratar do assunto. Teria o silêncio a ver com a reportagem?

Tracy suspeitava que não. Para ela, Hunter Drexel havia entrado em ação e envolvido Sally Faiers, que mais uma vez estava guardando os segredos do ex-namorado. Mas Tracy não tinha nenhuma evidência concreta disso.

Será que Jeff tinha?

— Olhe isso.

Ele começou a passar algumas fotos em seu iPhone para mostrar a Tracy várias imagens pixeladas. Nelas, um homem magro e louro entrava em um Renault Clio malconservado com uma jovem bonita. Uma jovem que sem dúvida não era Sally Faiers.

— É ele? — perguntou Tracy, estreitando os olhos para tentar identificar o homem na foto. A resolução estava horrível.

— Achamos que sim.

— E a garota?

— O carro está registrado em nome de uma tal Helene Faubourg. Tem 23 anos, é estudante de belas-artes e mora em Paris. Não tem nenhuma ligação conhecida com o Grupo 99. Nenhum de seus amigos a vê desde o tiroteio em Montmartre. O carro foi largado a alguns quilômetros da fronteira com a Bélgica. Desde então, não temos mais pistas.

— Ok — disse Tracy, acenando para pedir a conta ao garçom e sorrindo para Jeff pela primeira vez. — Então acho que vamos para a Bélgica.

— Nós, não. Você.

— Mas achei que você tivesse concordado...

— Não podemos dar muita bandeira de que estamos trabalhando juntos — disse Jeff. — Só se quisermos chamar atenção dos serviços de espionagem. Diga o que quiser sobre Frank, mas de idiota ele não tem nada.

*Não*, pensou Tracy. *Não tem.*

— Encontro você em uma semana. Ou assim que um de nós descobrir alguma coisa.

ELES SE DESPEDIRAM e combinaram de se encontrar no dia seguinte, ao meio-dia. Nesse meio-tempo, Tracy inventaria uma história para os seus chefes na CIA, e Jeff faria o mesmo com seus chefes britânicos.

Jeff esperou Tracy sair completamente de vista para entrar num táxi e seguir para outro bistrô também pouco conhecido em outro bairro.

Frank Dorrien o cumprimentou cordialmente.

— Muito bem. Você conseguiu.

— Sim — respondeu Jeff sem entusiasmo, então enfiou a mão debaixo da camisa, arrancou o grampo colado ao peito e o devolveu ao general. — Consegui.

— Você fugiu do roteiro uma ou duas vezes — comentou Frank, ainda sorrindo. — Acho que não havia necessidade alguma de dizer que "Julia Cabot não confia nem um pouco no presidente Havers".

— Mas é verdade.

— Também acho, porém Tracy Whitney não precisa saber disso. Mas não estou reclamando. Você completou a tarefa. Ela confia em você.

*Sim*, pensou Jeff. *Ela confia em mim. E eu acabei de traí-la.*

Como se estivesse lendo os pensamentos de Jeff, Frank disse firmemente:

— Você está fazendo isso por ela, Jeff. Não se esqueça disso. Está salvando Tracy de uma situação muito perigosa. Ela acha que consegue lidar com isso, mas está enganada. Nós vamos protegê-la.

— Vão mesmo?

— Claro — respondeu Frank, quase impaciente. — Eu lhe dou minha palavra.

*Sua palavra.*

Os dois se olharam. As palavras de Tracy ecoaram na cabeça de Jeff: *Frank Dorrien está usando você, Jeff! Ele está envolvido nisso até o pescoço.*

— Preciso ir — disse Jeff, afastando a cadeira. A cada minuto ele se sentia mais e mais como um Judas Iscariotes.

— Por que você disse a Tracy para ir à Bélgica sozinha? — perguntou Frank de repente. — Você disse que iria atrás dela depois.

— Sim. Preciso dar um tempo.

— Parar um pouco? — repetiu Frank, com o semblante fechado.

— Preciso de um tempo sozinho. Uma semana deve ser o suficiente.

Frank o encarou, incrédulo.

— Uma semana? Você enlouqueceu? Isso não é hora de tirar férias, Stevens. Estamos *bem* perto de pegar Drexel. Precisamos ficar de olho em Tracy agora mais do que nunca.

— Então fique você de olho nela. — Foi a vez de Jeff ficar irritado. — Esse é o seu trabalho, não é?

— É sério. Você não pode sair agora.

— Também estou falando sério — retrucou Jeff. Ele não havia gostado do "não pode". — Vou tirar uma semana, Frank.

— E para que exatamente você *precisa* dessa semana?

— É um assunto pessoal.

— Isso não é bom o suficiente! Estamos tratando de uma questão de segurança nacional. Uma questão de dever.

Jeff deu de ombros, como se dissesse *não é problema meu.*

— Tem uma coisa que eu preciso fazer, só isso. Vou ficar em contato.

Frank Dorrien observou Jeff Stevens sair do café. Cerrou os punhos com tanta força por baixo da mesa que começou a sentir espasmo nos dedos.

*Não é assim que funciona, Stevens*, pensou Frank, furioso. *Você e Whitney não estão no controle da situação.*

Frank havia advertido Jamie MacIntosh que isso poderia acontecer. Que usar amadores era arranjar problema. Mas, claro, ninguém lhe dera ouvidos.

Frank pagou a conta e adentrou a noite.

Infelizmente, era hora de resolver o problema por conta própria.

DEPOIS DO JANTAR com Jeff, os pensamentos de Tracy estavam acelerados demais para que ela pudesse voltar ao hotel e dormir, por isso decidiu passear à margem do rio.

Ainda perto do bistrô, seu telefone apitou indicando a chegada de uma mensagem de texto.

Era de Cameron.

*Estou com saudade.*

Tracy respondeu: *Também estou.* Em seguida, sentiu-se culpada, porque não era verdade. Pelo menos, não naquele exato instante. Ou talvez a sensação de culpa era por ter acabado de ver Jeff, por não só ter acabado de vê-lo, mas por ter concordado em trabalhar com ele outra vez — uma informação que ela já sabia que não compartilharia com Cameron.

*Por que não?*, perguntou a si mesma. *Será que alguma coisa em Jeff Stevens dá vida à mentirosa que existe dentro de mim? À vigarista?*

Quando Jeff estava por perto, a vida era sempre mais empolgante. Porém também mais complicada. Mais nebulosa.

Ou talvez Tracy estivesse culpando Jeff pelas próprias incertezas. Naquele momento, ela não faz ideia de como se sentia a respeito de Cameron, de Jeff, de nada. *Eu já nem sei mais direito quem sou.* Ela ainda esperava que, ao resolver o mistério de Althea, a morte de Nick passaria a ser uma página virada, e ela poderia seguir com a vida. Mas seguir para onde?

Sem Nick, quem ela era?

Quem ela queria ser?

Cameron Crewe a amava. Ele ainda não havia dito isso com todas as letras, mas, desde a viagem para o Havaí, Tracy sabia.

A questão era: ela também o amava?

Infelizmente, Tracy não tinha uma resposta. Ficava feliz quando estava em sua companhia e triste quando o deixava para trás. Isso é amor?

Sentia-se tranquila perto dele. *Isso* é amor?

Seu querido pai sempre lhe dizia que, se você tem de se perguntar se ama alguém, é porque não ama. Com Jeff, Tracy nunca precisou se perguntar isso. Por outro lado, seu amor por Jeff lhe causara mais dor do que qualquer outra coisa na vida — fora a perda de Nicholas, óbvio. Talvez com Cameron Crewe o amor fosse diferente — tranquilo, confortável, indolor.

Seria possível que o amor fosse assim?

Será que o jantar com Jeff teria sido um erro? Ela ficou mexida outra vez, cheia de dúvidas, medos e sentimentos que, até então, se convencera ter sob controle. O fato de Jeff demonstrar um ciúme tão nítido de Cameron só dificultava as coisas.

Por outro lado, a ideia de voltar a trabalhar com Jeff *era* empolgante. Se alguém podia passar a perna em Hunter Drexel e ajudá-la a encontrar Althea, esse alguém era Jeff. Juntos, os dois eram capazes de qualquer coisa.

*Menos de ficar juntos.* Tracy riu sozinha. *Por algum motivo, essa sempre foi a parte mais difícil.*

Tracy contemplou as águas calmas do rio Sena, que reluzia como prata derretida sob a lua cheia, e percebeu que havia andado mais do que pretendia. Então, olhou para o outro lado do rio e distinguiu os jardins da Sorbonne. Dali seria uma boa caminhada de volta ao Georges V, e a brisa noturna, antes fria, já estava gélida.

Tracy ajeitou o cachecol em volta do pescoço e estava prestes a dar meia-volta para refazer o caminho para o hotel quando recebeu o primeiro golpe. Um objeto duro e pesado, como uma barra metálica, acertou suas costas em cheio e a fez tombar para a frente na escuridão. Antes de conseguir ver de onde aquilo tinha vindo, ela ouviu um grito. Alguém atrás dela havia visto seu agressor.

E foi então que a segunda pancada violenta atingiu a lateral de sua cabeça. Sua última lembrança foi o som nauseante de seu crânio sendo esmagado.

Então, nada.

# Capítulo 22

Jeff Stevens parou o carro no estacionamento externo do shopping Mountain Mill, no centro de Steamboat Springs, e caminhou até a cafeteria Jumping Beans.

O lugar estava cheio. Mães jovens com filhos pequenos e acomodados em seus carrinhos competiam por espaço com adolescentes do ensino médio grudados em seus celulares e um bocado de caubóis, que atravancavam suas mesas com os chapéus enquanto aguardavam na fila para tomar café naquela manhã. O Jumping Beans era um estabelecimento típico de cidade pequena. Todo mundo lá parecia se conhecer. Jeff estava se perguntando se Nick costumava frequentar o lugar, se algum daqueles estudantes tinha sido amigo de seu filho — quando então a viu.

Karen Young, enfermeira do Yampa Valley Medical Center, ocupava uma mesa de canto, se escondendo nervosamente atrás de seu exemplar do jornal *Steamboat Herald*. Karen sorriu para Jeff, que se juntou a ela.

— Eu estava na dúvida se você viria — disse Karen, quase sussurrando.

— E por que eu não viria? — Jeff abriu um largo sorriso. — Afinal, tenho uma matéria a escrever. Eu disse que viria, e aqui estou.

Fingindo ser um jornalista investigativo de Nova York, Jeff havia passado os últimos quatro dias em Steamboat pesquisando para um livro sobre a cultura caubói. Vinha fazendo um monte de perguntas sobre Blake Carter.

— Os Carters eram uma das famílias de caubóis mais antigas desta parte do estado, como tenho certeza de que todos vocês sabem. Blake era o último da linhagem. Quanto mais vocês puderem me falar sobre ele, melhor.

No começo, os funcionários do rancho de Tracy falaram com boa vontade, assim como seus parceiros de pesca e o pastor da igreja batista local. Mas, quando Jeff começou a perguntar sobre o acidente, as suspeitas começaram a surgir. Ele questionou a meticulosidade do relatório policial, a presença de uma mulher desconhecida na cidade ou no rancho de Tracy nos dias anteriores ao ocorrido e quais médicos haviam tido contato com Nick. Como resultado, as portas começaram a se fechar, e os moradores da região pararam de cooperar.

E por isso a enfermeira Young era tão importante. Numa comunidade tão unida como aquela, que era movida pela fofoca mas se mostrava extremamente leal entre seus membros, Jeff sabia que seria difícil encontrar alguém disposto a ajudá-lo. Àquela altura, quase todos os funcionários do Yampa Valley Medical Center sabiam que não deveriam conversar com o repórter do *New York Times*. Por isso, na noite anterior, quando Jeff despertou o interesse de Karen Young no Ruby's — um pé-sujo local — e descobriu que ela era enfermeira, ele usou de todo o seu charme.

— Obrigado por confiar em mim, Karen. — Jeff esticou o braço por baixo da mesa e apertou a mão dela. — Saiba que as últimas coisas que passam pela minha cabeça são desrespeitar a memória de Blake Carter ou magoar esta comunidade.

— Eu sei — respondeu Karen, apertando a mão dele em resposta.

*Para um homem mais velho, ele é absolutamente lindo*, pensou.

Karen vinha evitando homens mais velhos desde que Neil — o Dr. Sherridan — havia colocado um ponto final no caso com ela e voltado rastejando para a mulher como a cobra que era. Mas Jeff Stevens parecia diferente.

Honrado.

Interessado apenas na verdade.

Talvez Neil se visse em uma grande encrenca se, no fim das contas, Jeff descobrisse que Blake Carter ou o garoto pudessem ter sido salvos e escrevesse uma matéria sobre sua negligência no *New York Times*, acabando com sua reputação e destruindo sua carreira, mas isso seria apenas uma consequência inevitável da verdade.

E Karen Young era completamente a favor de falar a verdade.

— Vou ajudar você de todas as formas que puder, Jeff. — Seus olhos azul-celeste percorreram Jeff. — Só precisamos ser discretos.

— Discrição é meu apelido — disse ele, pressionando a perna na de Karen e se perguntando por que ela havia marcado o encontro numa cafeteria lotada se não queria que fossem vistos juntos. A jovem claramente tinha QI de cocô de passarinho. — É claro que me ajudaria muito se... — Ele virou a cabeça de repente, recuou o joelho e soltou a mão de Karen. — Não. É arriscado demais.

— O quê? — Karen parecia desanimada. — O que é arriscado demais?

— Não, não. Esquece. Eu nunca poderia pedir uma coisa dessas a você.

Jeff tomou uma golada de café e afastou a cadeira, como se estivesse se preparando para ir embora.

— Por favor. Diga o que é!

Jeff balançou a cabeça.

— Você pode perder o emprego.

— Existem coisas mais importantes do que um emprego — disse Karen com sinceridade, debruçando-se na mesa para propiciar uma visão mais clara de seu amplo decote. — Eu nunca vou me perdoar se descobrir que alguma coisa de ruim aconteceu com o Sr. Carter ou com aquele pobre garoto e eu simplesmente fiquei parada e não fiz nada.

Jeff pegou as mãos de Karen outra vez e olhou no fundo dos olhos dela.

— Karen.

— Sim, Jeff.

— Você por acaso conhece alguém que tenha acesso aos arquivos do circuito interno de TV do hospital?

Karen ficou desanimada.

— Caramba, eu... não, não conheço. Sinto muito, mas não sei nada da parte de segurança. Você precisa de alguma outra coisa?

O RESTO DO dia se arrastou.

Frank Dorrien e Jamie MacIntosh haviam lhe mandado tantas mensagens desde que chegara aos Estados Unidos que, no fim, Jeff precisou desligar o celular e comprar um pré-pago. Esse, em contrapartida, nunca tocava. Ele teve a impressão de que, de uma hora para outra, ninguém no rancho ou na oficina local se lembrava de ter visto uma mulher, estranha ou não. Ninguém na delegacia tinha acesso ao relatório. Todos os funcionários do Yampa haviam sido exemplares e nenhum dos colegas de escola de Nick parecia se lembrar de nada fora do comum nos dias anteriores ao acidente. Ou em nenhum outro dia. Se Jeff Stevens, o jornalista nova-iorquino, estava em busca de um escândalo, poderia procurar em outro lugar, pois Steamboat Springs havia se fechado como uma ostra ameaçada em busca de proteção.

Depois do jantar com Tracy em Paris, Jeff sabia que precisava ir a Steamboat Springs. Tinha de descobrir por conta própria o que de fato havia acontecido com seu filho. Afinal, a morte de Nicholas causara o envolvimento de Tracy em tudo aquilo. Grupo 99, Althea, Hunter Drexel, Cameron Crewe: nenhum desses nomes teria chegado a Tracy se a caminhonete de Blake Carter não tivesse saído da estrada naquela noite bem ali, em Steamboat Springs.

E agora Jeff também havia sido sugado para tudo aquilo. Aquele não era o mundo dele ou de Tracy. Pelo amor de Deus, eles não eram espiões ou especialistas em contraterrorismo! Ainda assim, ali estavam os dois, viajando pela Europa, lutando as batalhas de outros povos, resolvendo enigmas alheios, como se fossem peões em um gigantesco jogo de xadrez. Um jogo do qual Jeff achava cada vez mais difícil ter um vencedor de verdade.

Enquanto isso, Tracy, a sua Tracy, se culpava por tudo. Ela achava que Althea havia matado seu filho, que ela era a responsável pelas mortes de Nick e Blake. E, para amenizar sua dor e ter algum conforto naquele momento de luto, ela estava se envolvendo com outro homem.

Mas qual era a verdade? O que havia acontecido em Steamboat Springs?

*Talvez, se eu for capaz de responder a essa pergunta, eu consiga pôr um fim a essa loucura toda,* pensou Jeff. *Consiga salvar Tracy, poupá-la desse tormento.*

*Talvez eu possa me salvar.*

O problema era que ele não conseguia encontrar uma resposta. Os rumores giravam em torno de Jeff, zombavam dele como folhas ao vento que ele nunca conseguia pegar. Mas Jeff não tinha prova de nada. Até onde sabia, havia uma mulher no restaurante onde Blake e Nick jantaram naquela noite, e ela podia ou não ter tomado o mesmo caminho que Blake Carter. Mas a coisa não passava disso. Talvez a polícia pudesse ter conduzido a investigação com um pouco mais de afinco, o motorista da ambulância pudesse ter corrido um pouco mais, ou os cirurgiões pudessem ter operado Nick uma hora antes. Mas todo acidente tinha o seu "talvez", toda tragédia tinha o seu "e se". Na visita ao Colorado, Jeff não vira nada que o levasse a crer que a teoria da conspiração maluca de Tracy sobre Althea tivesse um fundo de verdade. A coisa toda parecia nebulosa.

*Vou pegar um voo de volta para a Europa amanhã,* pensou Jeff. A enfermeira Karen Young fora sua última esperança, mas em momento algum ele chegou a depositar muitas esperanças nela. Muito provavelmente não existia nada que pudesse ajudar nos arquivos do circuito interno de TV do hospital.

O hotel onde Jeff estava hospedado ficava na cidade, um edifício vitoriano simples mas acolhedor com uma varanda que rodeava o imóvel e uma lareira que ficava sempre acesa no saguão. A temporada de esqui havia acabado, e os turistas já estavam deixando Steamboat Springs como água que escorre através de uma peneira, por isso tinha muitas vagas no estacionamento em frente ao prédio. A noite estava começando a cair quando Jeff voltou, cansado e derrotado. Ele passara a maior parte do dia percorrendo em vão os lugares preferidos de Blake Carter, sendo tratado com receio pelos desconfiados moradores da região. Mas, apesar de seu mau humor, ele tirou um instante para apreciar a beleza do cenário a seu redor. Montanhas se erguiam como gigantes atrás do hotel, seus picos nevados ganhando uma coloração rosada ao pôr do sol. Uma gama de cores irradiava pelo céu azul como se alguém tivesse derramado tintas de todos os tons de laranja, vermelho, roxo e pêssego raiados de turquesa.

*Não me admira que Tracy tenha se sentido atraída por este lugar.*

*Que recanto mágico do mundo para Nick ter crescido!*

Enquanto subia os degraus da varanda, Jeff sentiu uma pontada aguda no peito, um misto de perda e saudade; uma dor visceral causada por todos os anos que havia perdido. Com Tracy. Com seu filho. E foi então que, com um forte baque, ele se deu conta de que toda aquela ideia de colocar um ponto final na situação era ridícula. Saber o que aconteceu não mudaria nada. Ele não conseguiria salvar Tracy da dor causada pela morte de Nick, assim como não conseguiria se salvar dessa sensação.

— Ah, Sr. Stevens, aí está o senhor. — Jane, a obesa mórbida que cuidava da recepção do hotel, sorriu afetuosamente para ele. — Lamento, mas a moça acabou de ir embora. Esperou mais de uma hora, mas acho que acabou tendo que ir para o trabalho. Eu pensei em ligar, mas o senhor não deixou telefone e...

— Que moça? — interrompeu-a Jeff.

Jane corou.

— Ah, meu Deus. Que estupidez a minha. A moça ficou um tempão aqui e eu não cheguei a perguntar o nome dela. Ela era nova. Loura. Muito bonita.

*Karen.*

— E deixou isso para você.

A recepcionista pegou um envelope fechado de papel pardo com suas mãos rechonchudas e o entregou a Jeff. Seus batimentos cardíacos dispararam. Ele sentiu de imediato que havia um pen drive ali dentro.

Subindo a escadaria do hotel de dois em dois degraus, Jeff correu para o quarto e trancou a porta. Em seguida, fechou as cortinas, sentou-se ao computador e conectou o dispositivo.

As gravações tinham marca temporal. Somavam ao todo pouco menos de duas horas. *Obrigado, Karen!* As imagens eram do estacionamento do Yampa Valley Medical Center, da entrada principal, da mesa da recepção, da sala de espera e de três corredores internos do edifício. Um deles claramente levava a uma espécie de sala de cirurgia. Os outros pareciam corredores comuns de uma ala com quartos para pacientes dos dois lados.

Jeff se acomodou para assistir. Não sabia exatamente o que procurar, mas esperava que algo saltasse a seus olhos.

Os minutos se passaram. Dez. Vinte. Trinta. Uma hora.

Quando ele finalmente viu a pessoa se aproximar confiante da recepção, ele teve de voltar a gravação.

*Não pode ser.* Jeff se inclinou para a frente e fitou a tela como se estivesse vendo um fantasma. *Não é possível.*

Em seguida ele se levantou da cama com um salto, abriu a gaveta da mesinha de cabeceira e colocou o cartão e a bateria do celular antigo de volta no aparelho.

*Preciso ligar para Tracy. Agora mesmo.*

Enquanto esperava sem a menor paciência a tela inicial carregar, Jeff tentou pensar no que exatamente iria dizer. Que palavras usaria para dar aquela notícia? Para dizer a Tracy que ela estava enganada, para lhe contar...

O telefonou tocou alto e o assustou.

Ele atendeu sem pensar.

— Alô?

A voz de Frank Dorrien soou como um estrondo em seu ouvido, raivosa, com uma carga pesada.

— Stevens! Em nome de Jesus Cristo, onde você se meteu?

— Não posso conversar agora — disse Jeff, tentando dispensá-lo. — Preciso falar com a Tracy.

— Jeff...

— Sinto muito, Frank. Isso não pode esperar.

— Bom, vai ter que esperar — retrucou Dorrien às pressas, antes de Jeff conseguir desligar. — Tracy está em coma.

Jeff ficou petrificado. O quarto começou a girar.

— O quê?

— Ela foi atacada na noite em que você foi embora de Paris. Golpeada pelas costas.

Jeff precisou se segurar na escrivaninha para não cair. De repente, sentiu-se muito tonto. Sua vista começou a ser tomada de pontos negros. Quando falou, parecia sem ar.

— Não estou entendendo. Quem a atacou?

— Não temos certeza. Várias testemunhas...

— Por que vocês não me contaram isso antes?

— Nós tentamos. Inúmeras vezes. Mas ninguém conseguiu entrar em contato com você.

— Bom, e o que os médicos disseram? Quer dizer, eu sei que ela está em coma. Mas vai se recuperar, não é? Ela vai ficar bem?

— Ela não acordou desde então — respondeu Frank sem rodeios, embora não sem compaixão. — Sinto muito, Jeff, de verdade. Mas a situação não parece nada boa.

# Capítulo 23

TRACY OUVIU A voz de Blake Carter primeiro, no corredor.

— Onde ela está? Eu preciso vê-la. Preciso explicar.

Em seguida, ouviu o médico.

— Ela ainda não pode receber visitas, Sr. Carter.

*Eu posso receber visitas!*

*Blake está vivo? Ele estava vivo esse tempo todo? E agora está aqui para me ver?*

*Blake!* Ela se sentou na cama, tentou chamá-lo, mas sua voz não saiu. Então a dor voltou, a agonia, como se uma manada de elefantes estivesse pisoteando sua cabeça, pulverizando seus ossos um atrás do outro.

*Blake, eu estou aqui! Não vá embora!*

Ela desmaiou.

FRANK DORRIEN ESTAVA no quarto.

Tracy não conseguia vê-lo. Não conseguia ver nada. Não conseguia se mexer, falar ou fazer qualquer coisa além de respirar. E escutar.

— Quem é o parente mais próximo? — perguntou o médico.

A voz do general Dorrien.

— Ela não tem nenhum parente.

— Não há ninguém que possamos avisar? Um amigo?

— Não. Nós vamos cuidar disso.

— Mas deve existir alguém...

A voz de Frank de novo, dessa vez mais contundente:

— Não existe. Ora, doutor, vamos ser honestos. Nós dois sabemos que ela não vai acordar. Então acho que isso não tem a menor importância.

*Eu não vou acordar*, pensou Tracy.

Ela se sentiu completamente dominada por uma paz profunda.

Por fim, ela estaria na companhia de Nick.

— ACORDE!

Alguém estava sacudindo Tracy e apontando um feixe de luz para os seus olhos.

Tracy estava tendo um sonho maravilhoso. Ela e Nick jogavam xadrez na cozinha de casa, em Steamboat Springs. Blake não estava lá — havia saído para passear a cavalo —, mas Jeff estava cochichando ao pé do ouvido de Nick, ensinando-o a trapacear, ou pelo menos a enganar a mãe. Os dois riam. Tracy não aprovava aquilo, mas se juntou nas risadas.

Até que Althea entrou, seu cabelo longo e castanho-escuro balançando, seu rosto como uma máscara da morte. Ela se sentou à mesa e varreu as peças com a mão. Petrificada, Tracy observou-as caírem e se espalharem pelo chão. Alguma coisa estava errada. Terrivelmente errada.

— Eu detesto xadrez. Vamos jogar pôquer.

Então a cozinha sumiu e Nick também. De repente, eles apareceram em uma mesa de cassino — seria no Bellagio?

—, e Hunter Drexel era quem dava as cartas. Mas as cartas não eram de jogo, mas de tarô, e Tracy virou a carta Os Enamorados. Althea olhou para Jeff e deu uma gargalhada, então Hunter Drexel segurou Tracy pelos ombros e gritou:

— ACORDE! Olhe para a luz! A verdade está bem à sua frente, Tracy! Acorde!

Tracy abriu os olhos.

Um olhar amoroso e familiar a fitava.

— É você! — Ela sorriu.

E afundou de volta na escuridão.

Foi a noite mais longa da vida de Cameron Crewe. Mais longa até do que a noite em que ele perdeu Marcus. Quando o filho morreu, Cameron estava entorpecido, chocado demais para processar perfeitamente o que estava acontecendo. Ele se lembrava de Charlotte sentada a seu lado, os dois de mãos dadas diante da cama de Marcus. Se alguém tivesse tirado uma foto e precisasse lhe dar uma legenda, provavelmente teria escolhido os dizeres *Unidos no luto*. Exceto, claro, que o luto não unia nada. Tudo o que ele fazia era destruir. Desmantelar. Separar.

Na época, Cameron Crewe não sabia disso, mas ali, assistindo a Tracy lutar pela vida, ele sabia, vendo-a se esforçar para alcançar a luz, mas perder o equilíbrio e cair de volta na escuridão, totalmente desamparada.

Foi Greg Walton quem ligou para ele, só 24 horas depois de Tracy ser atacada. Cameron ficou furioso.

— Por que diabos ninguém entrou em contato comigo antes?

— Nós também não sabíamos — insistiu Greg Walton. — O agente Buck se encontra em Paris, mas o FBI está investigando por conta própria, independente do que Tracy tem feito para nós. Foram os britânicos que nos alertaram. O MI6.

— Foi o general Dorrien quem alertou vocês? — perguntou Cameron, praticamente cuspindo o nome do militar.

— Foi. — Walton pareceu surpreso. — Vocês dois se conhecem?

— Não. Mas Tracy o conhece. E não tem um pingo de confiança nele.

— Os britânicos acham que talvez o ataque tenha sido obra de Hunter Drexel. Apesar das minhas claras instruções, parece que Tracy vinha tentando rastrear Drexel sozinha, em paralelo. Por acaso você sabe alguma coisa sobre *isso*?

Mas Cameron não estava interessado no jogo de adivinhação da CIA. Em vez disso, embarcou em sua aeronave G650 direto para o aeroporto Le Bourget, percorrendo em menos de dez horas o caminho de seu apartamento em Nova York até o quarto de Tracy. Assim que chegou, mexeu todos os pauzinhos que podia para assegurar que nem Frank Dorrien e nenhum outro agente dos serviços de inteligência tivesse acesso a ela. Por sorte, Don Peters, novo embaixador dos Estados Unidos na França, era um amigo íntimo, assim como Guillaume Henri, doador mais generoso do hospital.

— Tracy Whitney é minha amiga. Eu sou o que ela tem de mais próximo a um familiar — argumentou Cameron ao falar com Guillaume. — Ninguém além de mim pode vê-la.

— Seu desejo é uma ordem, meu velho amigo. Ela deve ser uma mulher e tanto.

— E é.

Horas depois de Cameron chegar, Tracy havia aberto os olhos e falado pela primeira vez.

— É você! — exclamou ao vê-lo, então deu aquele sorriso encantador, triste e inteligente que tomava seus lábios mas que sempre começava em seus olhos verdes como musgo. O sorriso que havia conquistado Cameron Crewe desde o começo.

Mas segundos depois o sorriso se esvaiu e os olhos de Tracy se fecharam outra vez.

Isso fazia dois dias.

Agora, de acordo com Greg Walton, Jeff Stevens estava a caminho. O governo britânico entrou em pé de guerra e exigiu permissão para ver Tracy e avaliar seu estado.

— Eles estão irados. O MI6 diz que ela comprometeu a operação deles contra Drexel e que isso é culpa nossa, por não conseguirmos controlá-la. E querem a *sua* cabeça numa bandeja.

— Azar o deles — escarneceu Cameron.

— Estão dizendo que Jeff Stevens é o parente mais próximo dela — afirmou Greg Walton. — Se for verdade, você não vai poder impedi-lo de vê-la. E ele virá com Frank Dorrien e quem mais o general quiser trazer junto.

Cameron Crewe ficou aflito.

Não podia deixar isso acontecer. Tinha de fazer com que Tracy acordasse.

Ele estava a ponto de desistir quando, de repente, nas primeiras horas daquela manhã, despertou na cadeira ao lado da cama de Tracy e a ouviu resmungar alto, pedindo água e reclamando de dor de cabeça. No começo, parecia confusa. Delirante. Mas em poucas horas estava sentada, bebendo chá, segurando a mão de Cameron e conversando com ele normalmente.

— Você sabe o que aconteceu? — perguntou Cameron. — Você se lembra de alguma coisa?

Tracy desviou o olhar culpado.

— Eu sei que você jantou com Jeff Stevens — continuou Cameron. — Não tem problema.

Ele estava tentando tranquilizá-la, mas Tracy estreitou os olhos na hora, desconfiada.

— Como você sabe disso?

— Greg Walton me contou — respondeu Cameron, parecendo mais despreocupado do que deveria. Naquele momento, a última coisa que Cameron queria era afastar Tracy dele. Mesmo a contragosto, ele havia permitido que ela saísse de sua vista uma vez. Não tinha pressa alguma para repetir a experiência. — Faz alguma ideia de quem fez isso com você? — perguntou, mudando de assunto.

Tracy balançou a cabeça.

— E você? Faz?

— Tenho duas teorias.

— Diga.

— Você não vai gostar de escutar.

— Vamos ver.

— Ok. Jeff Stevens.

— Jeff? — Tracy tentou dar uma gargalhada, mas o esforço fez sua cabeça latejar de dor. — Isso é ridículo.

— Será? — Cameron olhou fixamente para ela. — Não vejo por quê. Jeff sabia onde você estava. Para ele, seria a coisa mais fácil do mundo seguir você aquela noite. Ele já havia sugado suas informações durante o jantar. Descoberto o que os chefes dele queriam saber. Jeff não precisava mais de você.

— Jeff nunca me machucaria — garantiu Tracy.

— Tem certeza? E se ele achasse que havia lhe contado coisas demais no jantar? Será que ele não ficou arrependido? Ou talvez com medo.

— Você está completamente equivocado — retrucou Tracy, balançando a cabeça. Mas Cameron não desistiu.

— Talvez estivesse com ciúme, com raiva, e tenha atacado você num acesso de fúria cega.

— E por que ele teria um acesso de fúria?

— Por causa de nós dois. Porque estamos juntos. Não deve ser fácil para ele.

Tracy ficou roxa de vergonha. Queria dizer *Não estamos juntos! Quem disse que estamos juntos?*, mas aquele não pareceu o momento adequado. Além do mais, naquele instante, ela não sabia ao certo o que sentia por Cameron, por Jeff ou por qualquer outra pessoa.

— Você mesma me contou que ele é meio nervoso — prosseguiu Cameron. — Faz sentido, Tracy.

— Não, não faz. Passe para a próxima. Qual é a outra teoria?

— General Frank Dorrien.

Tracy ficou alerta.

— Prossiga.

Cameron resumiu sua teoria. Assim como Jeff, Dorrien sabia onde Tracy havia estado naquela noite e poderia muito bem tê-la seguido depois do jantar. Talvez ele soubesse que Tracy havia roubado o disco rígido de sua casa na Inglaterra, a evidência que o ligava à morte do príncipe Achileas. Aquilo por si só seria motivo suficiente para que tentasse matá-la. Ele fez questão, desde o início, de deixar bem claro sua aversão por Tracy. E, de acordo com o Greg Walton, os chefes de Dorrien no MI6 estavam igualmente contrariados com os esforços de Tracy para capturar Hunter Drexel por conta própria, isso sem contar a falta de progressos na busca por Althea.

— Ninguém no governo britânico derramaria uma lágrima se você morresse agora — afirmou Cameron, sendo bem direto. — Eles querem capturar Drexel primeiro. Querem a glória. O interesse deles era impedir os seus avanços. Por isso chamaram Jeff Stevens, para começo de conversa.

É possível, pensou Tracy. *Jeff basicamente admitiu isso no jantar.*

— E se Dorrien percebeu a oportunidade e resolveu aproveitá-la? — continuou Cameron, no embalo. — Mas ele ferrou tudo. Você não morreu na hora. Havia uma testemunha. Então ele diz que alguém estava passando pelo local na hora e viu tudo, traz você para cá e tem tudo sob controle. Ele só foi contar à CIA que você havia sido atacada um dia e meio depois do acontecido. Isso não lhe parece suspeito?

O problema era que, para Tracy, tudo parecia muito suspeito. Ela estava mais do que preparada para acreditar que Frank Dorrien a havia atacado. Tinha certeza de que ele era capaz disso, sobretudo caso se sentisse impelido por um senso de dever distorcido. Ou mesmo apenas para salvar a própria pele. Ainda assim, alguma coisa a incomodava. Alguma coisa não soava verdadeira.

— E quanto a Hunter Drexel? — perguntou ela.

— O que tem ele?

— Ele poderia ter me atacado, se achasse que eu estava perto de encontrá-lo, de descobrir a verdade.

— Acredito que seja possível — respondeu Cameron, parecendo não muito convicto.

— Ou Althea — considerou ela.

— Não. Isso não faz sentido. Por que ela se daria ao trabalho de envolver você nisso tudo para começo de conversa, se só quisesse que você morresse? Além do mais, a testemunha descreveu um homem.

— Estava escuro. Com o cabelo preso, uma mulher alta poderia facilmente ser confundida com um homem.

Cameron balançou a cabeça.

— Acho que foram os britânicos, Tracy. Dorrien ou Stevens. Afinal, agora eles estão no mesmo time. E estão jogando contra nós. Todo esse papo de "cooperação" é conversa fiada.

Nesse ponto Tracy concordava com ele.

— Eu sei.

Ela apertou a mão de Cameron.

— Você não pode confiar em Jeff Stevens, Tracy.

— Também sei disso. Meu plano era trabalhar com ele, não confiar nele.

Cameron pareceu confuso.

— Jeff nunca me machucaria — explicou ela. — Mas, se ele vir a perseguição a Hunter e Althea como uma competição entre nós, como eu acho que vê, não vai parar por nada até vencer.

— Então, por que você queria trabalhar com ele?

Tracy deu um sorriso debilitado.

— Porque eu também não vou parar por nada até vencer. E, no fim, geralmente eu venço.

Eles conversaram por mais alguns minutos. Então Tracy começou a se sentir cansada. Cameron a beijou carinhosamente no topo da cabeça, acima das bandagens, e foi embora. Na saída, certificou-se de que ninguém teria permissão para passar pela segurança.

No caminho de volta para o hotel, Cameron não conseguiu conter o sorriso enquanto pensava no momento em que Tracy havia acordado, antes de voltar a desmaiar.

— Seu jeito de sorrir para mim, seu olhar ao dizer "é você"... — dissera ele a Tracy naquele dia, mais cedo. — Não consigo descrever o que isso significou para mim.

Tracy também havia se emocionado.

— Não me lembro — disse ela, mas suas bochechas coradas diziam o contrário.

*Ela me ama*, pensou Cameron. *Ainda está assustada demais para admitir. Mas ela me ama.*

Depois que Cameron foi embora, Tracy ficou olhando para o teto por um bom tempo.

*Pare de se sentir culpada*, pensou ela, determinada. *Essa sensação de culpa é ridícula.*

*Você não pode controlar seus sonhos, Tracy.*

*Ninguém pode.*

Ela se lembrava, sim, de ter sorrido. Ela se lembrava de fitar aquele olhar amoroso e familiar, de dizer "é você!" e de se sentir exultante.

Mas os olhos que ela enxergou não eram de Cameron.

Eram de Jeff.

No entanto, Jeff não havia lhe feito uma visita no hospital, ao passo que Cameron sim.

Jeff não tinha ido ver como ela estava, não havia pegado um voo de longa duração para ficar de vigília ao lado de sua cama.

Cameron tinha.

O que Cameron oferecia a Tracy era algo real. Algo em que ela podia tocar, se segurar. Algo em que podia confiar.

Jeff, por outro lado...

Jeff não passava de um sonho lindo.

JEFF POUSOU NO Charles de Gaulle com os olhos vermelhos e exausto. Precisou mudar os planos em Nova York, mas mal se lembrava de ter passado pelo aeroporto JFK. Tudo o que havia acontecido desde a ligação de Dorrien não passava de um borrão.

Chegar a Tracy. Isso era tudo o que importava para ele naquele momento.

O resto do mundo havia desbotado.

— Jeff.

Assim que pisou na área de desembarque, encontrou Frank Dorrien à sua espera. De barba feita, aparentemente descansado e usando sua roupa civil de sempre — calça de veludo azul-escuro, blusa de algodão perfeitamente passada, paletó de tweed e sapatos brogues —, o general parecia uma criatura de outro planeta.

— Como ela está? — disparou Jeff, afastando o militar para passar. — Preciso ir para o hospital.

Frank Dorrien o segurou pelo braço.

— Ela não está lá — disse o general. Ao ver os olhos de Jeff se arregalarem horrorizados, ele rapidamente acrescentou: — Não está morta. Não se preocupe. Cerca de uma hora depois de eu falar com você, ela acordou.

Jeff sentiu os joelhos começarem a ficar bambos. O alívio foi tão esmagador que ele pensou que iria vomitar.

— Preciso ver Tracy.

— Infelizmente isso não será possível — disse Frank, sem rodeios.

Jeff se virou para ele.

— Como assim?

Ele afastou a mão do general e começou a andar na direção da fila de táxis. Dorrien o seguiu.

— Não é coisa minha — contou ele a Jeff. — Se quer culpar alguém, culpe Cameron Crewe.

A menção ao nome Crewe fez Jeff parar de repente.

Frank lhe explicou que Cameron havia pegado um voo para ver Tracy e prontamente impediu o acesso de qualquer outra pessoa a ela. Explicou também que Tracy havia saído por vontade própria do hospital e estava se recuperando em uma propriedade de Cameron que ficava a uma hora ao sul de Paris, uma de suas incontáveis mansões.

— Quando se é rico como Cameron Crewe, pode comprar médicos, políticos, quem quiser — comentou Frank com amargura. — As regras não se aplicam a ele.

— Ainda assim preciso ver Tracy.

Jeff contou a Frank o que ele havia descoberto no Colorado. O general arregalou os olhos.

— Meu Deus. Tem certeza?

— Absoluta.

— Você ainda tem a gravação?

— Ah, sim. Tenho. E também tenho cópias. Todas guardadas em lugares bem seguros.

Os dois ficaram parados em silêncio por um tempo. Viajantes apressados se acotovelavam ao passarem perto deles, como uma torrente de água que rodeia dois pedregulhos no meio de um córrego. Por fim, Frank falou:

— Não conte isso a Tracy por enquanto.

— Como assim? — perguntou Jeff, parecendo chocado.

— Eu preciso contar. Ela tem o direito de saber.

— E vai saber, mas não agora.

Jeff abriu a boca para argumentar, mas Frank o cortou.

— Pense: você não sabe como uma notícia dessas vai afetá-la. Ela acabou de sair de um coma, Jeff.

Jeff hesitou. Não havia pensado por esse ângulo.

— Agora ela está em segurança. Crewe está tomando conta dela.

É disso que eu tenho medo.

— Deixe Tracy descansar. E, enquanto ela estiver fora de ação... — Frank escancarou um sorriso, tirou um envelope de papel pardo do bolso do paletó e o entregou a Jeff. — *Você* pode ir à Bélgica capturar Hunter Drexel.

Frank se mostrava claramente satisfeito por Tracy ter saído do jogo. Os americanos estavam fora do páreo.

Jeff olhou fixamente para o envelope.

— O que é isso?

— Sua passagem para Bruges. Drexel é aguardado em uma mesa de pôquer lá no próximo sábado. Vai usar o nome Harry Graham.

*Harry Graham... por que esse nome soa familiar?*

— É uma cidade impressionante — continuou Frank.

— Eu sei.

Jeff e Tracy já haviam realizado um trabalho fantástico em Bruges: roubaram de um sujeito desprezível, que espancava a mulher, uma das melhores coleções de miniaturas holandesas do norte da Europa.

— Seu trem parte em uma hora — disse Frank bruscamente. — Vou levar você ao terminal da Gare du Nord. No caminho eu lhe explico os detalhes.

# Capítulo 24

As mesas de pôquer de sábado à noite oferecidas por Luc Charles eram lendárias entre a comunidade das belas-artes de Bruges. No idílico mosteiro do século XV convertido em lar com vista para o canal Spinolarei, o jogo era sempre seven card stud. Os convites para sua noite de pôquer eram sempre bastante valorizados, apesar de o próprio Luc Charles invariavelmente sair vencedor — o colecionador e dono da mais valiosa coleção de impressionistas holandeses ainda em mãos particulares havia vencido na vida por conta própria e não gostava nem um pouco de perder. Receber um convite para ocupar a famosa mesa de carteado coberta com feltro que, segundo rumores, já havia pertencido à rainha Maria Antonieta da França e se sentar diante dos Vermeers, Rembrandts e Hedas era chegar ao ápice da sociedade belga. Talvez a fortuna de Charles fosse recente — seu pai era padeiro em um subúrbio de Bruxelas —, mas sua casa e sua coleção de obras de arte eram antigas e grandiosas o suficiente para fazer o maior dos aristocratas ficar com os olhos cheios de inveja e as pupilas dilatadas pela cobiça. Fortunas se ergueram e ruíram na mesa de pôquer de Luc Charles, e o anfitrião sempre se alegrava quando, em vez de receber os ganhos do jogo em dinheiro, tinha a oportunidade de ficar com um quadro — o qual ele próprio avaliava, claro.

Naquela noite havia uma mistura de jogadores frequentes e novatos. Pierre Gassin, sócio majoritário da Gassin Courreges, o mais prestigiado escritório de advocacia de Bruxelas, era um rosto conhecido da mesa, assim como Dominique Crecy, o grande colecionador de obras de arte modernistas. Já Johnny Cray — jovem americano filho de um milionário que o sustentava — estava ali no meio de uma viagem por um lugar que chamava de "Iurropa", assim como seu amigo Harry Graham. Ambos eram novatos.

Graham era um homem mais velho e bastante magro. Tinha o cabelo mal tingido e um jeito um pouco carrancudo.

— Ele parece doente — Luc Charles comentou com Johnny Cray, puxando-o para um canto. — A pele dele está amarelada. Será que está com septicemia?

— Não faço ideia. Faz só uma semana que eu o conheci, num jogo pequeno no interior. Ele implorou que eu o trouxesse hoje. Espero que não haja problema.

— Não haverá, se ele perder — disse Luc, com uma expressão maliciosa.

— Ah, ele vai perder. — Johnny abriu um sorriso tão largo que parecia prestes a comer o próprio rosto. — Nunca vi um jogador tão imprudente.

— Imprudente?

— Parece que ele fica possuído. É bizarro. Com uma mão razoável, ele joga de forma brilhante, planejada. Mas, assim que consegue uma mão forte, bum! — Johnny imitou uma explosão com as mãos. — Ele se perde. Tirei 15 mil euros dele semana passada, e isso foi em uma mesa sem a menor importância. Ouvi dizer que ele perdeu muito em Deauville.

— Muito quanto? — Luc Charles começou a salivar.

— Muito na casa dos sete dígitos.

— Em uma noite?

— Uma noite porra nenhuma. Em uma *mão* — respondeu Johnny.

Luc Charles deu meia-volta e se aproximou de Harry Graham, que admirava uma das pinturas do anfitrião.

— É um apaixonado por arte, Sr. Graham?

O americano deu de ombros.

— Eu conheço aquilo de que gosto.

— É um ótimo ponto de partida. — Luc sorriu. Em seguida, olhando Harry mais de perto, perguntou: — Nós já não nos conhecemos? Tenho a impressão de que já o vi em algum lugar.

Infelizmente para Luc Charles, nos últimos tempos ele havia conhecido muitos americanos. Com sua cansativa avidez por publicidade, sua política de ódio aos ricos e seus métodos terroristas, o Grupo 99 vinha introduzindo no mercado falsificações de alta qualidade nos últimos meses, num esforço concentrado para atacar o mundo das belas-artes. Mesmo as maiores casas de leilão tinham sido enganadas, inclusive a poderosa Christie's, que havia vendido o que se acreditava ser uma pintura de Isaac Israëls avaliada em 7,2 milhões de dólares e logo depois descoberto sua verdadeira procedência através de um vídeo do Grupo 99, publicado no YouTube. Cabeças rolaram, mas o resultado final foi um golpe duro na confiança do mercado e de seguradoras especialmente assustadas. As seguradoras de Luc eram da gigantesca United Insurance Group, a UIG, dos Estados Unidos.

Só no mês anterior, Luc recebera três visitas de "cortesia" de executivos da empresa. Ele não se surpreenderia se descobrisse outro deles em uma de suas mesas de pôquer em busca de dicas para encontrar o caminho das pedras. Além de tudo, Harry Graham *realmente* lhe parecia familiar.

— Acho que não — respondeu Harry Graham, por fim, então lhe deu as costas e olhou com impaciência para seu relógio de pulso. — Podemos começar?

— Certamente.

Luc Charles o conduziu até a mesa. Provavelmente só estava imaginando coisas. A boa notícia era que o amigo "imprudente" de Johnny Cray já estava ficando agitado.

Bom sinal para a noite que eles teriam pela frente.

DO SEU QUARTO de hotel exatamente do outro lado do canal, Jeff Stevens tinha uma visão quase perfeita da sala de Luc Charles através das janelas de guilhotina.

Com a ajuda de seu confiável telescópio Meade ACF LX90, ele conseguia ver não só os jogadores à mesa de Charles, mas as mãos dos que estavam de costas para ele. Dom Crecy, coitado, tinha poucas chances de sair da residência de Charles mais rico do que havia chegado, segurando seu par de reis como um homem se agarra a um tronco de árvore para não morrer afogado em um tsunami. Jeff não conseguia enxergar as cartas de Hunter Drexel, mas tinha uma excelente visão de seu rosto. Para sua surpresa, Harry Graham havia escolhido se sentar bem de frente para a janela, que havia sido aberta para permitir a entrada do ar fresco da noite. Era a primeira vez que Jeff via o rosto de Hunter em carne e osso. Ele ficou fascinado, tentando obter qualquer informação com base nas expressões e no olhar de Drexel.

*Quem é você?*, perguntou-se Jeff.

*O que está pensando neste exato momento?*

*O que quer?*

Mas, assim como todos os grandes jogadores de pôquer, o rosto de Hunter não revelava nada. Ele era terrorista ou vítima? Um cara legal ou um traidor? Estava apenas jogando pôquer para sobreviver, atrás de dinheiro para comer, se esconder e terminar o artigo sobre a indústria do fraturamento hidráulico — ou seja lá o que fosse de verdade? Jeff tinha suas dúvidas. Se o plano de Hunter era sobreviver, ele não estaria à caça de mesas de apostas altas, como a de Luc Charles e seu seven card stud, ou a de Pascal Cauchin e suas noites lendárias no apartamento de Montmartre.

*Não. Tem algum outro motivo para ele estar fazendo isso. Jogando com bilionários. Correndo o risco de se expor. Ninguém precisa ganhar milhões de dólares só para sobreviver.*

Qualquer que fosse o plano de Hunter, parecia que ele estava mal naquela noite. E não só com as cartas. Quando comparado às fotos dele que Jeff tinha visto antes de o jornalista ser sequestrado pelo Grupo 99, o rosto de Drexel estava quase irreconhecível. Parecia magro, doente, exausto e velho.

Jeff continuou observando.

NO MODESTO BANGALÔ que eles haviam alugado nos arredores da cidade, Sally Faiers olhava ansiosamente para o relógio de parede.

Ela queria Hunter de volta em casa.

Tinha um mau pressentimento sobre aquela noite.

E, mesmo depois de tudo o que ela havia feito por Drexel e de todos os riscos que correra, ele não tinha lhe contado nada, o que só servia para piorar sua situação. Sally não sabia, por exemplo, quem era Helene e por que ela havia partido tão depressa. Ou por que ele tinha de participar daquela mesa de pôquer. Ou o que planejava fazer com o dinheiro, caso ganhasse.

— Eu vou ganhar — afirmou ele, batendo os dentes.

Era um lampejo do velho Hunter, o homem arrogante e encantador de quem ela se lembrava. Mas esse tipo de momento vinha se mostrando raro, e ele já não parecia mais um vencedor. Lembrava um homem desesperado que precisava de um tratamento.

Depois de duas semanas juntos, Sally ainda não sabia sobre o que exatamente era a misteriosa reportagem de Hunter, nem onde ou quando ele a publicaria.

— Em breve — era tudo o que ele lhe dizia. — Quanto menos você souber, mais segura estará, Sal.

Mas Sally não se sentia segura. Enquanto tratava as feridas de Hunter, tentava fazer sua febre abaixar e o entupia de antibióticos comprados pela internet, ela parecia estar cada vez mais fora da realidade. Da vida normal que havia deixado para trás em Londres. Do apartamento. Do emprego.

Do antigo emprego.

Tudo o que lhe restava era sua matéria e os próprios segredos. Sally tentou focar na escrita enquanto Hunter andava pela cidade fazendo sabe-se lá o quê, mas estava difícil. Naquele exato momento, ela não conseguia imaginar nem mesmo como aquele dia acabaria, que dirá fazer qualquer plano para o futuro. De alguma forma, sua matéria expondo a corrupção no setor do fraturamento hidráulico já não parecia tão importante e impressionante quanto no dia em que começou a escrevê-la. Ela se sentia sozinha e cheia de dúvidas.

Até Tracy Whitney havia parado de ligar. Era como se Sally e Hunter estivessem em um barco sem energia que estava sendo levado lentamente para longe da costa. Hunter alegava saber para onde eles estavam indo, mas tudo o que Sally podia fazer era ficar ali sentada, esperando o barco afundar, morrer de fome, ou enlouquecer sozinha.

Sally ouviu uma batida na porta e tomou um susto. Então, correu para o quarto, enfiou a mão trêmula debaixo da cama e puxou a pistola de Hunter. Nesse instante, imagens dos miolos de Bob Daley sendo explodidos começaram a passar pela cabeça dela.

Ela apoiou as costas na parede e se esgueirou na direção da porta da sala. A adrenalina percorria seu corpo. Estava pronta para atirar, quando de repente entreviu quem estava à porta: era o Monsieur Hanneau, o gentil vizinho de porta que também era um ávido leitor.

*Pelo amor de Deus.* Sentindo-se tola e ridícula, Sally escondeu a pistola embaixo de uma almofada e abriu a porta. Provavelmente ele queria pedir uma xícara de açúcar, ou algo assim. Ele estava na Bélgica, não em Beirute.

— Olá, Monsieur Hanneau. Eu estava...

O disparo foi silencioso, mas abriu no peito de Sally um buraco do tamanho de uma laranja.

Ela já estava morta antes de cair no chão.

HARRY GRAHAM PERDEU as duas primeiras mãos. Ganhou algum dinheiro na terceira e superestimou a quarta de forma grotesca, o que o fez perder muitos euros.

*Imprudente está longe de descrevê-lo*, pensou Luc Charles. Para ele, era certo que Graham tinha dinheiro para torrar.

Às nove da noite, eles fizeram uma pausa para comer — mexilhões grandes e suculentos ao vinho branco e alho, acompanhados de uma cerveja local. Harry Graham mal havia tocado na comida. Era compreensível, tendo em vista quanto ele havia acabado de perder, embora Luc Charles estivesse com a inquietante impressão de que o Sr. Graham não ligava muito se perdia ou ganhava.

*Não é pelo dinheiro*, concluiu Luc. *É pelo jogo. Pelas apostas altas. Pelo risco. Ele só quer sentir a adrenalina lá em cima.*

— Mais uma mão, Sr. Graham? — perguntou Charles enquanto o mordomo retirava os pratos da mesa.

Foi uma pergunta retórica, mas o americano respondeu assim mesmo, assentindo bruscamente.

— Claro. Sempre.

QUARENTA MINUTOS DEPOIS, Luc Charles estava irritadíssimo, assistindo pela janela a seus convidados irem embora. Os Bentleys de Pierre Gassin e Dom Crecy chegaram discretamente à entrada lateral do mosteiro, conduzidos por seus motoristas. Johnny Cray foi embora dirigindo o próprio automóvel, uma Lamborghini preta fosca de edição limitada.

Grande vencedor da noite e amigo de Cray, Harry Graham tomou um barco-táxi. Luc observou sua cabeça loura e macilenta diminuir pouco a pouco até sumir por completo no escuro, enquanto a embarcação avançava pelo canal e era engolida pela noite.

No bolso de Harry Graham havia um cheque ao portador.

O valor: oitocentos e cinquenta mil euros.

*Ele me enganou*, pensou Luc Charles, irritado. *O desgraçado me enganou.*

Luc nunca ultrapassava seu limite pessoal de 100 mil euros por mão. Nunca. No entanto, de alguma forma, aquele sujeito estranho e taciturno o havia tentado a quebrar a própria regra.

Johnny Cray havia descrito Harry Graham como um sujeito imprudente, mas a verdade era que Harry havia feito Luc Charles agir com imprudência.

*Ele me fez de trouxa.*

Luc Charles pouco sabia a respeito de Harry Graham, mas estava disposto a descobrir mais.

Muito mais.

Assim que o barco de Graham sumiu de vista, Luc Charles pegou o telefone.

A EMBARCAÇÃO DE Jeff Stevens flutuava silenciosamente alguns metros atrás da de Hunter.

O hotel de Jeff mantinha disponíveis duas gôndolas antigas para uso dos hóspedes dia e noite. Empregavam três idosos cujas únicas funções eram remar e impulsionar suavemente as embarcações pelos famosos canais de Bruges.

A noite estava silenciosa. Jeff era o único hóspede do barqueiro naquele momento, nem foi muito longe, pois pediu para sair logo depois de passar sob algumas pontes. Hunter havia saltado em um dos inúmeros ancoradouros ao longo do Spinolarei e entrado em uma rua de paralelepípedos pouco iluminada. Jeff quase o perdeu de vista, mas o seguiu em direção à Steenstraat. Drexel olhou ao redor, mas pareceu não notar nada estranho. Ele virou à direita e entrou na bonita praça Simon Stevinplein, depois à esquerda, na rua Oude Burg, onde pequenos aglomerados de turistas ainda passeavam, mesmo tarde da noite. O famoso campanário de Belfry estava iluminado de baixo para cima, o que dava ao famoso ponto turístico uma aura quase mágica e às casas vizinhas um ar de conto de fadas ainda maior do que durante o dia.

*Parece a Disney*, pensou Jeff, tomando o cuidado de não desgrudar os olhos de Hunter, que ziguezagueava no meio da multidão da Breidelstraat, passando por lojas de renda e de biscoitos, até parar diante de um bar na praça Burg. Encravada ao lado da grandiosa basílica gótica do Sangue Sagrado, o Gerta's era o tipo de espelunca acanhada que existe em qualquer cidade europeia, um refúgio para turistas que querem beber. Hunter deu uma última olhada no entorno e se enfiou lá dentro.

Os fundos do bar davam direto para o muro da basílica — ou seja, não havia outra saída, além do lugar por onde ele havia entrado.

*Eu posso pegá-lo agora mesmo*, pensou Jeff. *Acabar logo com isso.*

Contudo, tanto Frank Dorrien quanto Jamie MacIntosh haviam sido claros nas instruções.

Siga Hunter. Obtenha informações. Não o confronte.

No entanto, a fachada do bar era tão pequena que Jeff só conseguiria enxergar alguma coisa se chegasse perto da janela ou entrasse. Ele abaixou a aba do boné para esconder o rosto e escolheu a segunda opção. Segundo suas informações, Hunter não o conhecia, muito menos sabia qual era sua aparência.

Jeff foi direto ao balcão do bar e pediu um uísque. Só ergueu a cabeça e olhou para Hunter quando o copo já estava em suas mãos.

Drexel estava numa mesa de canto, acompanhado de uma mulher. De soslaio, Jeff percebeu que se tratava de uma morena de 30 e poucos anos. Era bonita e estava bem-vestida, com roupas caras — uma pantalona creme larga e um suéter fino de caxemira. Usava também uma correntinha discreta de ouro no pescoço e brilhantes nos dedos, com os quais apontava para Hunter.

— Aceite — dizia ele, empurrando algo sobre a mesa na direção da mulher. Sem se virar para olhar diretamente para eles, Jeff não conseguia distinguir o que era, mas depois de um tempo concluiu se tratar de um cheque. *Os lucros de Harry Graham.*

— Não quero. Não preciso disso! — Ela estava zangada. Irritada. — Você acha que eu vim aqui atrás de dinheiro?

— Eu não disse isso — respondeu Hunter, em tom conciliador.

— A minha questão nunca foi o dinheiro. Nunca!

Para a tristeza de Jeff, alguém atrás do balcão do bar aumentou o volume da música. Ele não conseguia mais escutar a conversa dos dois. E pior: naquele exato momento, seu telefone tocou tão alto que Drexel e a mulher se viraram e ficaram olhando para ele.

Jeff desviou o rosto, deixou uma nota para o barman e saiu do bar correndo para atender a ligação na rua. Só duas pessoas tinham aquele número. Uma delas era Tracy.

Mas não era ela.

— Mas o que foi? — vociferou Jeff para Frank Dorrien. — Drexel estava a um metro e meio de mim! Por que me ligou?

— Onde você está?

— Num bar. Ele veio se encontrar com uma mulher aqui.

— Namorada?

— Não sei. Pode ser. Parecem íntimos. Hunter tentou dar dinheiro à mulher, mas ela não aceitou. Pode ser Althea, Frank. Preciso voltar lá para dentro. Eles estavam conversando...

— Ele foi do jogo direto para o bar? — perguntou Frank em tom de urgência.

— Isso. Por quê?

— E você não tirou os olhos dele?

— Desde que saiu da casa de Charles. Por que as perguntas, Frank?

— Sally Faiers foi assassinada. Alguém abriu um buraco do tamanho de uma bola de rúgbi no peito dela. Faz umas duas horas.

Jeff soltou o ar lentamente. Tracy gostava de Sally.

— Meu Deus.

— Duvido muito que ele tenha alguma coisa a ver com o ocorrido. Nossos homens estão lá agora, fazendo a limpeza do local. Não podemos deixar a polícia belga se meter nisso.

— Mas espere aí: como você sabia disso? Alguém estava observando o bangalô? Achei que havia dito que eu estava sozinho aqui.

— Esqueça isso — disse Frank, tentando mudar de assunto. — Eles ainda estão no bar?

— Estão. Eu... merda. Estão indo embora.

Sem dar mais uma palavra, Jeff enfiou o celular ainda ligado no bolso e recuou para a sombra da basílica.

— Fique longe de mim! — exclamou a mulher, aos prantos. — Você é um mentiroso!

— Não, não sou. Eu sei o que aconteceu com Daniel. Eu *sei*, Kate.

— É sério. Fique longe!

Soluçando de tanto chorar, ela deu um empurrão tão violento em Hunter que ele bateu as costas com força na parede a poucos metros de onde Jeff estava parado, imóvel como uma estátua. Então, como uma gazela, o cabelo esvoaçante, a mulher foi embora e sumiu na noite.

— Kate! — gritou Hunter indo atrás dela. — Volte aqui! Kate!

Jeff pegou o telefone no instante em que Hunter se afastou.

— Ouviu isso? — perguntou ele a Frank Dorrien.

— Cada palavra.

— E o que eu faço?

Frank hesitou por um segundo. Então respondeu:

— Esqueça Drexel. Siga a mulher.

# Capítulo 25

— TEM CERTEZA DE que não quer ir comigo até o aeroporto?

Cameron estava parado ao lado de sua Mercedes com motorista na entrada para carros de seu château francês. Tracy havia saído para se despedir dele.

— Ou melhor: não quer ir comigo para Nova York? — perguntou ele.

— Em breve estarei lá, prometo. — Tracy deu um beijo nele. — Preciso resolver algumas coisas por aqui primeiro.

Após passar cinco dias se recuperando na mansão de Cameron nos arredores de Paris, dormindo, lendo e sendo paparicada, Tracy se sentia bem melhor. Melhor, entediada e louca para voltar à caça a Althea e Hunter antes que Jeff abrisse uma grande vantagem sobre ela.

Greg Walton fora visitá-la no dia anterior. Relutante, Cameron havia sido convencido a deixá-lo entrar. O que o comandante da CIA tinha a dizer era, no mínimo, perturbador.

— Temos certeza de que Hunter Drexel fez pelo menos quatro visitas ao Camp Paris nos dias que antecederam o massacre. Diversas testemunhas confirmaram sua presença no local. Ele estava se passando por um produtor teatral chamado Lex Brightman e tinha oferecido trabalhos a alguns dos estudantes. Inclusive a Jack Charlston.

— O filho de Richard Charlston.

— Exato. Herdeiro da Brecon Natural Resources e primeira vítima do massacre, depois da pobre professora no estacionamento. Não existe um bom motivo para Drexel ter estado lá, Tracy — afirmou Greg, em tom sombrio. — Pelo menos nenhum bom motivo em que conseguimos pensar.

— Pois é — murmurou Tracy. — Eu também não.

— Conte-me o que aconteceu em Montmartre — pediu Greg. A mudança de assunto foi tão brusca que pegou Tracy completamente desprevenida, o que, presumia-se, era a intenção dele. — Você estava lá, não estava? No momento dos tiros.

— Acho que você sabe que eu estava.

— Hunter apareceu para a partida de pôquer?

— Não, mas era esperado. E estava usando o pseudônimo de Lex Brightman. Óbvio que eu não era a única pessoa que sabia que ele iria aparecer. O sujeito de moto estava lá esperando por ele.

— Quem lhe contou isso? Jeff Stevens? — perguntou o chefe da CIA, maliciosamente.

Tracy suspirou. Não parecia haver motivos para negar.

— Que tal sermos honestos um com o outro, Tracy? Eu sei que não posso confiar nos britânicos, mas preciso confiar em você.

— Ok. Desde que seja uma via de mão de dupla.

Greg abriu um sorriso, e Tracy se lembrou do motivo pelo qual havia gostado dele logo de cara.

— Eu mostro o meu se você mostrar o seu — brincou ela.

Em seguida, Tracy deixou Greg a par da conversa com Jeff, omitindo apenas as suspeitas infundadas de Jeff sobre Cameron e a parte que eles falaram sobre o filho.

— O MI6 tirou fotos de Hunter com uma jovem estudante francesa — contou Tracy. — Pode ser que ele tenha levado um tiro na perna e que a garota o estivesse ajudando. Eles acham que Hunter estava indo para a Bélgica. Foi a última coisa que eu soube antes de... — Ela tocou a cabeça na parte onde o cabelo cobria os pontos.

— Bom, então me permita lhe fazer uma atualização — continuou Greg, já com uma expressão séria. — A garota, Helene Faubourg, morreu.

Tracy pareceu horrorizada.

— Como?

— Envenenamento, ao que parece. A irmã encontrou o corpo caído em cima de um prato de macarrão instantâneo. Ela ingeriu polônio o suficiente para matar um boi.

— E sabemos quem...?

— Nós nunca sabemos quem — respondeu Walton, com um ar sombrio. — Só sabemos que quem encontra Hunter Drexel morre. Aliás, ele foi à Bélgica. Sally Faiers esteve com ele lá. Levou-o de carro para Bruges.

— E como ela está? — perguntou Tracy, animando-se um pouco. — Ela está falando diretamente com você?

— Não. Também morreu.

Tracy escutou horrorizada enquanto Greg lhe contava os detalhes.

— Alguém apareceu lá antes de a polícia chegar. Limpou o lugar todo e não deixou nenhuma impressão digital, nenhuma marca de nada. Só o corpo de Sally

— Ah, não. — Tracy fez uma careta. A morte de Sally tornou todo aquele pesadelo uma questão muito mais pessoal. — E quanto a Hunter?

— Evaporou. Tínhamos uma equipe atrás dele, mas o sujeito é mais escorregadio que uma enguia numa piscina de azeite. Achamos que ele saiu da Bélgica. Bom, pelo menos nunca mais voltou ao bangalô onde estava com Sally.

Tracy processou todas as informações em silêncio. Então, depois de um tempo, perguntou sem rodeios:

— Por que o agente Buck queria tanto me manter fora da caça a Drexel? Sempre que eu perguntava alguma coisa, ele desconversava.

— Porque era perigoso — respondeu Greg, sendo direto. — Quando eu a trouxe para isto, a ideia era que você rastreasse Althea pelas pistas que ela deixava via computador. Eu queria você segura do outro lado da tela, e não correndo risco mundo afora.

— Você me mandou para Genebra, Greg — lembrou-lhe Tracy.

— Eu sei. E talvez não devesse ter mandado. Mas agora é diferente. Hunter Drexel é perigoso, Tracy. Não é quem parece ser. Nós achamos que ele faz parte do Grupo 99 desde o começo.

— É possível — admitiu Tracy.

— Mais do que possível. Achamos que ele forjou o próprio sequestro para atrair os olhares do mundo para o Grupo 99. Para nós, ele foi cúmplice na morte de Bob Daley. Talvez ele e Althea tenham planejado isso juntos. Ainda não conseguimos ligar Drexel ao atentado a bomba em Genebra, mas vamos conseguir fazer isso. Sabemos que ele estava em Neuilly. É muito provável que um dos colegas dele do Grupo

99 tenha matado Helene Faubourg, uma estudante inocente que cometeu um único crime: tentou ajudá-lo. E achamos que outro integrante da organização executou Sally Faiers.

— Por quê?

— Meu palpite é de que as duas sabiam demais. Que talvez, antes de morrer, tenham descoberto a verdade sobre ele.

Tracy massageou as têmporas. De repente, sentiu-se esgotada.

— E o que você quer de mim?

— Antes de tudo, honestidade. O que quer que você tenha descoberto com Stevens sobre Drexel ou com qualquer outra pessoa, divida a informação comigo ou com o agente Buck.

— Jeff não entra em contato comigo desde aquela noite — explicou Tracy, incapaz de evitar o tom de decepção. Provavelmente Jeff sabia que ela havia sido atacada. Os britânicos teriam lhe contado. Mesmo assim, ele não tinha tentado visitá-la, nem no hospital nem depois, no château de Cameron Crewe. Aquilo a deixava magoada.

— Mas vai entrar. Nesse meio-tempo, volte a se concentrar em Neuilly e em quaisquer outros contatos que tenha aqui em Paris e que possam nos ajudar. Meu palpite é que, quando a histeria sobre o massacre diminuir e a imprensa resolver se concentrar em outra história, Drexel vai voltar. Acho que ele ainda tem coisas a fazer por aqui.

Era uma hipótese sensata.

Com Cameron em Nova York, Tracy poderia se dedicar em tempo integral à caça a Hunter Drexel. A questão já não se limitava mais a Nick e ao que Hunter poderia lhe contar sobre Althea. Também tinha a ver com Sally Faiers, com Helene Faubourg e com todas as outras pessoas que tinham perdido a vida porque, de alguma forma, haviam cruzado o caminho de Hunter Drexel.

*Pobre Sally. Ela amava Hunter do mesmo jeito que eu amava Jeff.*

A diferença era que Sally havia confiado em Hunter.

Tracy não cometeria o mesmo erro.

— Prometa que vai descansar um pouco. Que não vai se forçar demais — pediu Cameron, ao fechar a porta do carro e se debruçar na janela aberta para se despedir.

— Prometo — disse Tracy.

Então ela descruzou os dedos, entrou de volta no château e começou a fazer ligações.

*Quem eu conheço em Paris que pode ter visto Lex Brightman?*

*Onde um produtor de teatro nova-iorquino, rico, gay e jogador de pôquer poderia ir?*

HORAS DEPOIS, TRACY foi à joalheria de um velho amigo à margem esquerda do Sena.

Não que ela achasse que Hunter havia comprado uma das joias de Guy de Lafayette, mas porque Guy era *o* epicentro do teatro parisiense — ele sabia de todas as fofocas e de tudo o que os famosos que moravam daquele lado do rio faziam.

Tracy descreveu Hunter para Guy.

— Talvez ele estivesse usando o pseudônimo de Lex Brightman. Ou Harry Graham, ou qualquer outro nome. É muito importante que eu o encontre.

— Que engraçado — comentou Guy.

— O que é engraçado?

— Jeff me disse exatamente a mesma coisa alguns dias atrás.

— Jeff?

— É. Ele falou que vocês dois tinham voltado a trabalhar juntos. Coisa "ultrassecreta" — revelou o velho, com um ar conspiratório, então piscou para ela.

— Ah, foi? — perguntou Tracy. *Que safado filho da mãe. Já voltou a Paris e não me ligou.*

— Ah, Tracy, querida, me diga que vocês dois *estão* juntos outra vez — pediu Guy, efusivo. — Eu poderia morrer feliz se vocês voltassem, de verdade.

O joalheiro baixinho juntou as mãos, começou a saltitar como uma criança com vontade de ir ao banheiro e encarou Tracy com uma expressão suplicante e os olhos brilhantes e travessos.

Tracy não compartilhou de seu entusiasmo.

— Quando Jeff passou por aqui?

— Faz alguns dias. Que Deus o abençoe. E, nossa senhora, como estava lindo! Aquele homem não envelhece. Aliás, nenhum de vocês dois envelhece.

Tracy fez uma cara de quem queria matar alguém.

*Vamos trabalhar juntos. Vai ser como nos velhos tempos.* Que conversa fiada! Jeff estava trabalhando sozinho. E o pior: continuava sendo uma marionete de Frank Dorrien. Bom, esse jogo Tracy também sabia jogar.

Ela sentiu a raiva percorrer o seu corpo, esquecendo por pura conveniência que ela também havia procurado Guy sozinha e tinha acabado de concordar em passar para a CIA todas as informações que conseguisse.

O problema em usar seus velhos contatos para ajudar Greg Walton era que eles também eram contatos de Jeff.

— Então, Jeff lhe pediu informações sobre esse mesmo homem de quem falei?

— Pediu.

— E o que você disse?

— Eu o encaminhei para a Madame Dubonnet, claro. — Guy sorriu. — Pelo que ele me disse, esse homem que vocês estão procurando é um apostador, certo?

— Entre outras coisas.

— Qualquer jogador de pôquer que se preze aqui em Paris acaba indo ver a Madame Dubonnet. Jeff não chegou a lhe contar isso?

— Devo ter me esquecido — respondeu Tracy, rangendo os dentes de raiva.

MADAME DUBONNET ERA uma bruxa desdentada que exagerava no ruge, exalava um cheiro de lavanda misturado com cigarro e usava uma blusa desabotoada o bastante para revelar uma grande parte de sua pele enrugada. Tinha uma voz profunda e grave e uma risada rouca, e suas mãos nodosas e cheias de veias estavam adornadas com diamantes do tamanho de crustáceos.

Apesar da idade avançada, ela claramente se considerava sexualmente atraente. Assim que a viu, Tracy conseguiu imaginá-la ficando encantada por Jeff e, sem dúvida, pelo elegante Hunter Drexel, caso Guy estivesse certo e o jornalista realmente tivesse passado por ali.

— Seu amigo me falou que você viria — disse com ar de superioridade a nariguda Madame Dubonnet, que claramente não gostava da companhia de mulheres mais jovens e atraentes que ela.

— Meu amigo? Está falando de Guy?

— Guy? Quem é Guy? Não! O americano. Monsieur Bowers.

*Sr. Bowers.* Tracy sorriu. Jeff não usava aquele pseudônimo fazia muito tempo.

— Um homem encantador — continuou Madame Dubonnet, com os olhos nitidamente brilhando.

— Apenas por curiosidade: quando o Sr. Bowers apareceu por aqui?

— Não é da sua conta — respondeu a velha, bruscamente. — A questão é que ele me avisou: "Ela vai vir aqui fazer perguntas sobre o amante." E você veio.

Tracy fez uma cara feia.

— Amante?

— *Oui*! Claro, seu amante! Monsieur Graham. Não que você seja a única namorada dele, óbvio. Qualquer homem rico o suficiente para se sentar à mesa de Albert Dumas vive rodeado de mulheres do mesmo jeito que um apicultor vive rodeado de abelhas. *Bzzz bzzz bzzz.*

Quando Madame Dubonnet imitou o zumbido da abelha, sua boca encarquilhada se franziu e formou uma careta grotesca.

— Naturalmente, não estou fazendo julgamentos — acrescentou ela, olhando para Tracy do jeito que um chef de cozinha olharia para um rato se o visse andando por sua cozinha. — Mas existem regras aqui em Paris, até para as amantes.

Tracy juntou as peças. Jeff havia imaginado que Tracy procuraria Guy e que, ao segui-lo, uma hora ou outra acabaria chegando a Madame Dubonnet. Por isso, ele encheu a mulher de informações sobre Hunter e convenceu-a de que Tracy era um casinho qualquer que estava ali para criar problemas para Harry Graham.

— Madame — disse Tracy, com firmeza. — Meu amigo Monsieur Bowers está enganado. Não sou amante do Monsieur Graham. Na verdade, não sou amante de ninguém.

Madame Dubonnet ignorou os protestos de Tracy e apontou um dedo artrítico para o rosto dela que quase a cegou com um brilhante de cinco quilates.

— Sabe, *chérie*, não é legal tentar *entrapper* um cavalheiro ameaçando falar com a mulher dele. — Madame Dubonnet estalou a língua e balançou a cabeça antes de declarar: — Isso eu não aprovo.

Tracy arregalou os olhos. *Caramba, dessa vez Jeff exagerou.*

— Madame, eu posso lhe assegurar que está enganada. Para começo de conversa, Monsieur Graham, como ele mesmo se denomina, não tem nada de cavalheiro. Além disso, não é casado. Embora talvez a senhora esteja certa sobre a coisa das abelhas — admitiu Tracy, pensando no que Sally Faiers havia lhe contado sobre a fila interminável de amantes de Hunter. — De qualquer forma, eu *não* sou amante dele, e o meu "amigo", o Sr. Bowers, sabe muito bem disso. A verdade é que — Tracy abaixou o tom de voz — eu estou trabalhando para a inteligência americana.

Madame Dubonnet abriu um sorriso condescendente.

— *Vraiment? Le C.I.A.?*

— Isso mesmo — respondeu Tracy, aliviada por esclarecer o mal-entendido. — Eu trabalho para a CIA.

— E eu para a NASA, mademoiselle. — A velha riu da própria piada. Então franziu os lábios de novo pela última vez. — Como eu já disse, não discuto a vida particular dos meus clientes. Marianne irá levar você à saída.

JEFF LIGOU PARA Tracy assim que ela saiu do apartamento de Madame Dubonnet e pisou na calçada em frente ao prédio.

— Querida! Como está a cabeça?

Tracy explodiu.

— Não me venha com "querida"! Você disse àquela bruxa que eu sou amante do Hunter Drexel!

Jeff deu uma risada.

— Ah, minha estimada Madame Dubonnet... Então você foi falar com ela?

— Claro que fui. Você sabia que eu iria.

— Não precisa ficar irritada, meu anjo. Eu não disse que você era amante dele. Não exatamente.

— Bom, seja lá o que você tenha dito "exatamente" foi suficiente para me fazer ser expulsa de lá. Então o que "exatamente" ela disse a *você*? O que tanto você quis esconder de mim?

— Nada!

— Conta outra, Jeff. É sério. Ela obviamente conhecia Hunter. Já esteve com ele. O que você sabe? Quando foi a última vez que ele apareceu lá?

— Não faço ideia.

— Mentira.

— Tracy, minha querida, que sentido tem essa conversa, se você se recusa a acreditar em uma só palavra do que eu digo?

— Tem razão — concordou Tracy, furiosa, e desligou o telefone na cara dele.

JEFF LIGOU DE volta imediatamente.

— Pelo jeito, você está completamente recuperada, não é?

Tracy mordeu os lábios. A vontade de desligar o telefone na cara dele outra vez era enorme, mas ela queria muito descobrir o que ele sabia.

— Isso. Muito obrigada. Foi legal da sua parte ter ido me visitar — acrescentou ela, em tom ácido.

— Eu queria ter ido — disse Jeff, parecendo genuinamente magoado.

— Então por que não foi?

— Apareceu uma coisa.

— Sempre aparece uma coisa — disse Tracy, com amargura.

— Ei, espere aí. Também não dá para fazer muita coisa quando seu namorado fica de sentinela no hospital como um rottweiler e depois foge com você para uma torre no meio da floresta, como se você fosse a Rapunzel!

Tracy respirou fundo e contou até três.

— Onde você está agora?

Jeff não respondeu, apenas disse:

— Me encontre na L' eglise Saint-Louis des Invalides em vinte minutos.

— L' eglise les o quê?

— Esteja lá.

POUCO CONHECIDA PELOS turistas, a igreja de Saint-Louis se situava no meio do complexo de Les Invalides, coroada por seu magnífico domo dourado. Projetada pelo arquiteto Jules Hardouin-Mansart, a catedral foi encomendada no século XVII por Luís XIV para servir como um refúgio especificamente para soldados. De suas paredes tomadas por estandartes pendurados à cripta repleta de tumbas de generais franceses, cada pedra do lugar estava imersa em história militar. Mas, naquela tarde, assim como na maioria das tardes, a igreja estava quase deserta; poucos devotos estavam ajoelhados nos genuflexórios ou acendendo velas em memória de alguém.

Assim que chegou, Jeff viu Tracy ajoelhada sozinha numa capela lateral. Ele fez o sinal da cruz, ajoelhou-se ao lado dela e sussurrou:

— Está rezando para pedir o quê?

— Força — sussurrou Tracy em resposta. — Costumo precisar dela sempre que você está por perto.

— Como vai? — perguntou ele, ignorando o sarcasmo.

— Bem.

— Soube que você esteve em coma.

*Nem assim você apareceu*, pensou ela. Em voz alta, disse:

— Estou bem, Jeff. Não nos encontramos aqui para falar de mim. Onde você estava?

— Bruges.

Jeff havia concordado em seguir o conselho de Frank Dorrien, por isso não contou a Tracy sobre sua viagem a Steamboat Springs. Ele teria tempo para isso.

— Viu Drexel? — perguntou ela.

— Vi.

— E soube do que aconteceu com Sally Faiers?

Jeff balançou a cabeça com pesar.

— Soube.

Um sacristão que limpava o tabernáculo e tirava as velas do altar lançou um olhar reprovador para os dois. Jeff abaixou a voz.

— Que coisa horrível — comentou ele.

— Tem ideia de quem fez isso?

— Bom, Hunter eu sei que não foi — sussurrou. — Eu estava de olho nele quando Sally foi assassinada. Ele ganhou uma nota preta numa mesa de pôquer na parte histórica da cidade, depois foi se encontrar com uma mulher. Tracy, tenho quase certeza de que era Althea.

Tracy arregalou os olhos.

— Está falando sério?

Com o máximo de detalhes, Jeff descreveu a mulher com quem Hunter havia se encontrado e a cena que tinha presenciado.

— Seu amigo Frank Dorrien me ligou para falar do assassinato de Sally e me interrompeu exatamente quando os dois estavam discutindo. Mas eu ouvi Hunter chamar a mulher de Kate. Duas vezes.

*Kate.* Um nome. Um nome verdadeiro. Pela primeira vez, Althea era mais do que uma sombra. Talvez não fosse muita coisa, mas já era algo.

— Eles estavam brigando. Se não fizesse ideia do que estava acontecendo, eu teria dito que os dois estavam no meio de uma briga de casal. Drexel queria dar dinheiro à mulher, mas ela não aceitou. E quando foi embora parecia irritada.

— Você disse que a seguiu, certo?

— Isso. A pedido de Dorrien. Mas eu a perdi em uma das praças. A cidade é minúscula mas parece um labirinto, especialmente à noite.

— Eu lembro.

Por um instante, houve uma centelha de carinho entre os dois, uma fagulha da nostalgia compartilhada de outra vida, mas que logo desapareceu.

— Sua vez.

— Não tenho nada para contar. Passei alguns dias me recuperando de um traumatismo craniano grave, lembra? Fiquei longe do caso.

Jeff a olhou de forma amorosa.

— Você vai ter que tentar essa com alguém que não a conheça, querida. Você não teria procurado Guy ou Madame Dubonnet se não estivesse trabalhando. Nem saberia o que aconteceu com Sally Faiers. Então, o que me conta de novidade?

Então Tracy lhe contou as últimas teorias da CIA. Que Hunter Drexel sem dúvida estava envolvido no massacre de Neuilly. E que provavelmente também tinha dedo dele nas mortes de Sally e de Helene.

— Eu não sabia da estudante. Que triste... — disse Jeff, fazendo cara de desconfiado.

— Estou sentindo que tem um "mas" aí.

— Não sei... — Jeff olhou fixamente para Tracy. — É óbvio que Hunter está envolvido com o Grupo 99 de alguma forma. Ele não é quem alega ser.

— Concordo.

— Tanto os americanos quanto os britânicos estão de olho nele agora. E provavelmente têm razão. Mas alguma coisa não bate nessa história.

— Eu também acho — sussurrou Tracy. — Como o fato de ele não ter atirado em Sally Faiers.

— Exato.

— Por outro lado, Frank Dorrien sabia que ela havia sido assassinada minutos depois do ocorrido.

Jeff assentiu.

— Eu estava pensando nisso. Ele poderia estar vigiando a casa.

— Nesse caso, teria visto quem atirou. Mesmo assim, ninguém foi preso.

— Também estava pensando nisso.

— E mesmo assim você ainda confia nele?

Tracy olhou Jeff no fundo dos olhos. Jeff a encarou também, morrendo de vontade de contar tudo para ela. Precisou de toda a sua força de vontade para se controlar.

— Você me conhece — respondeu, com um gracejo. — Não confio em ninguém. E quanto a você?

— Acho que Greg Walton é uma boa pessoa — disse Tracy, não querendo trazer à tona outra vez o nome de Cameron com Jeff. Aprendera a lição na última vez. — Aliás, já que estamos sendo tão "francos" aqui, eu falei com ele que repassaria todas as informações que você me desse.

— Não faça isso — pediu Jeff, mais enfático do que pretendia. — O que chega a Walton chega também a Milton Buck — explicou, cuspindo o nome do agente do FBI como se fosse veneno. — Nunca se esqueça disso, Tracy. Nunca.

Tracy ficou surpresa. Jeff tinha tantos motivos quanto ela para não gostar do agente Buck. Afinal, no que dependesse de Buck, Jeff teria sido deixado para morrer nas mãos de Daniel Cooper, pregado numa cruz em um celeiro num rincão da Bulgária. Contudo, no passado, fora Tracy quem sempre sentira medo de Milton Buck. Jeff o tratava quase como uma piada.

Será que alguma coisa teria mudado?

— Presumo que os britânicos saibam sobre "Kate", certo? — perguntou ela, mudando o rumo da conversa.

— Sabem. Contei a Frank Dorrien tudo o que acabei de lhe contar. O MI6 vem fazendo um trabalho de pesquisa há uma semana em busca de qualquer Kate que tenha feito parte do passado de Hunter.

— E encontraram alguma?

— Um monte. É sério, Drexel faz o Magic Johnson parecer um monge budista. Mas até agora nenhuma delas pareceu significativa. Ainda.

— Entendi — disse Tracy, fazendo outro sinal da cruz e se levantando para ir embora. — Vou começar a trabalhar nisso.

Jeff segurou o braço dela.

— Não suma, Tracy. Acho que Hunter voltou a Paris porque está planejando outro ataque. Esse papo de "reportagem" é só uma fachada.

Tracy assentiu com a cabeça. A ideia de Hunter Drexel como um jornalista inocente e intrépido simplesmente já não era mais crível. Pessoas demais haviam morrido.

— Ele está tentando convencer Kate a ajudá-lo, seja lá quem ela for. Não chegue muito perto dessa mulher. Se você levantar suspeitas, pode correr um grande perigo.

— Acha que eu não sei disso? Numa hora dessas, na semana passada, eu estava em coma — lembrou-lhe Tracy. — Estou nisso por Nick, Jeff. É meu único motivo.

Jeff observou-a sair da igreja de cabeça baixa, como uma viúva de guerra.

*De certa forma, é isso que ela é*, pensou Jeff com tristeza. *A vida dela tem sido uma única* e *longa guerra. E Tracy já perdeu muitos daqueles que amava.*

Naquele instante, ele se sentiu tomado de amor por ela.

Mesmo para Jeff Stevens, havia momentos em que as mentiras não saíam com facilidade.

— OLÁ. VOCÊ ligou para Jeff. Deixe seu recado.

Frank Dorrien estava irritado. Era a terceira vez naquele dia que tentava falar com Stevens e não conseguia.

Depois do acontecido em Bruges, Frank tinha certeza de que Stevens estava de volta a bordo. De que seu cansativo traço inconformista estava sob controle. Mas isso foi antes de Jeff se encontrar com Tracy Whitney outra vez.

Mesmo sem querer, Tracy certamente havia sido útil para Frank Dorrien. Sua ligação com Stevens garantira ao MI6 uma enorme vantagem. Mas as informações que ela fornecia tinham um preço. Quando Tracy e Jeff se juntavam, nada era previsível. E as apostas naquele momento estavam mais altas do que nunca.

Frank Dorrien sentiu as primeiras pontadas de medo real na boca do estômago. Então olhou para o relógio de pulso e saiu correndo para o hotel em que Jeff estava hospedado.

— QUANDO FOI a última vez que você teve notícias de Tracy?

Milton Buck sentiu o tronco tenso de irritação e ressentimento. Quem diabos Cameron Crewe achava que era, interrompendo-o no meio de uma reunião importante com a agência de inteligência francesa?

— Já disse. Não posso conversar agora.

— Estou pouco me fodendo para o que você me disse, agente Buck. Não consigo falar com ela e quero respostas. Agora!

*Que babaca arrogante. Eu não sou um dos seus subordinados.*

— Telefono quando sair da reunião — respondeu Milton, rangendo os dentes.

— Nem se dê ao trabalho — vociferou Cameron. — Vou procurar o seu superior. Só Deus sabe por que estou falando com um subalterno. Nós dois sabemos que Walton é quem manda.

Cameron desligou, deixando Milton Buck furioso.

* * *

Ao FALAR COM Greg Walton, Cameron Crewe se sentiu reconfortado.

— Encontrei com Tracy anteontem. Está tudo bem. Não espero que ela nos contate todo dia.

— Bom, eu espero — disse Cameron Crewe, bruscamente. A tensão em sua voz chegava do outro lado da linha. — Ela sempre retorna minhas ligações, geralmente em menos de uma hora. Já faz um dia e uma noite que não tenho notícias dela.

— Ela está trabalhando, Cameron. Provavelmente reestabelecendo laços com Jeff Stevens. Foi o que pedimos a ela.

— E é isso o que me preocupa. Sabia que ela saiu do Georges V?

Houve uma longa pausa.

— Tem certeza?

— Meu Deus, Greg. Você é da CIA! — explodiu Cameron. — Deveria estar de olho nela.

— Nós vamos encontrá-la — disse Greg Walton, mas toda a sua confiança havia se esvaído, como o ar de um balão furado. — Vou colocar minha melhor equipe no caso. O agente Buck...

— O agente Buck é um maldito imbecil — interrompeu Cameron, furioso. — Esqueça, Greg. Você teve a sua chance. Eu mesmo vou encontrar Tracy.

O PRESIDENTE JIM Havers estava falando estranhamente devagar, como se, ao demorar para pronunciar cada palavra da pergunta, de alguma forma conseguisse adiar a resposta.

— Então você está me dizendo que os dois sumiram?

— É isso o que a minha equipe de inteligência está me relatando — respondeu a primeira-ministra Julia Cabot, de forma sucinta.

— Whitney *e* Stevens.

— Isso.

— Juntos?

— Ao que parece, sim.

— Merda.

Um silêncio grave se abateu sobre os dois líderes. Foi Julia Cabot quem o quebrou.

— Não quer me contar o que está acontecendo, Jim?

— Como assim? — retrucou o presidente, irritado.

— Quem é Hunter Drexel? — perguntou a primeira-ministra com todas as letras. — Quem é ele de verdade?

Jim Havers suspirou.

— Essa é uma pergunta complicada, Julia.

— Então descomplique.

Outro suspiro.

— Não posso.

— Bom, que pena, porque eu aposto que é *exatamente* isto que Whitney e Stevens estão fazendo por aí neste exato momento: descomplicando. E, se conseguirem, *nós dois* estaremos em apuros.

CINCO MINUTOS DEPOIS, Greg Walton, da CIA, e Jamie MacIntosh, do MI6, receberam telefonemas de seus comandantes políticos.

Cada um usou uma linguagem.

Mas a mensagem era a mesma.

*Encontre os dois. Encontre os dois agora. Ou a demissão vai ser a menor das suas preocupações.*

# Capítulo 26

— Em breve começaremos os procedimentos de aterrissagem em Genebra. Por favor, afivelem o cinto de segurança e certifiquem-se de que suas bagagens estão guardadas nos compartimentos...

Tracy nem notou que a chefe dos comissários de bordo explicava a lenga-lenga de sempre. Sentado ao seu lado na classe executiva, Jeff estava num sono profundo. E por profundo Tracy queria dizer profundo mesmo — com a cabeça jogada para trás, a boca escancarada, roncando alto enquanto o peito subia e descia no mesmo ritmo contínuo desde o momento da decolagem.

Tracy já havia voado inúmeras vezes com Jeff. Algumas com todo o luxo, os dois esparramados em jatinhos particulares suntuosos. Outras, em voos notadamente mais simples. Mas sempre, sem exceção, Jeff havia conseguido dormir.

Durante uma viagem memorável, Tracy e Jeff precisaram ficar dentro de pallets, morrendo de dor, com braços e pernas encolhidos, como se fossem dois bonecos articulados. Os pallets foram então lacrados — havia apenas um pequeno buraco para a passagem de ar — e enfiados num compartimento de carga gélido. Pelas oito horas seguintes, os dois não puderam mexer um músculo sequer. Respirar já era uma dificuldade. Ainda assim, sabe-se lá como, mesmo nesse voo infernal, Jeff conseguiu cair no sono. Sua capacidade de se desligar por vontade própria como se fosse um brinquedo eletrônico e apagar por completo era tão impressionante quando irritante.

Observar Jeff fez Tracy relembrar os velhos tempos. Antes de toda aquela loucura. Antes de Nicholas. Antes de tudo. Ela precisou se esforçar para afastar as lembranças. Para sobreviver, precisava focar no presente.

O voo em que estavam se configurava um ponto sem volta. A partir dali, Tracy e Jeff estavam oficialmente por conta própria. Haviam embarcado no jato da Air France como Sr. e Sra. Brian Crick, a caminho de uma viagem de férias para a estação de esqui do belo vilarejo de Megève. Annie Crick era ótima esquiadora. Brian também gostava das montanhas, mas tinha viajado para jogar pôquer.

A ideia tinha sido de Jeff, mas a cada dia que passava Tracy gostava mais e mais dela.

Ao entrarem no quarto de hotel de Tracy em Paris, menos de um dia depois do encontro no complexo de Les Invalides, Jeff soltou:

— E se não for por dinheiro?

Tracy levantou os olhos do computador, cansada. Fazia seis horas que executava um trabalho meticuloso de cruzar referências nas bases de dados da CIA, do MI6 e da Interpol atrás de todas as Kates, Catherines e Kathleens que já haviam trabalhado ou dormido com Hunter Drexel. Ela já estava ficando vesga.

— E se o quê não for por dinheiro?

— O pôquer. E se for apenas um disfarce para outra coisa? E se Hunter estiver usando as partidas para se encontrar com seus conspiradores? E se estiver planejando os próximos ataques durante as mesas?

A pergunta era tão óbvia que Tracy não conseguia acreditar que não tivesse pensado naquilo antes. Que ninguém tivesse levantado essa hipótese.

— Durante todo esse tempo trabalhamos com a suposição de que ele estava jogando para ganhar, para conseguir sobreviver com dinheiro vivo, permanecer fora do radar. Mas e se o dinheiro não for a motivação?

Tracy concordou em fazer uma pausa em sua caça infrutífera a Kate/Althea e checar os outros jogadores identificados nas diversas jogatinas das quais Hunter Drexel havia participado, na Romênia, na Letônia, na França e na Bélgica.

Havia alguns traços em comum. A maioria das mesas era organizada por anfitriões muito ricos, como Pascal Cauchin ou Luc Charles, homens que sem dúvida estavam na lista de alvos do Grupo 99. O setor de energia, em especial o do fraturamento hidráulico, estava bem representado, assim como o das belas-artes. Antoine de la Court, o negociante de obras de arte, havia apresentado Hunter, que usara o pseudônimo Lex Brightman, a Cauchin. Luc Charles, por sua vez, era uma lenda do mundo das belas-artes.

— Drexel pode estar usando obras de arte para reunir fundos para o Grupo 99 — sugeriu Jeff. — Sabemos que metade dos maiores negociantes europeus trabalha com mercadoria roubada ou lava dinheiro.

— Veja só isto aqui! — exclamou Tracy, empolgada.

Uma rápida pesquisa sobre Johnny Cray, o herdeiro americano que havia levado Hunter para a mesa de Bruges, revelou um longo flerte do jovem com as causas radicais da esquerda.

— Ele foi detido em duas passeatas antiglobalização nos Estados Unidos e *acusado* de uma suposta tentativa de atentado a bomba em Davos no ano passado, no Fórum Econômico Mundial!

— E o que aconteceu depois disso? — perguntou Jeff.

— Os pais o livraram das acusações — respondeu Tracy de pronto. — Doaram cerca de 30 milhões de dólares para o caixa dois de um tal Fundo de Desenvolvimento Internacional, na Suíça.

Ela mostrou os números a Jeff. Uma rápida pesquisa havia ligado o nome de Johnny Cray a vários membros e/ou doadores conhecidos do Grupo 99.

Ele e Tracy compraram as passagens dias depois, quando Jeff descobriu que Johnny Cray se encontrava no vilarejo de Megève, na região dos Alpes, onde iria participar de uma mesa de pôquer com apostas altas no chalé de Gustav Arendt — um multimilionário local que havia feito fortuna investindo em ventures de fraturamento hidráulico na África.

— Acorde — chamou Tracy, batendo no ombro de Jeff. — Estamos pousando.

Jeff se empertigou, esfregou os olhos e abriu um amplo sorriso.

— Você está mais linda do que nunca, Sra. Crick. Pronta para esquiar?

Tracy revirou os olhos. Jeff conseguia fazer graça em qualquer situação. Mas aquilo era sério. A CIA ou o MI6 poderiam pegá-los a qualquer momento. Eles haviam apostado todas as fichas no palpite de que Hunter Drexel estaria na mesa em Megève na noite seguinte, que de alguma forma eles poderiam tirá-lo do chalé de Arendt sem provocar um banho de sangue *e* que então Drexel lhes contaria a verdade.

Eram três condições muito complicadas.

E não era só o relacionamento de Tracy com seus chefes na CIA que estava em jogo. Ela também havia feito check out no Georges V, fugido de Cameron sem deixar uma mensagem sequer e destruído seu antigo telefone antes de sair de Paris. Isso ela não conseguia explicar nem para si mesma. Cameron havia tentado ao máximo cuidar dela. Chegara a convencê-la a viajarem juntos para o Havaí, algo completamente anormal, em se tratando de Tracy. Na época, ela quis fazer a viagem. Precisou, até. Estava inebriada pela ideia de ter alguém mais em quem se apoiar. Mas o tempo havia passado. Tracy já estava mais forte e, além do mais, não podia falar com Cameron estando na companhia de Jeff. Simplesmente não podia. Talvez, depois que tudo aquilo acabasse, houvesse um caminho. Um futuro para os dois. Mas até lá...

As rodas do avião tocaram o asfalto da pista e fizeram a aeronave dar um leve solavanco.

— Bem-vindos a Genebra.

COM JEFF AO volante chegando a velocidades insanamente perigosas, eles demoraram menos de uma hora na autoestrada Albertville-Chamonix para cruzar a fronteira de volta para a França e chegar a Megève, um vilarejo idílico nos Alpes franceses nos arredores do Mont Blanc.

Megève ganhava vida de verdade no inverno, quando nevascas constantes e um punhado de hotéis-butiques superluxuosos faziam da cidade a estação de esqui preferida dos parisienses que entendem do assunto. Mas a beleza do lugar também era de tirar o fôlego na primavera. Graças à geleira, era possível esquiar no local até maio.

Tracy ficou encantada de imediato.

— Olhe só para este lugar — disse ela a Jeff. — Parece um conto de fadas.

Adoráveis chalés de madeira rústica e antigos prédios com fachada de pedra se apinhavam em volta de praças com calçamentos de paralelepípedos, com floreiras repletas de vida expostas nas janelas. Nos arredores da cidade, as colinas verdejantes dos Alpes se aqueciam preguiçosamente sob o céu azul, os topos ainda brancos e reluzentes com uma camada permanente de neve. As cafeterias transbordavam para as calcadas, onde os clientes — quase todos franceses — comiam pães recém-assados e lagostins enquanto bebiam Chablis gelado ao sol.

Os Crick — Brian e Annie — estavam hospedados no Les Fermes de Marie, um paraíso estonteante todo construído em madeira, e de longe o hotel mais elegante do vilarejo.

— Veja só, querida. Eles têm um spa maravilhoso. Quer que eu agende alguns tratamentos para nós dois?

Jeff estava adorando interpretar o papel de Brian Crick, um americano escandaloso, impetuoso e vulgar que fazia qualquer francês ranger os dentes de raiva.

— Não precisa, obrigada. — A Annie Crick de Tracy era uma pessoa bem mais discreta. Seu trabalho era ser esquecível, uma mera sombra de seu memorável e extravagante marido. — Vim para esquiar.

— Claro que veio, meu amor. Claro que veio. E eu vim aqui fazer dinheiro! Ha ha ha! — Brian Crick deu uma gargalhada alta o suficiente para o lobby inteiro ouvir. — Estou na cidade para jogar pôquer no chalé de Gustav Arendt

— contou ele ao recepcionista. — Aposto que você conhece Gustav. Deve ser o cara mais rico da cidade, não é?

Enquanto o recepcionista com cara de poucos amigos fazia o check in do casal, Tracy se sentou no bar do lobby. O local tinha um quê de antiquado, todo de bronze e madeira lustrosa com uma janela panorâmica que oferecia aos hóspedes uma vista de tirar o fôlego dos Alpes. As montanhas fizeram Tracy pensar no Colorado, em Nick e em Black Carter. Sentindo uma pontada de culpa, ela percebeu que quase nunca pensava em Blake. A morte de Nick havia monopolizado toda a sua tristeza, mas Blake tinha sido um amigo muito querido. Eles haviam formado uma família de verdade. Pouquíssimas pessoas tinham preenchido esse papel na vida de Tracy.

Gunther Hartog.

Ernestine Littlechap, quando, ainda jovem, Tracy cumpriu sentença na penitenciária.

— Os senhores são amigos do Monsieur Arendt? — perguntou um inglês que havia se sentado ao lado de Tracy. Ela demorou um instante para se lembrar de quem era e onde estava: *Annie Crick, esposa leal e devota de Brian Crick. Uma dona de casa rica de Ohio.*

— Não exatamente amigos. Meu marido o conhece — respondeu ela timidamente. — Ele veio jogar cartas.

— Bom, se ele veio ganhar dinheiro, está no lugar errado — disse o sujeito, apreciando a invejável silhueta de Tracy. Mesmo usando roupas discretas no papel de Annie, com uma calça pantalona e uma blusa cinza-amarronzada de gola alta, ela era de longe a mulher mais atraente daquele ambiente. — Existe um motivo para Gustav Arendt ser o homem mais rico de Megève. Ele nunca perde.

Annie Crick deu uma risada.

— Todo mundo perde às vezes, senhor...?

— Davies. Peter Davies.

Eles apertaram as mãos.

— Arendt não perde. Se o seu marido for esperto, vai ficar bem longe daquele chalé amanhã à noite.

O DIA SEGUINTE amanheceu claro e ensolarado. Tracy passou a manhã alugando esquis e bastões e cuidando do passeio de teleférico. Já Jeff passeou pela cidade interpretando Brian Crick, comprando relógios e joias caras, exibindo seu dinheiro e, sempre que podia, conversando aos berros de um jeito desagradável sobre pôquer, Gustav Arendt e seus planos para a noite.

Ele encontrou Tracy num restaurante especializado em fondues no alto da montanha para o almoço. O lugar estava praticamente deserto e Jeff pôde baixar a voz e sair do personagem por um instante.

— Estou exausto — resmungou.

— Fez compras até não poder mais, não foi? — provocou Tracy.

— É sério. Se fazer de alvo para o Grupo 99 não é tão legal quanto parece. Passei metade da manhã aos berros e a outra metade torrando uma fortuna em monte de porcarias que não quero.

— Nossa, coitadinho de você.

— Além do mais, eu dormi mal — acrescentou ele, num comentário mordaz.

Annie Crick havia passado uma noite muito confortável na cama king size do casal. Por outro lado, Brian não ficou tão bem no sofá, que até era confortável — Jeff já havia caído em sono pesado em lugares muito piores —, mas se deitar tão perto de Tracy e não poder tocá-la ou abraçá-la era uma tortura. Ele mal conseguira pregar os olhos a noite toda.

— Descobriu mais alguma coisa? — perguntou Tracy.

Jeff fez que sim com a cabeça e deu uma longa golada na cerveja gelada que havia pedido.

— Primeiro, que seu amigo Peter estava certo. Gustav Arendt ganha muito dinheiro no pôquer, e com frequência. Tanto que quase nunca recebe um jogador em seu chalé duas vezes. É aquela história: gato escaldado tem medo de água fria. Dizem que ele tem câmeras escondidas para espiar as mãos dos adversários.

— Ele trapaceia?

Jeff deu de ombros.

— Quem sabe? É o que dizem. E, além disso, não sei ao certo se Drexel vai aparecer hoje à noite.

Tracy murchou.

— Por que não?

— Eu não disse que ele não vem. Só falei que não tenho certeza. Pelo que ouvi, nenhuma das vítimas de hoje à noite se parece com ele. Supostamente, os jogadores serão eu; outro sujeito rico de Roma, do ramo de energia; nosso amigo Johnny; e mais outros três.

— Prossiga.

Jeff tomou outro gole da cerveja.

— Um é comerciante de obras de arte em Genebra. Lars Berensen. Conhece?

Tracy balançou a cabeça, mas era algo interessante. Outro comerciante de obras de arte não podia ser coincidência. A não ser...

— Será que é Drexel?

— Acho que não. Parece que Berensen é um sessentão. É muita diferença.

Tracy concordou.

— E quanto aos outros dois jogadores?

— Um empresário chamado Ali Lassferly está sendo esperado. Pode ser esse, não encontrei nada sobre ele no Google. Mas o sujeito com quem falei disse que ele era um francês de origem árabe.

— Drexel seria capaz de se passar por ele.

— Talvez — admitiu Jeff. — Acho que vamos saber à noite. Estou mais interessado é na última pessoa.

— Quem é ele?

— Ela. É mulher. Ao que parece, é uma viúva que mora em Saint-Tropez. Mas é americana. E rica. Adivinha o nome dela?

Tracy sentiu o braço arrepiar.

— Kate?

Jeff se debruçou na mesa.

— Quase. Sra. Catherine Clarke.

— Acha mesmo que pode ser ela?

— Não sei. Mas alguma coisa vai acontecer hoje à noite. Disso eu tenho certeza.

— É melhor eu ir com você — soltou Tracy de repente.

— De jeito nenhum.

— Pode ser perigoso, Jeff.

— Exatamente por isso.

Tracy abriu a boca para protestar, mas Jeff a cortou.

— Temos um plano. Um bom plano. Não há razão para mudá-lo.

Ele tirou um novo celular pré-pago do bolso e o entregou a Tracy. Por precaução, os dois vinham trocando de aparelho de poucos em poucos dias.

— Fique com ele ligado. Se precisar, ligo para você.

GUSTAV ARENDT ESTAVA de mau humor. Por três ótimos motivos.

Mulheres.

Dinheiro.

Hemorroidas.

Alisse, esposa de Gustav, havia descoberto na noite anterior que o marido tinha uma amante, Camille, e vinha agindo de forma irritantemente burguesa sobre o assunto, falando sem parar, gritando, fazendo comentários indecorosos sobre os seios siliconados de Camille e ameaçando pedir divórcio. Gustav não entendia aquela reação.

*O que as mulheres esperam quando se casam com um homem rico? Monogamia?*

A crise de Alisse não poderia ter acontecido em pior hora. Gustav já havia tido uma semana ruim ao perder milhões num investimento malsucedido na Ucrânia. Um terreno que ele acreditava estar vazando gás de xisto pelo ladrão resultara em um retorno patético. Gustav demitira o engenheiro-chefe, mas isso de pouco adiantou para diminuir seu mau humor.

As hemorroidas falavam por si.

O único ponto brilhante no céu negro de Gustav Arendt era a perspectiva de esfolar seus convidados na mesa de pôquer naquela noite. Observando pela janela a estrada que subia até o chalé Mirabelle, ele viu seu primeiro convidado chegar de carro.

E lá estava Luca Androni, com sua barriga enorme e entupida de macarrão, saindo de sua Range Rover conduzida pelo motorista.

*Porco.* Gustav Arendt não gostava dos competidores de seu ramo, e nutria um desprezo especial por Androni. E não ajudava em nada o fato de que, apesar de sua óbvia estupidez, o italiano havia obtido um lucro exorbitante na Ucrânia. Os campos de gás de xisto de Luca Androni no país eram contíguos aos de Gustav. No entanto, Androni conseguira extrair o equivalente a milhões de dólares de suas terras, enquanto as tentativas frenéticas de Arendt haviam gerado nada mais do que um peido fraco.

Gustav adoraria pegar alguns daqueles milhões de dólares de Luca naquela noite. Ao contrário dos pobres cada vez mais indolentes, preguiçosos e ávidos da Europa, ele não precisava do Grupo 99 para realizar seu trabalho sujo. Embora, parando para pensar, Gustav Arendt tenha se surpreendido ao perceber que um homem como Luca Androni *ainda não tivesse* virado alvo do Grupo 99. Pelo menos no papel, o italiano era um candidato perfeito a sofrer com o tipo repugnante de comunismo hipócrita do grupo. O problema dos extremistas violentos era este: eles nunca apareciam quando se faziam necessários.

O segundo jogador a chegar foi Lars Berensen, e logo depois foi a vez do americano ridículo e idiota chamado Brian Crick. Com seus ombros caídos, o andar arrastado e uma calvície que só lhe deixava uma coroa na cabeça, Berensen mais lembrava um fugitivo de uma casa de repouso. No entanto, o negociante de artes era muito mais elegante do que sugeriam sua aparência de velhinho indefeso. Ele havia chegado com um quadro debaixo do braço, para apresentá-lo à sua cliente, a Sra. Clarke. Sem dúvida a vadia tinha pagado muito mais do que a obra valia. Mas isso era com Berensen Gustav permitia que seus convidados fizessem negócios no chalé Mirabelle, sobretudo quando levavam outros patetas ricos para sua mesa de pôquer, e Lars Berensen tinha sido responsável por convidar tanto Catherine Clarke — a viúva rica — quanto o árabe, Lassferly. Berensen havia feito por merecer seu sustento.

Caminhando a passos largos até a porta do chalé, Brian Crick conversava em voz alta com Luca Androni com o braço em volta de seus ombros carnudos, em uma falsa exibição de cordialidade.

— Prazer em conhecê-lo. — Da janela, Gustav conseguia ouvir a voz estrondosa do americano. — Ouvi falar muito de você. Meu nome é Brian. Brian Crick.

Gustav sorriu. O Sr. Crick estaria bem mais quieto quando fosse embora mais tarde. E bem mais pobre. Ele deu duas batidinhas com o dedo no ponto eletrônico e aguardou a voz familiar. Dois andares acima, em um canto obscuro da casa, um técnico observava as imagens de seis câmeras em um monitor de última geração.

— Testando.

Arendt mexeu a cabeça imperceptivelmente para a câmera quatro.

*Mais cristalino impossível.*

TRACY SE SENTOU ao bar. O barman estava arrumando copos de cristal em uma prateleira.

Ela olhou em volta à procura de Peter Davis, mas não encontrou o inglês naquela noite. Na verdade, todo o hotel estava estranhamente silencioso.

O barman se virou para ela.

— O que deseja, Sra. Crick?

— Um gim-tônica, por favor. Gim Gordon's, se tiver, com gelo e sem limão.

— É para já.

Ansiosa, Tracy deu uma olhada no telefone, e então no relógio de parede. Ainda eram só sete da noite. Ela imaginou Jeff chegando para jogar e esperando Hunter Drexel ou Althea aparecerem. Sabia exatamente como ele estava se sentindo naquele momento, a adrenalina percorrendo o seu corpo, os nervos tensos como cabos esticados. Exatamente como nos velhos tempos.

Por um instante, ela sentiu uma pontada de culpa pelo que estava prestes a fazer.

Mas só por um instante.

*Isto não é um jogo*, pensou ela, lembrando a si mesma. *E estes não são os velhos tempos, por mais que Jeff queira que sejam.*

*Eu tenho uma missão a cumprir.*

JEFF NÃO PARAVA de se remexer na cadeira à mesa de jogo.

— Acho que essas fichas são minhas.

Gustav Arendt deu um sorriso presunçoso enquanto abria seu segundo straight flush da noite na toalha de feltro macia. Puxou a pilha de fichas para si como uma criança que agarra um doce. Jeff já tinha visto alguns trapaceiros na época em que jogava, mas aquele ali era um completo sem-vergonha.

Não que Jeff se importasse com as cartas.

Alguma coisa tinha dado errado. Muito errado.

Nem Catherine Clark nem Ali Lassferly haviam aparecido para jogar. Aliás, nem Johnny Cray. Um a menos seria normal, mas três? Não podia ser coincidência Alguma coisa estava acontecendo.

Jeff não era o único decepcionado com a ausência dos jogadores — Gustav Arendt estava claramente irritado por não contar com três carteiras polpudas a mais para saquear. Mas Berensen, o comerciante de obras de arte, parecia prestes a chorar. Olhava para a porta, como se, contra todas as expectativas, os três ausentes fossem entrar por ali. Depois, olhava para o quadro que havia levado, um retângulo embrulhado com todo o cuidado e escorado solitariamente na parede do chalé.

*Alguém deu a dica para os outros não virem. Mas ninguém contou a Berensen.*

A situação era ruim por diversos motivos. Primeiro, porque os planos da noite teriam de ser jogados no lixo. Mais uma vez, o peixe havia escapado da rede.

O segundo era muito mais grave.

*Drexel e o Grupo 99 sabem que estamos aqui.*

*Eles sabem disso.*

*Será que sabem também onde nos hospedamos?*

Jeff imediatamente pensou em Tracy, no Les Fermes de Marie. Será que ela estava segura? Jeff queria ligar para ela, mas não podia sair do jogo até Arendt fazer uma pausa, não sem levantar suspeitas.

Por fim, depois do que pareceu uma eternidade para todos, Luca Androni jogou as cartas na mesa desgostoso e anunciou que iria embora.

— Eu também. — Jeff bocejou alto, ainda interpretando o papel do estabanado Brian Crick. — Ninguém aguenta apanhar tanto em uma noite só. Obrigado pela hospitalidade, Gustav.

Jeff pegou o talão de cheques e entregou a Arendt o que ele e Tracy costumavam chamar de "cheque bumerangue" — uma obra de arte das falsificações — de meio milhão de dólares e saiu às pressas.

Já no carro, ele ligou para Tracy, mas ela não atendeu.

*Que estranho.*

Então mandou uma mensagem de texto:

— Comece a fazer as malas. Clarke e Lassferly não vieram jogar. Chego em dez minutos.

JEFF SAIU DO carro, deixando o motor ainda ligado, e entrou correndo no hotel.

Ele ignorou a recepcionista que tentava chamar sua atenção, entrou num elevador que aguardava no lobby e subiu direto para o quarto, mas então descobriu que o cartão magnético que servia como chave não estava funcionando.

— Annie? Querida? — Jeff bateu à porta com força.

*Droga, Tracy!*

Ele descontou sua frustração na recepcionista.

— Fui trancado do lado de fora do meu quarto — afirmou ele, furioso. — E não consigo encontrar minha mulher.

— Eu tentei lhe dizer aqui embaixo, Sr. Crick, quando o senhor entrou correndo pelo hotel. A Sra. Crick fez o check out no começo da noite. Pagou a conta toda. Presumi que o senhor e sua esposa estavam indo embora de Megève, porque a Sra. Crick levou toda a bagagem.

— Toda?

— Sim, senhor.

A cabeça de Jeff estava a mil.

*Meu laptop.*

*Meu outro celular.*

— Se ainda precisarem do quarto, posso reativar seus cartões...

Mas Jeff já estava correndo.

TRACY ESTAVA NO banco de trás de um táxi, baixando o último arquivo do disco rígido de Jeff enquanto se aproximava de Grenoble. Àquela hora da noite as estradas estavam vazias. Ela chegaria ao trem com tempo de sobra.

*Pobre Jeff. Espero que ele me perdoe quando tudo isso acabar.*

Jeff. Cameron. Greg Walton. Tracy teria de dar explicações a um monte de gente, mas não se importava. A única pessoa com quem se importava de verdade era Nick.

Tracy fechou os olhos e se concentrou no rosto do filho.

*Eu estou perto, meu amor. Muito perto. Vou fazer isso por você, prometo.*

A ida com Jeff a Megève e a armação de toda a cena do pôquer haviam sido complicadas, mas necessárias.

Tracy conseguira todas as informações de que precisava.

É hora de dar um fim *nisso.*

JEFF NUNCA HAVIA dirigido tão rápido na vida.

Parte dele queria estrangular Tracy com as próprias mãos. Mas a outra queria lhe dar um beijo apaixonado e nunca mais deixá-la ir embora.

Tracy não havia mudado. Não de verdade. Não no fundo. Ela poderia dizer o que quisesse.

Aquela noite era a prova cabal, mesmo que também provasse que ela havia mentido para ele o tempo todo. Tracy sabia o paradeiro de Hunter Drexel. Provavelmente também sabia a identidade de Kate. E não era numa partida idiota de pôquer que Jeff descobriria nada disso.

*Tracy descobriu. E me jogou para escanteio. Ela não confia em mim.*

A partida de pôquer havia sido uma armação. Toda ela, menos a parte de Gustav Arendt ser um trapaceiro. Johnny Cray nunca apareceria. Quanto a Catherine Clarke e Ali Lassferly, quem quer que fossem...

De repente, um pensamento fez Jeff travar. Ele parou o carro, abriu o porta-luvas e pegou caneta e uma folha de papel.

Então escreveu todas as letras com cuidado.

A-L-I-L-A-S-S-F-E...

*Não acredito!*

Jeff soltou uma gargalhada.

Ali Lassferly era um anagrama.

De Sally Faiers.

Talvez uma homenagem por parte de Tracy?

Pisando fundo no acelerador, Jeff voltou para a autoestrada e sentiu uma onda de alegria momentânea. Tracy ainda era a mesma mulher maravilhosa, inteligente, conspiradora, trapaceira e perfeita de sempre. E ali estava ele, perseguindo-a. Outra vez.

Jeff olhou para o ponto vermelho no rastreador por satélite que havia ligado ao painel do carro e sorriu. Tracy estava seguindo para a estação de trem de Grenoble.

Ainda bem que ele havia colocado o dispositivo de rastreamento no telefone dela.

*Estou bem atrás de você, minha querida.*

Jeff Stevens também não havia mudado nada.

* * *

A ESTAÇÃO DE trem de Grenoble estava mais movimentada do que Jeff esperava tão tarde da noite.

O enorme quadro de horários no pátio da estação anunciava a chegada e a partida de um grande número de trens, muitos deles de destinos internacionais.

Segurando firme o rastreador por satélite, Jeff costurou por entre grupos de viajantes cansados e começou a se aproximar do ponto vermelho que representava Tracy.

O aparelho gerou uma linha reta que culminava na plataforma 13, onde um trem aguardava para seguir viagem. Pelo letreiro na cancela, Jeff descobriu o horário de partida e o destino do trem: Roma. Ele tinha dois minutos para embarcar.

— *Billet.* — O inspetor ranzinza no portão de embarque fez cara feia para Jeff quando ele tentou forçar a entrada na plataforma.

— Estou atrasado. Eu pago quando embarcar! — exclamou Jeff, batendo o dedo freneticamente no mostrador do relógio.

— *Billet* — repetiu o homem, impassível.

Jeff quis dar um soco na cara daquele francês feio, queixudo e miserável, mas não podia se dar ao luxo de ser preso, não antes de tomar o assento diante de Tracy e sua cara.

*Que bom ver você aqui, querida.*

Esqueça Hunter Drexel. Só a expressão no rosto de Tracy já valeria a pena.

Jeff deu meia-volta e correu para a bilheteria, praticamente entrando em combustão de tanta frustração enquanto esperava a família à sua frente argumentar sobre as tarifas.

— *Je vous en prie!* — implorou, acenando com notas de euro graúdas para o grupo e apontando desesperadamente para o trem que partia para Roma. — Por favor! Eu preciso pegar aquele trem. Preciso resolver um assunto urgente.

Ao voltar correndo para a plataforma 13, ele chegou bem na hora em que a cancela estava sendo fechada. Foi então que ele a viu, de cabelo preso para trás e usando a mesma blusa creme de gola rulê e calça cinza sob medida que vestia mais cedo. Ela estava na outra ponta da plataforma, no primeiro vagão do trem. Pôs a cabeça para fora da porta e olhou para o pátio enquanto o guarda apitava. Com uma expressão satisfeita, voltou a se sentar no trem.

Jeff mostrou a passagem ao guarda.

— *Mon billet.*

O homenzinho atarracado deu de ombros.

— Desculpe — disse ele em francês. — Tarde demais. A cancela já fechou.

O trem começou a andar.

O rosto de Jeff se anuviou por um instante. Então ele abriu um sorriso para o homem.

— Eu que peço desculpas, mas acho que você não me ouviu direito — disse.

O punho de Jeff acertou a maçã do rosto do homem e produziu um estalo satisfatório. Uivando de dor, o sujeito caiu no chão. Jeff pulou o balcão e correu na direção do trem, que ganhava velocidade.

— *Monsieur!* — gritou um guarda correndo atrás dele. — *Arrêtez!*

Mas Jeff continuou correndo, com os braços escancarados, e conseguiu abrir uma porta com violência e se jogar dentro do trem antes de ele ganhar mais velocidade e impossibilitar a ação. Ofegando e rindo ao mesmo tempo, ele se dobrou e relaxou a cabeça nos joelhos enquanto recuperava o fôlego.

*Estou velho demais para essas brincadeiras. Ainda mais a esta hora da noite.*

Assim que recobrou o fôlego, Jeff endireitou a gravata, alisou o cabelo e andou calmamente pelo corredor do trem rumo ao vagão de Tracy. Pelo menos por ora, ele estava a salvo. Estava em um trem de alta velocidade, e sua primeira parada era prevista após o cruzamento da fronteira com a Alemanha. Depois de uma breve parada em Munique, ele seguiria para o sul, atravessando a Itália durante a noite e chegando a Roma na hora do almoço do dia seguinte.

Era tempo suficiente para Jeff saborear o triunfo sobre Tracy — ela era inteligente, mas ele era mais —, e convencê-la de que, como ela nunca conseguiria afastá-lo de vez, poderia muito bem abrir o jogo e deixá-lo ajudar a capturar Drexel e Kate.

Dessa vez, a sério.

Apesar de ser um trem noturno, parecia haver apenas um vagão com leitos. A maioria deles tinha assentos normais, muitos dos quais sinalizados com papéis com a palavra RESERVADO presos no alto dos apoios para cabeça. Pessoas tomavam café, dormiam ou liam as notícias em seus iPads. A pouca conversa que se ouvia era baixa, uma mistura murmurada de francês, alemão e italiano.

Quando chegou ao primeiro vagão, Jeff sentiu a empolgação crescer. O pontinho vermelho no rastreador emitiu um único e sólido bipe e parou de piscar.

Ela estava ali.

Jeff havia encontrado Tracy.

Ele agiria com gentileza na vitória. Afinal, ainda precisava fazê-la mudar de ideia, e de nada adiantaria ficar se gabando.

Jeff viu Tracy se inclinar para a frente e enfiar a mão na bolsa procurando alguma coisa. Um telefone.

Então ele se sentou ao lado dela e esperou que ela levantasse a cabeça e em seguida congelasse, horrorizada.

— Está tudo bem com você? — perguntou uma mulher que ele nunca tinha visto, encarando-o com uma expressão intrigada. — Parece que viu um fantasma.

Jeff olhou primeiro para a mulher, depois para o telefone que ela segurava. Era o aparelho de Tracy, o mesmo que ele lhe dera no restaurante especializado em fondues menos de 12 horas antes.

— Esse telefone... onde você o conseguiu? — perguntou, aturdido.

— Não faço ideia — respondeu a mulher, com uma expressão intrigada. — Não é meu. Acabei de encontrar. Alguém deve ter deixado o aparelho na minha bolsa por engano.

O coração de Jeff começou a bater forte. Naquele exato momento, seu telefone vibrou ao receber uma mensagem de texto.

Ele o arrancou do bolso.

Só uma pessoa tinha aquele número.

*Desculpe, querido*, escreveu Tracy. *Aproveite Roma. T.:**

Agitado, Jeff abordou um guarda que passava por ali.

— Desculpe — disse ele em um francês capenga. — Houve um engano. Uma emergência. Tenho que sair do trem.

O guarda sorriu.

— Sinto muito, monsieur. Este trem só para na fronteira.

— Você não está entendendo.

— Não, monsieur, *o senhor* é que não está entendendo. Se precisar de um médico, contamos com um a bordo.

Jeff afundou de volta no assento.

Ele não precisava de médico.

Olhou para a mensagem de Tracy por um minuto inteiro. Então, levantou-se rigidamente e avançou pelo corredor vazio para fazer sua ligação seguinte.

FRANK DORRIEN ESTAVA em um sono profundo quando seu telefone tocou.

— Perdi Tracy.

A voz de Jeff Stevens acordou Frank de imediato, como um copo de água gelada no rosto.

O general se sentou na cama.

— E onde você se enfiou?

— Não importa. Tracy está em perigo. Em grande perigo. Preciso da sua ajuda, Frank.

CAMERON CREWE ESTAVA diante do túmulo do filho.

Fazia um dia de calor escaldante em Nova York, abafado, úmido e sem o menor sinal de uma brisa. O suor escorria pelas costas de Cameron, mas ele mal notava.

O cemitério da Igreja de São Lucas, no Queens, era um modesto pedaço de terra quadrado, em boa parte coberto por mato e tomado por ervas daninhas, formando um emaranhado de cruzes enferrujadas e lápides esmaecidas. Muitas eram de crianças. Crianças esquecidas, ao que parecia. Mesmo assim, o lugar transmitia uma aura de paz, de beleza e discrição. Cameron ia ao cemitério com frequência cuidar da lápide de Marcus, uma simples e limpa pedra de mármore.

Charlotte, a mãe de Marcus, também fazia visitas frequentes, embora não tivesse aparecido nos últimos tempos. Na verdade, de acordo com a polícia, a mãe de Charlotte, ex-sogra de Cameron, havia comunicado oficialmente o desaparecimento da filha na semana anterior. Cameron prometera informar aos detetives se recebesse qualquer notícia da ex-esposa.

Mas não recebeu.

E também não havia recebido notícias de Tracy fazia mais de duas semanas. Parecia que todos estavam sumindo, se esvaindo da vida dele tão de repente quanto haviam entrado.

*Tudo passa.*

*Nada dura para sempre. Muito menos o amor.*

O telefone de Cameron tocou. Ele fechou a cara por ter de interromper aquele momento. Provavelmente havia se esquecido de desligá-lo.

— Sim? — atendeu bruscamente.

— Temos uma pista.

Era uma voz masculina. Uma voz que Cameron não escutava havia tempo. Muito tempo.

— Onde?

— Itália. Na região dos Lagos.

— Quando você pode ir para lá?

— Amanhã. Preciso de fundos.

Cameron soltou uma bufada irônica.

*Sempre precisando de fundos, não é?*

— Vou lhe mandar mais 100 mil.

Ele desligou e tentou reencontrar a paz em que se encontrava momentos antes, sentir a presença de Marcus. Mas ela já havia sumido.

Por fim, Cameron enxugou o suor da testa, deu meia--volta e arrastou os pés de volta para o carro.

TRACY SORRIA ENQUANTO o Airbus A300 ganhava altura rapidamente no céu azul.

*Coitado do Jeff. Oito horas preso em um trem sem a menor chance de fugir!*

Àquela altura, ele certamente já havia encontrado a mulher mais bonita a bordo e começado a dar em cima dela de forma implacável. Qualquer coisa para se distrair do fato de ter sido enganado.

Mas o fato era que Jeff *tinha* sido enganado. Todos eles tinham.

Satisfeita, Tracy tomou um gole de seu champanhe.

O dia do acerto de contas havia chegado.

# Capítulo 27

O LAGO MAGGIORE PARECIA um sonho, uma imagem de cartão-postal que havia se materializado. Tracy estava em uma pequena pousada a segundos da margem do lago. Toda manhã, após um café da manhã delicioso regado a frutas frescas, iogurte caseiro e pães doces, que eram uma especialidade da casa, ela descia com toda a calma para nadar no lago. Na maioria das vezes, era a única banhista. A água azul cristalina era apenas dela. Naqueles momentos gloriosos, Tracy se sentia uma rainha, alheia à realidade.

Virando-se para ficar deitada de costas e olhando para o céu azul, o monte Rosa assomando como um gigante benevolente, Tracy imaginava que era uma pessoa completamente diferente. Uma princesa, flutuando em um reino de conto de fadas. Ou uma alma inquieta recém-chegada ao paraíso.

Será que Nicky estava em algum lugar parecido com aquele? Tracy esperava que sim. Ali, ela se sentia próxima do filho, em paz, tranquila. O que era estranho, dado o motivo de sua ida para lá.

Um velho amigo tinha lhe avisado que Hunter Drexel havia sido visto no norte de Itália. Antonio Sperotto era um gentil ladrão que morava em Milão, especializado em peças roubadas dos mestres eclesiásticos. Além disso, era um jogador inveterado.

— Seu amigo apareceu no castelo Borromeo — informou Antonio a Tracy. — Pelo menos eu presumo que seja ele. Está usando o pseudônimo Lester Trent, de quem ninguém nunca ouviu falar.

— Você estava na mesa?

— Não, mas um amigo estava. Evidentemente, o Sr. Trent levou mais de 200 mil euros de um dos Agnellis. Causou uma grande comoção, disso pode ter certeza.

— Esse seu amigo chegou a falar com Hunter? O que mais ele descobriu?

Antonio Sperotto deu uma risada.

— Minha querida, isso é pôquer sério, não é como um clube do livro. Ninguém fica de conversinha. Embora uma das filhas de Borromeo tenha aparecido na sala em certo momento, o que deixou alguns jogadores distraídos.

— Mas não seu amigo, imagino — provocou Tracy. Antonio era tão gay que faria Liberace parecer um machão. A maioria dos amigos dele se encaixava nesse perfil.

— Querida, Giovanni sabe apreciar a beleza em todas as suas formas — retrucou Antonio. — Mas não. Suspeito que estivesse mais distraído com os afrescos. Sabia que os afrescos de Borromeo são os exemplares mais antigos de obras laicas do gótico italiano ainda existentes? Foram pintados em 1342, mas as cores brilham como se tivessem sido finalizados ontem!

Tracy não sabia. E estava mais interessada em Lester Trent.

— Trent apreciou a jovem — contou Antonio —, porém dizem as más línguas que geralmente ele prefere companheiras vindas das camadas inferiores da sociedade. Ele gosta de profissionais.

— Prostitutas?

— É o que dizem. Parece que ele colocou um monte de mulheres numa balsa para levá-las aonde está hospedado.

Tracy pensou em Sally Faiers, em seu amor por Hunter, sua lealdade ao jornalista. Sally havia ido à Bélgica para tentar ajudar Drexel e acabou assassinada com um tiro devido aos problemas que estava causando. E agora ali estava ele, enquanto o cadáver de Sally ainda nem havia esfriado, transando com outras mulheres feito louco, sem dúvida enquanto planejava seu próximo assassinato em nome do Grupo 99.

*Desgraçado.*

— Onde ele está? — perguntou ela a Antonio.

— Em uma mansão medieval deslumbrante chamada Villa Michele, que fica em uma das ilhas particulares. É uma propriedade da família Visconti, da aristocracia local. Ele provavelmente a alugou.

— Visconti — murmurou Tracy. — Tenho a sensação de que já escutei esse nome.

Antonio deu de ombros.

— É uma família rica. Não está no nível dos Borromeos, mas tem dinheiro. É dona de uma coleção fabulosa de joias de diamantes, uma das maiores da Itália.

— Deve ser isso mesmo. — Tracy sorriu.

Aos poucos, uma expressão preocupada tomou conta do semblante de Antonio Sperotto.

— Você não vai tentar fazer alguma besteira, vai, Tracy?

— Eu? Nunca.

— Esse tal de Drexel me parece uma baita encrenca.

— E é — confirmou ela, falando num tom sério. — Mas ele sabe de coisas, Antonio. Coisas que eu preciso saber.

— Pelo amor de Deus, tenha cuidado.

— Pode deixar. — Tracy o abraçou. — Prometo.

O passo seguinte era descobrir como obter acesso à Villa Michele sem alertar Hunter ou qualquer outra pessoa sobre sua presença. Até então Tracy não tinha visto sinal do MI6, da CIA ou do Grupo 99, mas tinha certeza de que todos eles estavam empregando recursos consideráveis para descobrir o que ela já sabia. Era questão de tempo até aparecerem na região dos lagos italianos. Tracy precisava concluir sua missão antes de eles chegarem e de Drexel dar o fora outra vez.

Infelizmente, o aceso à mansão dos Viscontis se mostrou mais difícil do que ela havia imaginado, em parte porque se tratava de uma fortaleza construída no século XV, com muros de mais de um metro de espessura, impossíveis de escalar e projetados para manter do lado de fora séculos e séculos de saqueadores; e em parte porque se situava em uma ilhota, na verdade era apenas um afloramento pedregoso na extremidade sul do lago. Ou seja, estava perto o suficiente da margem para que qualquer um que tentasse se aproximar de barco fosse visto tanto pelos dois maiores hotéis cinco estrelas da cidadezinha quanto por boa parte dos moradores das casas que margeavam o lago. Isso sem contar que a delegacia local ficava praticamente em frente à propriedade, como se estivesse desafiando alguém a tentar invadi-la.

Apesar desses obstáculos, em menos de 24 horas Tracy já havia pensado num plano.

Mas, antes de dar o passo decisivo, havia outra coisa que ela precisava fazer.

* * *

De volta à pousada, Tracy ligou para o número privado de Cameron de seu novo celular com número italiano. Caiu direto na caixa postal.

*Que estranho. Ele deve estar viajando.*

Tracy desligou.

Ela havia ligado para se despedir. E para pedir desculpas. E também para dizer que o amava. Mas nada disso poderia ser dito em uma mensagem que seria encaminhada para a caixa postal.

*Talvez seja melhor assim.*

Então, de repente, o telefone dela tocou.

— Tracy? — A voz de Cameron estava carregada de preocupação. — É você?

Tracy hesitou. Já estava quase arrependida por ter tentado ligar, mas era tarde demais.

— Sim. Sou eu.

— Graças a Deus. Estou louco de preocupação. Pelo menos uma de vocês está bem.

— Uma de nós?

— Charlotte desapareceu — disse Cameron, abruptamente. — Minha ex-mulher. Eu chamei a polícia... enfim, mas isso não importa. Onde você está?

Tracy respirou fundo.

— Não importa. Eu estou segura.

— Você não está segura! E importa, sim.

Ele parecia desesperado. Tracy se sentiu horrível por isso.

— Eu liguei para me despedir — revelou ela. — E para agradecer. E para lhe desejar felicidades.

— Pare — pediu Cameron, com a voz firme. — Tracy, escute. Podemos falar sobre nós dois mais tarde. Mas agora eu preciso que você aceite que está correndo um grande perigo. Você encontrou Drexel, não encontrou?

Tracy permaneceu calada.

— Se encontrou, acredite, é porque ele *quer ser encontrado*. É uma armadilha, Tracy!

— Acho que não — retrucou ela, baixinho. — Preciso ir.

— Pelo amor de Deus, Tracy, acorde! — exclamou Cameron, desesperado. — É uma armadilha! Hunter *queria* que você o encontrasse.

— E por que ele iria querer isso?

— Porque sabe que você vai tentar confrontá-lo sozinha. E, quando isso acontecer, vai matar você — explicou Cameron, com um tom de voz mais brando outra vez. — Por favor, querida. Me diga onde está. Me diga onde Drexel está. Eu não vou contar a Walton ou a Buck, eu juro. Eu mesmo vou ajudar você. Só não faça nada sozinha.

Os olhos de Tracy ficaram marejados. Ela olhou para o relógio de pulso. Em seis segundos, ele seria capaz de rastrear sua localização.

— Adeus, Cameron. E boa sorte.

Ela desligou o telefone, arrancou a bateria do aparelho e jogou o celular na lareira.

— ESTÁ ATRASADO.

Frank Dorrien fechou a cara para Jeff Stevens. Eles haviam combinado de se encontrar no Café Italia, que ficava na Piazza Grande, em Arezzo, ao meio-dia. Já era meio-dia e três.

— Por pouco.

Jeff olhou para seu relógio Patek Philippe e se sentou à mesa. De calça de linho, camisa larga de mangas curtas e chapéu-panamá, Jeff estava perfeitamente vestido para o calor que fazia — ao contrário do general, que havia aparecido com uma blusa de botão por baixo de um paletó de tweed pesado, sapatos brogues e meias.

*Se ele ficar um pouquinho mais inglês, vai acabar no Museu Britânico*, pensou Jeff.

— Como assim "por pouco"? Atraso é atraso — retrucou Frank, nervoso. — Você consegue perceber que a culpa é toda sua por estarmos nesta situação? O tempo está se esgotando, Jeff.

— Eu sei. Desculpe.

— Desculpas não vão salvar Tracy. Nem as outras pessoas que Drexel e seus comparsas do Grupo 99 estão planejando matar neste exato momento.

— Meu Deus, Frank! Já entendi, ok? — rebateu Jeff, com a voz entrecortada. — Eu fiz merda. Pensei que Tracy e eu...

Ele parou a frase no meio.

Frank Dorrien tomou um gole de chá e fez uma careta. Estava morno e nojento, como todas as bebidas que havia tomado desde que chegara à Itália. Bastou que agentes britânicos relatassem ter visto alguém que acreditam ser Alexis Argyros na região dos lagos da Itália para James MacIntosh mandar Frank de avião para lá.

Se Apollo estava no norte da Itália, havia boa chance de Drexel também estar, embora o líder grego do Grupo 99 fosse um alvo por si só.

Ironicamente, foi Frank Dorrien quem havia insistido para Jeff também ser levado.

— Sem chance. — Jamie MacIntosh ainda estava irritado com Jeff e sua decisão imprudente de desaparecer com

Tracy. — O Sr. Stevens deixou bem claro a quem é leal. E não é a nós.

— Não me interessa a quem ele é leal — retrucou Frank com rispidez. — Ele ainda é nossa melhor chance de encontrar Tracy Whitney. E *ela* é nossa melhor chance de encontrar Drexel.

No fim, mesmo relutante, MacIntosh concordou. Os americanos tinham perdido totalmente o controle sobre Tracy Whitney. Com Jeff Stevens na equipe e essa nova informação sobre Argyros, o MI6 retomava o controle da situação.

*Se pelo menos soubéssemos aonde estamos indo*, pensou Frank Dorrien, com amargura.

— Argyros está escondido, ao menos por enquanto — disse ele a Jeff. — Agora nossa prioridade tem que ser encontrar Tracy.

— Concordo. Por onde sugere que comecemos?

Havia momentos em que Frank Dorrien seria capaz de estrangular Jeff Stevens com um sorriso no rosto.

— Por onde *eu* sugiro...? Você é quem deveria ser mais esperto do que ela, lembra? Embora, depois da confusão no trem, eu não tenha mais certeza se você é capaz.

Jeff olhou para os sapatos com uma expressão tristonha.

— Pense, homem. Drexel está aqui, em algum lugar. Tracy o encontra e acha que é a única pessoa que sabe que ele está aqui, mas se engana. Argyros está logo atrás dela.

— Ou à frente dela. Talvez Argyros já tenha encontrado Hunter.

— Talvez. E quem sabe o tenha matado. Ou vai ver essa nunca tenha sido a intenção de Argyros. Pode ser que ele esteja aqui para se encontrar com Hunter como um comparsa.

Um amigo. Talvez estejam conspirando e planejando juntos o próximo massacre de Neuilly.

Jeff sentiu um calafrio.

— Esperamos que não.

— Mas Tracy não sabe. Ela acha que está sozinha.

— Certo.

— Então, que plano ela tem em mente? O que ela faria agora?

Jeff fechou os olhos, rezando para ter uma inspiração. E, para seu espanto, assim como o de Frank, ele teve.

De repente, ele se endireitou na cadeira e disse:

— Tive uma ideia.

TRACY DESLIGOU O motor da lancha quando começou a se aproximar da muralha externa de Villa Michele.

Ela estava de saltos plataforma altíssimos, meias arrastão e vestido preto de Lycra apertado que deixava pouco espaço para a imaginação. Seus seios, que em geral não eram seu ponto forte, pareciam enormes e empinados naquela noite, graças a seu sutiã com enchimento. Como não era o tipo de vestimenta que permitia esconder uma pistola com facilidade, Tracy levava uma bolsa acolchoada, uma imitação barata Chanel feita de plástico brilhante e fácil de limpar.

Ela sentia frio, estava desconfortável e se achava ridícula. Mas sua roupa havia funcionado. O velho que lhe alugara o barco na doca nem prestou atenção nela, tampouco pediu carteira de identidade. Todas as garotas que iam para a mansão como convidadas do Sr. Trent pagavam em dinheiro e só na volta. Prostitutas eram boas clientes, regulares, confiáveis, e quase nunca precisavam do barco por mais do que algumas horas.

Tracy se encaixava perfeitamente no perfil.

O velho lhe explicara que, ao chegar à ilha da família Visconti, ela deveria atracar o barco amarrando uma corda pesada a uma argola de ferro aparafusada ao muro do ancoradouro particular. Como chegou, Tracy demorou um pouco para localizar a tal argola, devido à escuridão. Ao encontrá-la, notou que ela mais parecia um objeto tirado de uma masmorra medieval — era enorme, rangia e estava enferrujada. Quando enfim conseguiu prender o barco, suas mãos estavam congelando e em carne viva, e suas palmas estavam sujas e cobertas de ferrugem.

*Uma prostituta de verdade carregaria lenços umedecidos na bolsa*, pensou Tracy. *Eu só trouxe uma pistola, um celular novo, um grampo e uma escuta.*

Ao saltar do barco para a faixa estreita de grama ao pé da muralha, ela limpou as mãos na relva o melhor que pôde. À sua direita, viu uma escadaria íngreme que levava a uma porta de madeira, que por sua vez conduzia ao jardim italiano e à mansão em si. Uma câmera de circuito interno de TV logo acima de sua cabeça mirava a escuridão do lago sem capturar sua imagem. Tracy passou por baixo dela, chegou ao pé da escadaria e começou a subir.

Ela estava preparada para arrombar a fechadura, mas percebeu que a porta de madeira fora deixada aberta. A voz de Cameron Crewe ressoou em seus ouvidos. *Ele quer ser encontrado. É uma armadilha, Tracy!*

Talvez fosse verdade.

Nesse caso, Hunter Drexel deveria ter cuidado com o que desejava.

O coração de Tracy batia forte enquanto ela atravessava o bem-cuidado jardim italiano. Ela estava esperando os alarmes dispararem, um holofote iluminá-la de repente ou que guardas aparecessem correndo atrás dela, recém-despertos do sono, ainda embriagados. O barulho de seus passos no caminho de cascalho lhe soava ensurdecedor à medida que ela avançava entrando e saindo das sombras dos álamos. Segundo as pesquisas de Tracy, o lugar não era guardado por cachorros, mas mesmo assim ela esperava ouvir a respiração pesada e ofegante de dobermanns salivantes decididos a dilacerá-la membro a membro. Ela havia passado metade da vida adulta invadindo casas luxuosas, mas nunca deixou de sentir a adrenalina.

Sua última invasão tinha sido à casa de Frank Dorrien. Tracy relembrou como se sentiu triunfante naquela noite ao encontrar o disco rígido do computador do príncipe Achileas e as primeiras imagens de Althea — Kate. O material provava que o general havia mentido sobre a relação do capitão Bob Daley com o príncipe morto e também sobre outras coisas. Além do mais, eram as únicas imagens conhecidas de Kate, a mulher que havia matado Nick e alegava conhecer Tracy, mas que permanecia sendo um grande mistério.

Com sorte, em alguns minutos esse mistério seria solucionado. Tracy falaria com Hunter Drexel cara a cara e finalmente descobriria a verdade. Toda a verdade.

Por fim, aproximou-se da casa. Em seguida, com as costas na parede, ela se agachou para passar por baixo das janelas do térreo. Enquanto andava, roçava as pernas nas roseiras grudadas nos muros da mansão como moluscos espinhosos. Lá dentro, as luzes estavam acesas. Tracy escutou com atenção. Conseguiu ouvir uma música clássica — alguma sonata que vinha mais do interior da mansão —, mas nenhuma voz. Na verdade, todo aquele lugar parecia estranhamente silencioso. Tranquilo, mas não de um modo bom. Tracy sentiu um leve cheiro de alho, anchovas e limão — alguém estava cozinhando ali perto. Ela viu que a porta francesa que dava do jardim para a sala de visitas estava escancarada, supostamente para permitir a entrada do ar fresco da noite.

Com cautela, ela se aproximou da porta, com a arma em punho, se preparando para lutar. Não queria matar Hunter, mas precisava dominá-lo. Com sorte, ele abriria o bico por vontade própria. Afinal, em outra vida, ele foi jornalista. Um contador de histórias. Isso sem contar que era um vaidoso egoísta. Era do tipo que invariavelmente adora falar. Mas ela não estava disposta a correr riscos.

Por fim, Tracy Whitney respirou fundo uma última vez e invadiu a casa.

# Capítulo 28

O APOSENTO ESTAVA VAZIO.

Em uma ponta, o fogo crepitava suavemente em uma lareira ampla e luxuosa. Diante dela havia um jornal deixado ali pouco antes — o *La Repubblica* do dia — e um copo de uísque pela metade.

A música vinha do interior da casa. Tracy a seguiu com as costas na parede e a arma em punho, avançando pouco a pouco por um corredor longo com piso de parquete. Ao fim, uma imponente porta dupla dava passagem para o que parecia ser uma sala de jantar. Tracy conseguiu distinguir uma mesa de jantar rústica e espaçosa decorada com um arranjo de hortênsias de um azul intenso. Então, de repente, ela ficou paralisada.

Ali estava ele.

Depois de todos os relatos de ter sido supostamente visto e fotos pixeladas, todos os "e se" e fugas de última hora, Tracy finalmente estava olhando para Hunter Drexel. O cabelo não estava mais louro, dera lugar outra vez aos cachos castanhos de sempre. E ele parecia mais forte e saudável do que nas fotos tiradas em Montmartre. Usando roupas casuais, suéter e calça jeans, de costas para Tracy, ele levava uma grande vasilha de salada para a mesa como se fosse a pessoa mais tranquila do mundo. Quase não mancava e, embora desse a impressão de estar sozinho, parecia arrumar a mesa para dois.

Justo quando Tracy se perguntou quem Hunter estava esperando, a voz dele ressoou por aquelas paredes antigas.

— É você, Srta. Whitney? — Ele não levantou a cabeça, apenas continuou arrumando a mesa. — Por favor, não fique aí parada no corredor. Entre.

Tracy avançou e destravou a pistola, que emitiu um clique audível.

— Você não vai precisar disso — comentou Hunter, tranquilamente, então se virou para ela pela primeira vez. — Como pode ver, estou desarmado.

Ele abriu bem os braços e deu um sorriso tranco. Tracy percebeu de cara o que atraíra Sally Faiers: aquele charme pueril e fatal. *Pobre Sally.*

— Estava à sua espera. Vamos jantar? — Ele gesticulou para a cadeira na cabeceira da mesa.

Tracy resolveu fazer o jogo de Hunter. Abaixou a arma, pousou-a ao lado de seu prato e se sentou.

— Você causou muitos problemas, Sr. Drexel.

Ele fez uma leve mesura.

— Eu tento.

— Kate vai se juntar a nós?

Por um instante, Hunter ergueu as sobrancelhas.

*Ele ficou surpreso por eu saber o nome dela.*

— Não esta noite.

— Ela está aqui? Na Itália?

Tracy fez a pergunta de forma casual, como se quisesse saber do tempo lá fora. Imaginou que, em uma situação tão surreal, poderia muito bem agir dessa forma.

Hunter abriu uma garrafa de Château Mouton Rothschild com um estampido satisfatório.

— Não sei. A verdade é que não sei onde ela está.

— Mas se soubesse não iria me contar, certo?

Hunter suspirou ao encher a taça de Tracy e se sentou ao lado dela.

— Não é Kate quem você quer, Srta. Whitney. Ela não é o inimigo. Eu esperava que a esta altura você já tivesse descoberto isso sozinha, ainda mais tendo em vista que vocês têm muito em comum e que ela é uma grande fã sua.

Tracy permaneceu em silêncio, esperando-o continuar.

— Kate trabalhou para a CIA por muitos anos como especialista em computadores na sede, em Langley. Fez parte da equipe que tentava rastrear você e Jeff Stevens, quando estavam no auge. Não sabia?

Tracy balançou a cabeça. Havia suspeitado que Althea fosse alguém da agência, mas não lhe tinha ocorrido que isso talvez explicasse a ligação das duas. *Ela sentia que me conhecia porque tentou me rastrear por muitos anos. Mas eu nunca cheguei a conhecê-la.* Naquele momento, tudo pareceu muito óbvio.

— E Sally Faiers descobriu isso? — perguntou Tracy. — Por isso ela foi assassinada?

Um lampejo perigoso surgiu no olhar de Hunter.

— Eu me sinto péssimo com o que aconteceu com Sally. Eu a amava.

No entanto, mesmo enquanto Hunter declarava seu amor por Sally, Tracy o pegou dando uma olhada em seu vestido de prostituta. Não conseguia entender aquele sujeito.

Ao notar que ela estava confusa, Hunter disse:

— Tem muita coisa que você não sabe, Srta. Whitney.

— E que você vai esclarecer, não vai?

O sorriso de Hunter estava de volta, como o sol despontando por trás das nuvens.

— Vamos comer.

# Capítulo 29

A REFEIÇÃO ESTAVA UMA delícia, eles comeram uma espécie de ensopado de frango com cebola, azeitonas e anchovas. Para sua surpresa, Tracy descobriu que estava com fome. Ela esperou Hunter começar a comer antes de provar a própria comida — depois de tantas mortes e destruições causadas por ele, poderia muito bem tentar envenená-la — e fez o mesmo com o vinho. Mas em pouco tempo eles já estavam comendo e bebendo, e, apesar da pistola ainda pousada em cima da mesa sob os dedos de Tracy, a tensão entre os dois havia diminuído.

— Como você sabia que eu iria aparecer aqui esta noite? — perguntou Tracy em dado momento, tomando a precaução de beber água junto com o vinho.

— Porque eu convidei você. Bom, valeu como um convite. Assim que tive certeza de que você havia se livrado da CIA e dos britânicos, deixei que soubesse onde eu estava. Fiz questão de ser visto por algumas pessoas, pelas pessoas certas. Eu sabia que você não resistiria.

*Então Cameron tinha razão. Hunter de fato queria que eu o encontrasse*, pensou Tracy. Em voz alta, disse:

— Eu poderia ter atirado em você.

Hunter pareceu perplexo.

— E por que você ia querer fazer isso?

— Ah, não sei, talvez por causa do massacre de Neuilly? Por causa de todos aqueles adolescentes mortos?

— Não tive nada a ver com Neuilly — protestou ele.

— A inteligência britânica afirma que você esteve lá. A nossa também.

— Então a inteligência britânica está muito enganada! — exclamou ele, parecendo verdadeiramente horrorizado. — Eles têm tentado afastar você das pistas, Srta. Whitney, e parece que estão conseguindo.

Tracy o encarou com um olhar cético.

— Você não veio aqui para me matar — continuou Hunter. — Está aqui porque quer descobrir a verdade. E eu permiti que viesse porque quero contar a verdade.

— Isso é uma confissão?

Hunter deu um sorriso.

— Você ainda me vê como o bandido da história, não é?

Tracy desviou o olhar. A verdade era que ela não sabia como o via.

— Eu sou jornalista — continuou Hunter. — Contar a verdade é meu trabalho. Meu problema tem sido encontrar alguém em quem eu confie o suficiente para revelá-la.

— E acha que pode confiar em mim?

— O que eu acho — Hunter tomou um gole do vinho — é que você é incorruptível. Isso a diferencia de quase todos os envolvidos nessa bagunça deplorável.

Tracy sabia que aquilo era um elogio, mas decidiu ignorar.

— Nossa, como eu me sinto honrada... — debochou ela.

— Ah, disso eu duvido. Você acha que eu sou um terrorista. Eu me surpreenderia se a minha opinião favorável a seu respeito significasse algo para você. Mas vou falar de qualquer jeito. Imagino que já esteja gravando, certo? — perguntou Hunter, com ar de quem sabia do que estava falando, e apontou a cabeça para a falsificação barata de bolsa Chanel.

Tracy automaticamente tirou da bolsa o estojo de pó compacto que continha seu minúsculo dispositivo de gravação digital e o colocou na mesa, perto da arma.

— Sempre um passo à frente, não é, Sr. Drexel?

— No meu ramo, se você não está um passo à frente, está morto — disse Hunter, arrastando a fala. — Podemos começar?

Tracy permaneceu sentada, imóvel, absorvendo cada palavra de Drexel.

— Tudo começou com uma matéria para o *New York Times*. — Sua voz grave e rouca de fumante ecoou pelos tetos abobadados da mansão. — Quer dizer, a matéria era *minha*. Eu estava escrevendo como freelance. Mas meu plano era vendê-la para o *Times*, já que eu estava saindo com uma jornalista de lá.

— Fiona Barron — completou Tracy. Ambos podiam participar do jogo de estar um passo à frente.

Hunter pareceu impressionado.

— Isso mesmo. Fi. Bom, Fi e eu terminamos. E o editor não era lá um grande admirador meu. Para ser justo com ele, acho que eu fui meio babaca.

Tracy não pediu explicações. Conseguia imaginar.

— Eu queria fazer contatos no jornal, e o único jeito que conhecia para isso era escrevendo um artigo espetacular, assombroso. Aquela seria *a* reportagem que me faria voltar a ter uma imagem positiva.

— E que reportagem seria essa?

— Na época, era sobre o fraturamento hidráulico. Mais especificamente, sobre a corrupção no setor. O mais aterrorizante, porém, foi que rapidamente a matéria se tornou a ponta de um iceberg gigante de merda. Um "icemerda", como eu gosto de chamar.

Hunter sorriu, mas Tracy permaneceu séria.

— Prossiga.

— A corrupção corporativa vinha sendo executada em larga escala ao redor do mundo. Mas o que fedia mesmo era o envolvimento do governo americano. Pessoas recebiam dinheiro vivo por contratos. Diplomatas eram subornados. Os direitos humanos eram ignorados. Alguns agentes da CIA recebiam autorização de Washington para entrar na China com malas e malas literalmente repletas de dinheiro. O governo Havers estava envolvido nisso até o pescoço. O presidente ficou obcecado em acabar com a pressão saudita em nossa economia. Jim Havers quer entrar para a história como o homem que acabou com a dependência americana do petróleo e não vai parar por nada. Por nada *mesmo*.

— Então seu plano era expor Havers?

— Entre outras coisas.

— Você sabia o suficiente para acabar com o mandato dele?

— Com certeza. Comecei a notar carros sem placa estacionados na frente do meu prédio. De repente, já não conseguia nem ir ao banheiro sem que a CIA soubesse. Ninguém tinha lido a reportagem. Àquela altura, tudo estava na minha cabeça. Mas o governo sabia quais perguntas eu tinha feito e quem eu havia contatado. Eles me queriam morto.

Tracy ficou séria.

— Isso é uma acusação muito grave. Não vamos esquecer que esse foi o mesmo governo que tentou resgatá-lo na Bratislava. Se queriam tanto você morto, porque se dariam ao trabalho?

— Eles me queriam morto — repetiu Hunter. — Mas queriam fazer parecer um acidente. Então não houve tiros nem sequestro. Em vez disso, surgiu um vazamento de gás no meu prédio.

— Ah, calma aí. Vazamentos de gás acontecem o tempo todo.

— Exatamente, mas esse só aconteceu no meu apartamento, e em nenhum outro lugar do prédio. Vazou monóxido de carbono suficiente para matar um homem com o triplo do meu peso em menos de uma hora. Sei disso porque foi quanto encontraram na corrente sanguínea do meu gato, que morreu naquela noite no meu lugar. Eu dormi na casa de uma namorada.

Claramente era Hunter quem tinha nove vidas, e não o gato.

— Uma semana depois, eu quase saí da pista na Atlantic City Expressway.

— O que aconteceu?

— A direção emperrou. Quando me dei conta estava indo de encontro a uma rampa de saída e bati de frente em uma árvore. Tive sorte. Quebrei a clavícula, machuquei a cabeça em alguns pontos, mas foi só isso. Se não tivesse saído por aquela rampa, com certeza teria morrido e provavelmente levado muitas pessoas comigo. Um tempo depois, o mecânico me disse que alguém tinha mexido na barra de direção e criado um pequeno vazamento no óleo do freio. Sabotagem.

Um nervo se contraiu na mandíbula de Tracy.

*Sabotagem. Na barra de direção.*

Era exatamente o que Greg Walton dissera que havia acontecido com a caminhonete de Blake Carter na noite do acidente. Na noite em que Nicholas morreu.

— Os americanos não eram o único governo do Ocidente jogando sujo na guerra do gás de xisto — prosseguiu Hunter. — Todo mundo estava participando. Os britânicos, os franceses, os alemães, os russos. Adversários eram silenciados, impostos, renunciados, e tudo isso enquanto os ricos no topo da indústria ficavam cada vez mais ricos, como mosquitos gordos se empanturrando com o sangue de algum animal desafortunado. Foi a escala massiva de corrupção que realmente me deixou chocado. Além do fato de que *ninguém* estava denunciando isso.

— E por que acha que ninguém estava denunciando?

— Não faço ideia. — Hunter encheu mais uma vez sua taça de vinho. — Talvez ninguém mais estivesse de olho nisso. Ou talvez estivesse, mas alguém poderia estar calando essas pessoas

— Por calando você quer dizer matando?

— Às vezes. Aliás, tenho certeza de que foi isso que aconteceu com Sally. Ela havia descoberto boa parte das informações por conta própria, enquanto eu estava escondido. Alguém achou que era hora de parar com as perguntas. Alguém que se preocupa menos com as aparências do que seus chefes na CIA. Mas às vezes as pessoas eram pagas. O que me leva ao capítulo seguinte dessa história: o Grupo 99

Tracy se inclinou para a frente. Era por essa parte que ela estava esperando. Era ali que tudo se juntava, onde as peças do quebra-cabeça começavam a se encaixar.

— Bom, então lá estou eu escrevendo a história, descobrindo sobre todo esse dinheiro sujo e o jogo político imundo em torno do fraturamento hidráulico, tudo isso enquanto tentava não acabar morto. Então, no meio da minha pesquisa, acabo encontrando um monte de grupos que se opõem a essa indústria. A maioria composta de ambientalistas, gente bem-intencionada mas mal organizada, que faz o que pode para ser uma pedra no sapato das maiores empresas do ramo e dos governos que as ajudam a encher os bolsos. E é aí que, de repente, aparece esse grupo diferente de todos os outros.

— O Grupo 99.

Hunter assentiu.

— O Grupo 99 passou a se interessar pelos campos de gàs de xisto assim que eles foram descobertos na Grécia. Surgiram rumores de que alguns membros da antiga realeza grega tinham assinado um contrato particular milionário. A família começou a ganhar uma nota, assim como um ou dois oficiais corruptos do governo, isso sem contar a empresa, claro. Mas a exploração desse recurso natural não estava gerando nenhum benefício para a população. Na época, as coisas andavam muito mal na Grécia. A população pobre estava prestes a quebrar. Foi então que eu comecei a ouvir falar de Apollo, ou melhor, Alexis Argyros. E também de Althea, uma ocidental, supostamente americana, que vinha levantando fundos para o grupo e talvez fosse sua líder.

"O Grupo 99 mudou o jogo. A pauta deles era totalmente diferente da dos outros grupos que se posicionavam contra o fraturamento hidráulico. Eles não estavam nem aí para o meio ambiente. Queriam igualdade na distribuição da riqueza e punição para os gananciosos no topo da cadeia. Além do mais, o modus operandi deles era completamente diferente. Vale lembrar que na época eles não eram uma organização que se valia da violência. Eram inteligentes, muito inteligentes, e especialistas em tecnologia. Possuíam um bom capital. Tinham um alto nível de organização, mas não contavam com uma hierarquia. E possuíam alcance global. No meu ponto de vista, isso os colocava em uma posição privilegiada para atacar e até derrubar a indústria do fraturamento hidráulico, e no mínimo para acabar com a corrupção, pelo menos na Grécia."

Hunter parou para respirar pela primeira vez em minutos. Tracy notou que ele parecia cansado. Drexel havia esperado muito tempo para contar aquela história, e, quando o momento finalmente chegou, o esforço parecia drenar toda a sua energia.

— Fale mais sobre Althea — pediu Tracy. — Sobre Kate. Você sempre soube a identidade dela?

Hunter esfregou os olhos.

— Não. Não no começo. Eu sabia que "Althea" havia feito uma visita ao príncipe Achileas em Sandhurst. O príncipe tinha conhecimento do negócio de sua família com Cranston e claramente vinha tendo crises de consciência por causa disso. Althea despertou o interesse dele pelo Grupo 99. Acho que a ideia era que de alguma forma ele ajudasse a desmascarar ou sabotar o acordo. Mas ele deu para trás. Bom, eu fui para a Inglaterra me encontrar com ele.

— Você se encontrou com o príncipe Achileas? — perguntou Tracy, que pela primeira vez pareceu surpresa.

Hunter assentiu.

— Claro. Eu o entrevistei para a matéria.

— Também chegou a se encontrar com Bob Daley?

— Não. Só com o príncipe.

— Bom, e o que ele disse?

— Não muito, no que dizia respeito à indústria do fraturamento hidráulico. Na época, ele sofria de uma depressão profunda. Odiava Sandhurst. O garoto era claramente gay e vinha passando por maus bocados por causa disso. Além do mais, não se dava bem com o pai. E o comandante dele o detestava.

— Frank Dorrien... — murmurou Tracy.

— Fiquei triste quando soube que Achileas tinha se matado — disse Hunter, olhando para as borras de vinho no fundo da taça. — Triste, mas não surpreso. Bob Daley me disse a mesma coisa sobre Achileas, quando nos encontramos um tempo depois no acampamento na Bratislava. O garoto era uma alma atormentada. Acredite, eles eram amigos.

— Eu sei.

— Enfim, Achileas nunca chegou a me contar muito sobre esse acordo entre a família dele e a indústria do fraturamento hidráulico. Mas conversou comigo sobre o Grupo 99. Na verdade, o que ele me falou sobre o assunto foi fascinante. Chegou a me mostrar uma foto, um retrato da representante do grupo com quem ele tinha se encontrado: Althea. Não é a melhor foto do mundo, como você bem sabe. Está pixelada, e o rosto dela aparece meio de perfil. Mas foi o suficiente para me deixar em choque.

— Por quê?

— Porque eu descobri que a conhecia. E que a minha reportagem estava prestes a ficar muito mais importante do que eu jamais havia imaginado.

# Capítulo 30

— O VERDADEIRO NOME DELA é Katherine Evans. — Hunter olhou para Tracy enquanto apoiava os cotovelos na mesa. — Kate. Assim que eu vi a foto de Achileas, soube. Nós estudamos juntos.

— *Estudaram juntos?* — Tracy fez cara de incrédula. — Mas você não tinha dito que ela era da CIA?

— Sim. Mas eu conheci Kate antes disso, na Universidade de Columbia. Éramos da mesma turma na graduação.

— Então vocês eram amigos?

Hunter assumiu uma expressão nostálgica.

— Mais do que amigos. Kate provavelmente foi meu primeiro grande amor.

Tracy ficou fascinada.

— E qual é o histórico dela? Era uma radical na faculdade?

Hunter deu uma risada.

— Radical? De jeito nenhum. Se você tivesse que escolher a garota da turma com a menor chance de se envolver com uma organização como um Grupo 99, seria ela. A família de Kate era de Ohio. Pessoas de bem, cristãs, republicanas. E ricas. O pai dela era dono de um jornal local, mas tinha ganhado a maior parte do dinheiro em Wall Street. Nem preciso dizer que ele não ia nada com a minha cara.

Tracy fez a pergunta óbvia:

— Então como uma garota legal, rica e do interior vai parar na lista de mais procurados da CIA?

De repente, a expressão de Hunter se anuviou.

— Ela perdeu tudo — respondeu ele, com amargura. — Foi assim. A CIA destruiu a vida de Kate, então ela quis retribuir o favor.

Tracy esperou Hunter explicar.

— Depois que nós terminamos, ela começou a sair com um cara chamado Daniel Herschowitz. Cerca de um ano depois, eles se casaram. Eu não conheci bem o sujeito, mas todo mundo dizia que Dan era um cara fantástico. Estável, confiável. Basicamente, tudo o que eu não era. — Ele abriu um breve sorriso. — E também era uma dessas pessoas superinteligentes, como Kate. Ela era brilhante em informática, por isso a CIA a contratou para rastrear você. Já Dan era uma espécie de prodígio da matemática. Os dois foram recrutados para trabalhar em Langley antes de se formarem.

Do jeito que Hunter contava, parecia uma história feliz. Dois americanos afortunados e talentosos se apaixonam e dedicam a vida ao país. No entanto, de alguma forma, em algum ponto da estrada entre o passado e o presente, o relacionamento terminou em tragédia. Em terror, assassinato e desgraça.

Lutando para controlar as emoções, Tracy perguntou:

— O que aconteceu? O que deu errado?

— Não sei todos os detalhes. Mas, resumidamente, Dan estava em uma missão ultrassecreta para a CIA no Iraque.

Alguma coisa deu errado nos Estados Unidos, houve algum vazamento de informações, e sua identidade foi exposta. Ele conseguiu contatar seu administrador e marcou um encontro em um esconderijo em Basra. Chegou lá na expectativa de ser tirado do país às escondidas, mas em vez disso se deparou com três agentes secretos da Al-Qaeda, foi torturado de forma horrível e acabou espancado até a morte.

Tracy tapou a boca, horrorizada.

— Ah, meu Deus. Mas como a Al-Qaeda soube do esconderijo?

Hunter deu de ombros.

— Essa é uma pergunta que continua em aberto. Kate sempre teve certeza de que foi um trabalho interno. Que a CIA entregou Daniel. Na época, ela ainda trabalhava em Langley. Kate alega que hackeou arquivos no computador do diretor capazes de provar que seu marido foi traído e assassinado. Mas tudo isso foi encoberto. Os médicos disseram que Kate estava emocionalmente desequilibrada, pela tristeza por perder o marido, e ela passou o ano seguinte em um manicômio no norte da Virgínia.

— Meu Deus.

— Pois é. Foi dramático. A dor da perda a torturou, a destruiu. E todos em quem ela confiava a traíram. Bom, pelo menos era nisso que ela acreditava. E no que ainda acredita.

Tracy não sabia o porquê, mas acreditava nas palavras de Hunter. Pelo pouco que conhecia da CIA, do FBI e de como a comunidade dos serviços de inteligência se fechava quando se sentia ameaçada, a história de Kate Evans soava terrivelmente plausível.

— Quando ela finalmente saiu do hospital, sentiu que tinha uma missão a cumprir. Tudo o que a interessava era destruir a CIA, dar o troco em todo mundo que havia conspirado no caso da morte de Daniel e no que se seguiu. Foi isso que a conduziu ao Grupo 99 e a tudo o que se deu em seguida. Kate nunca comprou toda aquela ideologia comunista, de punição aos ricos. Ela sempre foi rica. Kate gostava do grupo porque eles eram muito superiores à CIA e estavam custando milhões de dólares ao governo americano. Além do mais, ela era uma hacker talentosa e contava com informações valiosas sobre o modus operandi da agência. Foi Kate quem transformou o Grupo 99 em uma potência global. Ela pegou um monte de crianças maltrapilhas e furiosas de lugares de Atenas, Paris e Caracas e lhes deu fundos e um foco implacável. Organizou tudo.

Tracy se recostou na cadeira. Pela primeira vez, ela começou a ter dúvidas.

— Do jeito como fala, parece que você a admira.

— E admiro mesmo.

— Mas e toda essa onda de violência? A morte de todos aqueles inocentes? — Tracy fez um esforço supremo para tirar o rosto de Nick de seus pensamentos. — E o massacre de Neuilly?

— Não foi ela. Kate proibiu expressamente o ataque à escola, mas àquela altura já havia perdido o controle sobre Argyros, vulgo Apollo, e seus comparsas.

— E Henry Cranston?

— Cranston merecia morrer — disse Hunter, taxativo. — Mas não foi Kate quem plantou a bomba.

— Ela estava lá! — insistiu Tracy.

Hunter balançou a cabeça.

— Foi uma armação. Estou lhe dizendo: não foi ela.

— Tudo bem. Bob Daley. Kate autorizou a morte dele pessoalmente. Eu mesma ouvi a gravação. Ela mandou Argyros atirar. Isso é fato.

Hunter suspirou pesadamente.

— Eu sei.

— Então como pode defendê-la? Achei que Bob Daley fosse seu amigo!

— E era. Admito que Kate estava errada sobre Bob.

*Errada?* Tracy ficou tão chocada com o eufemismo que não sabia como reagir. *Errada? Estouraram os miolos dele. Explodiram a cabeça dele!*

Hunter se levantou de repente.

— Vamos lá fora. Preciso tomar um pouco de ar.

TRACY E HUNTER atravessaram o corredor que dava na sala de estar, o caminho que ela havia percorrido mais cedo, então saíram para o jardim pelas portas francesas. Na última hora, o vento havia ficado bem mais frio. Tracy ficou arrepiada em seu vestido diminuto. Hunter correu de volta para a mansão e pegou uma manta leve de caxemira de uma poltrona e cobriu os ombros de Tracy, sem dar uma palavra sobre o fato de ela ter levado a pistola com ela e segurá-la firme com a mão direita. Tracy estava começando a confiar mais em Hunter, mas havia limites.

— Obrigada.

Hunter lembrava Jeff, de diversas formas. Os dois eram extremamente charmosos, mas usavam o charme como uma arma para manipular as pessoas. *Neste caso, a pessoa seria eu.* Tracy achou bizarro o fato de que estava sendo atraída para uma falsa sensação de segurança, e mesmo assim permitir que isso acontecesse.

De repente, Tracy se deu conta de que Hunter vinha falando sem parar fazia quase uma hora, mas ela ainda não sabia por que o Grupo 99 sequestrara o jornalista ou qual era sua verdadeira ligação com a organização. Quanto a Kate Evans e a ligação da misteriosa mulher com a morte de Nick e com ela própria, Tracy também continuava no escuro.

Abaixo deles, as águas calmas do lago Maggiore reluziam um brilho negro e prateado. Acima, álamos assomavam e balançavam como gigantes escuros cujos dedos emplumados farfalhavam sinistramente ao vento. Do outro lado do lago, as luzes do vilarejo cintilavam com graciosidade — casinhas acolhedoras, restaurantes e hotéis agitados formavam um mundo encantador de segurança, normalidade e paz.

*Daqui até lá são só alguns quilômetros através da água, mas a sensação é de que poderia ser o espaço sideral*, pensou Tracy.

Agora ela vivia em outro mundo. Um mundo de tortura e traição. De mentiras e segredos.

Um mundo de mortes.

Hunter andava ao lado de Tracy pelo caminho de cascalho.

— Acho que você continua com a impressão errada a meu respeito, Srta. Whitney. Seus amigos em Langley a convenceram de que eu simpatizo com o Grupo 99. Que apoio as metas e os objetivos da organização, que aprovo os métodos.

Hunter levantou a camisa e mostrou a Tracy o peito marcado por um emaranhado de cicatrizes feias, vergões, feridas a faca e queimaduras que lhe faziam um estrago no peito, nas costelas e nas costas.

— Eu vivenciei os métodos do Grupo 99 em primeira mão. Acredite: ninguém os odeia mais do que eu. Essas pessoas me sequestraram. Me espancaram. Roubaram um ano da minha vida. Alexis Argyros é certamente o ser humano mais sádico e maldoso que já conheci e está por aí, *neste exato momento*, querendo descobrir meu paradeiro, ainda tentando me matar. E você realmente acha que eu estou do lado *dele*?

— Acho que você está do lado de Kate — respondeu Tracy, calmamente.

— É diferente — disse Hunter, parecendo mais agitado. Pela primeira vez na noite, Tracy notou raiva em seu tom de voz. — Kate está doente. A CIA a deixou doente.

— Isso não é desculpa...

— Eu acho que é desculpa, sim. A CIA acabou com a cabeça dela. Se isso não tivesse acontecido, Argyros nunca teria conseguido manipulá-la do jeito que manipulou.

— Como assim? — perguntou Tracy, parando de repente.

— Argyros convenceu Kate de que Bob Daley trabalhava para a CIA. Que participava de uma força-tarefa anglo-americana no Iraque que enganou Daniel e o deixou para morrer lá. Kate ordenou a execução de Bob, sim, mas só porque acreditava que ele havia matado Daniel.

"Na minha opinião, os responsáveis pela morte de Bob Daley são a CIA e Alexis Argyros, junto com seus comparsas. Foi Argyros quem transformou o Grupo 99 em uma organização terrorista violenta, não Kate. Ele levou seu grupinho de jovens irritados exatamente aonde sempre quis chegar."

*Jovens irritados* ... quem mais tinha dito isso?

A memória de Tracy percorreu o caminho de volta a Genebra, a seu primeiro jantar com Cameron Crewe. Naquele momento, ela conseguia ouvir sua voz como se ele estivesse parado à sua frente.

*O Grupo 99 não passa de um bando de jovens irritados... Eu os chamo de Garotos Perdidos... Eles não estão lutando por uma causa. Lutar é a causa deles. Eles se valem da violência porque com isso se sentem bem. Simples assim.*

Eles voltaram para a mansão. Hunter fechou as portas francesas e as cortinas, então foi até o bar e serviu duas doses de uísque e voltou.

— Tome.

Hunter ofereceu um copo a Tracy. Ela olhou para o recipiente por um instante, mas o momento da cautela parecia ter passado, então bebeu tudo em duas goladas rápidas e fez a pergunta que tinha se formado em sua cabeça durante todo o tempo que eles haviam ficado lá fora.

— Por que você foi sequestrado? Você está trabalhando em uma matéria sobre a indústria do fraturamento hidráulico. O setor não gosta. O governo americano não gosta. Mas seria de se presumir que o Grupo 99 estivesse meio que do seu lado, não? Contra a corrupção, contra o acúmulo de riqueza. Por que sequestraram *você*?

Hunter a encarou com uma expressão de respeito reavivado.

— Bem, *essa*, Srta. Whitney, é uma boa pergunta. Essa é *a* pergunta, concorda? *Por que* o Grupo 99 me sequestrou?

— E a resposta é...

— Simples. Embora eu preferisse que você chegasse a ela sozinha. Fui sequestrado porque alguém mandou. Alguém muito rico e poderoso. Alguém que sabia que eu estava de olho e tinha muito a perder.

— Não foi o presidente Havers?

— Não, não. Sequestro é complicado demais. Ele teria mandado me matar.

— Kate?

Hunter balançou a cabeça.

— Quem então? — perguntou Tracy, com uma expressão intrigada.

— Eu.

Tracy e Hunter se viraram.

Cameron Crewe estava apoiado no umbral da porta com um sorriso de orelha a orelha. Segurava uma bebida com uma das mãos e uma Colt Python Elite com a outra.

A arma estava apontada para a cabeça de Tracy.

# Capítulo 31

— A ARMA, POR FAVOR, querida — pediu Cameron ainda sorrindo para Tracy.

Era o mesmo sorriso agradável e acolhedor do qual ela se lembrava de ter visto em Genebra, em Nova York, no Havaí e em Paris. O sorriso que a havia feito se sentir segura. Que tinha lhe trazido de volta à vida após a morte de Nick.

Era verdade que Tracy nunca chegara a ter por Cameron a mesma paixão arrebatadora que havia sentido por Jeff, mas, durante o pouco tempo que passaram juntos, o magnata lhe proporcionara outras coisas.

Satisfação.

Bondade.

Esperança.

Mas, naquele momento, Tracy sentiu as três lhe escaparem entre os dedos como grãos de um punhado de areia.

— A arma, Tracy. Coloque-a na mesa, por favor. Devagar.

O tom de Cameron era tranquilo, gentil até. Mas a pistola continuava firmemente apontada para a cabeça de Tracy.

— Faça o que ele pediu — disse Hunter com calma.

Com um olhar de águia, Cameron observou Tracy se levantar e cuidadosamente colocar a pistola na mesinha de centro de nogueira perto da lareira. A cada passo, ela lutava para se adaptar à nova realidade.

Cameron Crewe não era seu protetor.

Não era seu amigo.

Não havia aparecido para "salvá-la" de Hunter Drexel ou qualquer outra coisa.

Era *dele* quem Tracy precisava ser salva.

— Obrigado — disse Cameron. — Agora, sente-se. E você também.

Cameron apontou a pistola tranquilamente para Hunter, que se sentou ao lado de Tracy no sofá. Se Hunter estava com medo, não demonstrou. Apenas cruzou as pernas e ficou à vontade, como se os três fossem velhos amigos se acomodando para um bate-papo junto à lareira.

Cameron se voltou para Tracy.

— Lamento que as coisas tenham chegado a este ponto, querida. De verdade. Eu realmente esperava um fim diferente. Mas, quando você fugiu de mim depois do que aconteceu em Paris... quando insistiu em ir atrás de Drexel sozinha... não me deixou escolha.

Tracy conteve uma vontade de rir que não a ajudaria em nada. Toda aquela situação lhe parecia patética... Ali estavam os três, naquela sala magnífica, como personagens de uma peça interpretando uma cena, com a diferença de que haviam recebido os papéis errados. Agora era Cameron quem fazia o papel do terrorista malvado, e Hunter Drexel era o herói incompreendido.

*E qual seria o meu papel?*, perguntou-se Tracy. *A donzela em perigo?*

*Acho que não.*

Quando Tracy ergueu a cabeça e encarou Cameron, não havia um pingo de medo em seu olhar, apenas curiosidade. Por fim, ela estava prestes a descobrir toda a verdade.

— Então foi você? — perguntou Tracy. — Você mandou sequestrar Hunter?

— Sim. Vendo agora, foi um erro. Eu devia ter mandado matá-lo. Mas vivendo e aprendendo.

Tracy nunca ouvira Cameron falar daquele jeito antes, com tanta insensibilidade. Era como se uma pessoa completamente diferente tivesse invadido o seu corpo.

*Era esse o Cameron que Charlotte Crewe conhecia? O homem sobre o qual tentou me alertar?*

*Foi por isso que Charlotte desapareceu?*

— Então você estava financiando o Grupo 99? Eles trabalhavam para você?

— Escória como Alexis Argyros trabalha para quem pagar mais. A ganância é como o ar que essa gente respira. A ganância e a inveja, tudo bem disfarçado de justiça social. Não é mesmo, Sr. Drexel?

— É. Foi isso que eu descobri, depois de conversa com o príncipe Achileas em Sandhurst — explicou Hunter a Tracy. — O Grupo 99 também aceitava propinas. Até os vistos como mocinhos eram corruptos. A Crewe Oil mandava e desmandava neles, e Apollo e seus capangas agiam como bandidos desde o primeiro dia. Eles atacaram direitinho todos os rivais de Cameron mas não encostaram um dedo nele. Mataram Henry Cranston para Crewe assumir o controle do gás de xisto na Grécia a preço de banana.

— *Você* matou Henry Cranston? — perguntou Tracy, sem conseguir mais esconder o choque. — Por isso estava em Genebra?

Cameron deu de ombros.

— Sou um homem de negócios. Estava protegendo meus interesses comerciais.

— Eliminando a competição?

— Quando necessário... Mas, se eu fosse você, não desperdiçaria lágrimas com Henry. Acredite: ele não valia nada.

Ela olhou para Cameron. Não disse uma palavra, mas sua expressão já falava por si: *Quem é você?*

Como era possível que Tracy tivesse se enganado tanto sobre alguém?

Jeff tentara alertá-la, mas Tracy achara que ele estava apenas com ciúmes.

Ela devia um pedido de desculpas a Jeff.

Tracy se perguntou se viveria para se desculpar.

— Então, deixe ver se eu entendi — disse ela. — Hunter sabia que você controlava o Grupo 99?

— Sim.

— E sabia que você estava usando o grupo para atacar seus concorrentes?

— Além dos grupos e governos que ele queria pressionar — interrompeu Hunter. — Inclusive o dos Estados Unidos e o da Grã-Bretanha. Foi Cameron quem recrutou Kate para o Grupo 99. Ele se aproximou de Greg Walton, deu um jeito de se tornar um recurso da CIA e depois orquestrou o devastador ataque virtual aos sistemas de Langley, além de causar um monte de vazamentos constrangedores para o governo.

— Mas... você doou dinheiro para a campanha eleitoral de Jim Havers — comentou Tracy. — Você o apoiava.

— Abertamente, sim. E ele me apoiava. Mas não dá para confiar em ninguém na política. Aliás, na vida. Você tem que manter os amigos por perto e os inimigos mais perto ainda.

— No dia em que eu fui sequestrado, estava a caminho do escritório dele — disse Hunter. — Queria confrontá-lo com provas, ouvir seu lado da história. Àquela altura, eu já sabia que o Grupo 99 vinha recebendo grandes injeções de capital vindas de uma fonte baseada nos Estados Unidos. Althea, ou melhor, Kate, como descobri tempos depois, estava caindo numa armadilha para parecer ser essa fonte. Mas ficou claro que ela estava sendo usada. Eu logo notei que tinha de haver alguém por trás dela, alguém muito mais rico e com muito mais a ganhar. E Crewe se encaixava nesse perfil. Milagrosamente, seus negócios no ramo do fraturamento hidráulico nunca tinham sido atacados pelo Grupo 99, enquanto todos os seus concorrentes vinham sofrendo perdas significativas. Cameron tinha tanto os meios quanto os motivos para comprar o controle do Grupo 99, e foi exatamente isso que fez. Em dois anos, a Crewe Oil se tornou a empresa especializada em fraturamento hidráulico mais rentável do mundo.

Ao ouvir Hunter descrever suas proezas nas salas de reuniões, Cameron assentiu com ar de quem estava satisfeito.

— E ele também foi esperto — prosseguiu o jornalista. — Certificou-se de formar ótimos laços dos dois lados da briga. Nos Estados Unidos, a CIA comia na mão dele. A agência já o considerava um recurso, por isso nunca pensou em fuçar no quintal dele. Quanto ao governo Havers, a Crewe Oil tinha feito uma contribuição polpuda para a campanha do presidente. Além do mais, todos no ramo do fraturamento hidráulico o viam como um dos mocinhos, com todos aqueles fundos de caridade, aquelas ONGs...

— Sim — concordou Tracy, virando-se para Cameron. Desesperada, ela ainda tentava se agarrar a qualquer coisa para formar a imagem do Cameron Crewe que tinha conhecido, o homem de quem havia gostado logo de cara. — Você retribuía. Retribuía, sim. Você se importava com as comunidades locais onde sua empresa atuava.

Cameron a encarou com um olhar de pena.

— É uma impressão encantadora, Tracy, mas não é verdade — disse Cameron.

— A maioria desses fundos e ONGs não tinha objetivo de fazer caridade — explicou Hunter. — Eles não passavam de empresas de fachada. Lavavam dinheiro que servia para financiar diversos grupos terroristas ou extremistas, que muitas vezes tinham objetivos contrários. A política de Crewe era simples: ele dava dinheiro a todo mundo. Por exemplo, ele ajudava o Grupo 99, que se opunha especificamente ao um por cento mais rico da população, mas também apoiava grupos de extrema direita, contrários aos imigrantes. Ele dava dinheiro a separatistas políticos, a grupos pró-islamismo, anti-islamismo, republicanos, nacionalistas. A ideia era fazer o possível para desestabilizar as regiões a que visava e que poderiam ser uma fonte rica em gás de xisto, como a Polônia, a Grécia, a China, os Estados Unidos. Depois, tirava partido do quadro de incerteza política para eliminar os concorrentes. Na minha reportagem eu chamei essa manobra de "economia do caos".

— Economia do caos! — repetiu Cameron, sorrindo. — Muito bom. Gostei.

— O método era brilhante — prosseguiu Hunter, virando-se para Tracy. — Funcionava. É claro que também era extremamente repugnante, do ponto de vista moral. Nosso

Cameron aqui é uma lição prática da ganância descarada. A miséria humana e o sofrimento alheio não significam nada para ele. Francamente, o cara é um lixo.

O sorriso presunçoso sumiu do rosto de Cameron.

— Poupe-me dos seus sermões arrogantes — vociferou ele para Hunter. — A verdade nua e crua é que a maioria dos países não faz ideia de como fazer dinheiro com seus recursos naturais. Ou lhes falta infraestrutura ou vontade política. A técnica do fraturamento hidráulico é malvista, por isso os governos não a permitem. Mas alguém ia fazer fortuna com todo aquele gás de xisto. Disso eu tinha certeza. Tudo o que eu fiz foi me esforçar ao máximo para que esse alguém fosse eu.

— Financiando assassinatos e terrorismo? — retrucou Tracy. — Ajudando sádicos e assassinos a assumir o controle de uma organização pacífica como o Grupo 99?

Cameron revirou os olhos.

— Ah, por favor. Não seja tão ingênua, minha querida. O Grupo 99 estava se coçando de vontade de explodir miolos muito antes de eu aparecer. Com ou sem a minha ajuda, era inevitável que eles se voltassem para a violência no fim das contas. Argyros e seus comparsas são animais abjetos e sanguinários. Basta olhar para o que eles fizeram em Neuilly. Cedo ou tarde eles teriam começado a matar pessoas.

— E tudo o que você fez foi garantir que isso acontecesse logo — acrescentou Tracy, num comentário cáustico, embora por dentro estivesse desolada e envergonhada.

*Eu confiei em você! Eu me apaixonei por você. Pelo menos achei que havia me apaixonado.*

*Como isso pode estar acontecendo?*

Hunter encarou Cameron com um olhar intrigado. Depois de acompanhar a breve discussão entre o magnata e Tracy, o sorriso presunçoso voltou ao rosto do jornalista.

— Você sabe que é um doente mental, não sabe? — perguntou Hunter.

Cameron virou-se e apontou a pistola para Hunter.

— Cale a boca — ordenou, nervoso. — Ninguém quer saber sua opinião. Agora você pode ver por que eu precisava que ele fosse sequestrado — prosseguiu Cameron, voltando a falar com Tracy. — Ele era um zé-ninguém cheio de si, um mulherengo viciado em jogo que planejava destruir não só a mim como a minha empresa, tudo aquilo pelo qual trabalhei a vida toda.

Hunter deu uma risada. Sua intrepidez parecia projetada para irritar Crewe. E estava funcionando.

— Você é um psicopata — atacou o jornalista.

— EU MANDEI VOCÊ CALAR A BOCA! — A arma tremeu na mão de Cameron. — Estou falando com a Tracy, não com você. Não sou psicopata — continuou, virando-se para ela com uma expressão subitamente vulnerável. — Pelo menos, não mais do que você. Não mais do que qualquer um que passe pelo que nós passamos e perceba que não tem mais nada a perder. Depois que Marcus morreu, tudo mudou.

Por uma fração de segundo, Tracy se compadeceu de Cameron e se sentiu uma só com ele mais uma vez. A velha ligação entre os dois estava de volta, a centelha que havia se acendido de forma tão inesperada em Genebra. Cameron tinha perdido Marcus e Tracy, Nicholas, e isso havia bastado para unir os dois, para uni-los do ponto de vista emocional por um tempo. Porque, por um tempo, a perda de Nicholas era a única coisa que importava na vida de Tracy. O único acontecimento, a única emoção, o único pensamento, o único motivo de sua existência. Foi nessa época que Cameron a encontrou — ou será que foi ela quem o havia encontrado? —, e eles se encaixaram como duas peças de um quebra-cabeça.

Porém, não mais.

E não só porque Cameron claramente nunca havia sido o homem que Tracy pensava, não só porque era desequilibrado e perigoso, um assassino. A questão era que Tracy também tinha mudado.

A dor causada pela morte de Nick nunca a abandonaria, mas isso tinha deixado de ser o único acontecimento de sua vida. Havia todo um mundo lá fora, um mundo repleto de outras pessoas, outras vidas, outras esperanças e sonhos. Talvez Tracy não conhecesse essas pessoas. Mas elas importavam. A humanidade importava. A verdade importava. Ao menos para ela.

Cameron continuava falando.

— Quando Marcus era vivo, eu tinha uma vida fora do trabalho. Mas, depois do que aconteceu, a Crewe Oil foi tudo o que me restou. As pessoas falam de moralidade, justiça, de certo e errado, de *Deus*. — Ele bufou com desdém. — Isso tudo é bobagem. A vida e a morte são arbitrárias. Quando Marcus morreu, eu soube que Deus não existia. Não existe justiça, certo ou errado, misericórdia. Continuar agindo como se tudo isso existisse teria sido... irracional da minha parte.

Ele encarou Tracy com um olhar suplicante, como se quisesse fazê-la entender.

— Fale sobre Althea — pediu Tracy a Cameron, tentando ganhar tempo. — De Kate Evans. Você a recrutou?

— Recrutei. Nós nos conhecemos em uma conferência em Nova York. Quando eu a olhei nos olhos, foi como se estivesse diante de um espelho. — Cameron suspirou, nostálgico. — Não foi como você e eu. Com ela, não houve atração física. Mas de cara eu percebi o desespero dela, sua necessidade de atacar um mundo que havia lhe roubado a única coisa com que se importava. Aquela mulher não se importava com a possibilidade de levar um tiro nem com nada que pudesse acontecer a ela mesma. A mim importava a Crewe Oil. A Kate, destruir a CIA. Mas eu e ela nos entendíamos. Ela estava preparada para seguir minhas instruções, pelo menos no começo.

— Você mandou Kate matar meu filho? — perguntou Tracy, encarando Cameron, forçando-se a manter a voz controlada.

— Não! — Cameron pareceu verdadeiramente horrorizado. — De jeito nenhum. Eu não tive nada a ver com o acidente de Nick, Tracy. Você precisa acreditar nisso.

Tracy esquadrinhou a expressão de Cameron em busca de qualquer tipo de pista. Será que ela acreditava nele? Não sabia. Tracy já não sabia de mais nada.

— Pense um pouco — continuou Cameron. — Por que eu mentiria para você?

— Porque é isso que você faz? — interveio Hunter.

Cameron se virou furioso para o jornalista. Por um terrível instante, Tracy pensou que o magnata iria atirar em Hunter. Mas ele se segurou. Pelo menos naquele momento, ele estava mais interessado em Tracy.

— Depois da execução de Bob Daley, eu perdi o contato com Kate — continuou Cameron. — O Grupo 99 já havia servido aos meus propósitos. Não faço ideia do motivo por que Kate decidiu envolver você, e sinceramente queria que ela não tivesse feito isso. O que nós tivemos foi real, Tracy. Aquela noite em Genebra. Nossos dias no Havaí... eu desenvolvi um sentimento por você. Um sentimento verdadeiro, que eu achei que nunca mais teria por ninguém.

— Por favor, pare — pediu Tracy, levantando a mão.

— É verdade. Eu tentei manter você perto de mim. Controlar a situação. De alguma forma, ainda tinha esperança de poupá-la de tudo. Mas, quando os britânicos apareceram com Jeff Stevens e vocês dois se juntaram e começaram a fechar o cerco contra Drexel, eu sabia que não havia mais esperança. Quando vocês encontrassem Hunter, ele contaria a verdade sobre mim, e vocês dois pensariam em um jeito de fazer a matéria dele ser publicada. Eu não podia deixar que isso acontecesse. Mas eu te amava, Tracy. Eu queria, sim...

De repente, no meio da frase, Hunter pulou como um míssil do sofá, com um berro ensurdecedor, e se lançou na direção de Cameron. Tracy observou Hunter voar de braços abertos como se estivesse em câmera lenta, tentando agarrar a pistola do mesmo jeito que um jogador de rúgbi se atira no chão para pegar a bola.

Foi uma ação tão inesperada que Cameron demorou uma fração de segundo a mais do que deveria para reagir.

Mas essa fração de segundo a mais não foi o suficiente para Hunter.

Tracy notou a expressão de Cameron mudar da surpresa para raiva, depois para determinação. Então, um tiro ressoou como o estrondo de um trovão.

A bala acertou Hunter tão à queima-roupa que ele pareceu parar no ar, como se alguém tivesse apertado o botão de pausa durante o filme ou uma mão invisível o tivesse agarrado por cima. Então, como se fosse um saco de pedras, ele caiu.

Tracy olhou para o chão, horrorizada.

Hunter caiu de costas e com os braços abertos, enquanto seus olhos sem vida lançavam um olhar vazio para cima, para o nada.

# Capítulo 32

NÃO HAVIA TEMPO para choro, para ficar em estado de choque, para nada.

Hunter Drexel estava morto, e em questão de segundos Tracy também estaria.

A pistola de Tracy continuava na mesinha de centro, a uns 6 metros dela. Mais desesperada do que esperançosa, ela saiu correndo para pegá-la.

— Ah, não vai, não.

Cameron se jogou atrás dela e a segurou pela batata da perna. Tracy sentiu que seu corpo estava sendo jogado para a frente com a mesma sensação de câmera lenta que teve naquele agonizante último minuto, como se estivesse observando tudo aquilo acontecer com outra pessoa, mas, mesmo assim, permanecesse completamente incapaz de impedir. Sua cabeça bateu com força na mesa. Sangue jorrou da testa e escorreu sobre os olhos, bloqueando parte da visão. Cameron segurou a perna dela com ainda mais força, enquanto Tracy roçava os dedos desesperadamente na arma, tentando alcançá-la. Por algum milagre, com um esforço sobre-humano, ela conseguiu segurar o metal frio e negro, mas não teve chance de atirar. Cameron já estava em cima dela, usando todo o peso de seu corpo para pressionar Tracy contra a mesa de madeira, esmagando-a, comprimindo seu corpo para lhe tirar o fôlego do mesmo jeito que se expulsa o ar de uma sanfona. Um sangue quente e espesso escorria do corte em sua testa.

— Não lute comigo, Tracy. Não dificulte as coisas.

Ela sentia a respiração de Cameron em sua orelha e o coração dele batendo, encostado em suas costas.

Ela conseguiu virar o corpo um pouco para o lado, mas foi o bastante para acertar uma joelhada entre as pernas de Cameron, em um golpe que tinha aprendido havia muitos anos com um amigo de Gunther, Tai Li — um especialista em artes marciais que, segundo o falecido colecionador de arte, Tracy e Jeff tinham de conhecer.

*A autodefesa pode ser importante no ramo de trabalho de vocês, meus queridos* — dissera Gunther. — *Passem algumas horas com Tai. Vocês não vão se arrepender.*

Isso fazia muito tempo. Tracy ainda lembrava que ela e Jeff haviam caído na gargalhada durante as aulas do sensei Li, um velhinho enrugado com cara de uva-passa — embora, segundo Jeff, uma uva-passa teria mais senso de humor. O velho levava o jiu-jítsu *muito* a sério e mais lembrava um sargento enquanto vociferava as instruções para os dois. Tracy não se lembrava de praticamente nada do que o mestre havia lhe ensinado, mas aquele movimento ficara gravado em sua cabeça e se mostrara útil em mais de uma situação.

Cameron soltou um gemido de dor e saiu de cima dela. Na confusão, deixou a arma cair no chão. Tracy a chutou para o lado, fazendo-a deslizar pelo piso como uma patinadora no gelo.

— Vadia! — sussurrou. A dor o fizera ficar com raiva.

Era agora ou nunca. Tracy mirou na perna de Cameron e disparou. Mas dessa vez ele agiu rápido e bateu na pistola por baixo, o que fez a arma voar de sua mão e o tiro acertar o teto. Pedaços de gesso caíram como flocos de neve. Quando Tracy se deu conta do que estava acontecendo, Cameron já a havia segurado pelos ombros e estava tentando derrubá-la de novo, mas dessa vez de costas para o chão, para poder olhar em seus olhos. O suor escorria pela testa de Cameron e pingava na pele de Tracy. O rosto do magnata — o mesmo que ela amara e vira tão de perto enquanto faziam amor semanas antes — estava irreconhecível, transfigurado em uma combinação horrenda de raiva e dor. Seu cabelo louro estava grudado na cabeça como o pelo molhado de um cachorro.

*Ele é um cachorro*, pensou Tracy. *Um animal selvagem, perigoso e sem um pingo de compaixão.*

As mãos dele começaram a apertar o pescoço de Tracy, os dedos serpenteando e se fechando em volta da traqueia dela, como uma jiboia.

— Sinto muito, Tracy — desculpou-se ele, ofegando com o esforço de mantê-la no chão. — Eu nunca quis que isso acontecesse.

Para a própria surpresa, Tracy sentiu o pânico arrebatá-la e percorrê-la como uma onda gélida.

Por inúmeras vezes Tracy havia dito a si mesma que, desde a morte de Nick, não tinha mais medo de morrer. Mas ali, sentindo Cameron apertar seu pescoço cada vez mais forte, lutando e ofegando para respirar, o instinto de sobrevivência assumiu o controle de seu corpo. Ela se sentiu amedrontada e com raiva.

Quem era aquele homem para tirar sua vida?

Quem era ele, Cameron Crewe, para decidir quem vivia e quem morria? Para decidir quais vidas importavam e quais não? Para decidir quais verdades eram contadas e quais permaneciam ocultas?

Não. Tracy não permitiria que ele fizesse aquilo!

Mas não havia nada que ela pudesse fazer.

Suas pernas se debatiam violenta e inutilmente. Seus braços, imobilizados pelos joelhos de Cameron, se contorciam e se sacudiam de um jeito patético, por vontade própria, em uma grotesca dança da morte. Tracy começou a espumar pela boca enquanto se esforçava em vão para se libertar do estrangulamento de Cameron, sua energia se esvaindo a cada segundo que ela passava sem oxigênio. Ela sentiu os olhos esbugalharem e o sangue percorrer o cérebro como se sua cabeça estivesse prestes a explodir. Nos filmes, o estrangulamento é rápido, não passa de alguns poucos segundos de luta, então chega a paz. Mas aquilo não parecia em nada com o que se via na tela grande. Tracy não havia apagado. Em vez disso, não conseguia fazer nada além de olhar para cima e assistir a um homem que por certo tempo achou que amava e que agora estava tentando matá-la lenta e dolorosamente, fazendo um esforço tão visível para tirar sua vida que estava com as narinas dilatadas e as veias saltadas, feias.

Frustrado com o tempo que estava demorando, Cameron começou a sacudi-la com violência, como se fosse um terrier agitando um rato com a boca. *Ele está tentando quebrar meu pescoço*, pensou Tracy. Ela visualizou o próprio cérebro batendo nas paredes internas do crânio, como um inseto dentro do casulo. A dor era lancinante. Tracy já nem pensava mais em sobreviver. Só desejava o fim daquela agonia.

E então, de repente, acabou.

O tiro não fez barulho. Pelo menos, não que Tracy tenha escutado. Em vez disso, a bala soou como nada mais do que uma lufada de vento, um sibilo, como se alguém — Deus? — estivesse lhe soprando um último beijo piedoso.

Cameron Crewe arregalou os olhos, surpreso. Então, tombou por cima de Tracy. Seus braços soltaram o pescoço dela e deslizaram, caindo para os lados, como se ele fosse uma boneca de pano.

A última lembrança de Tracy foi a sensação agonizante do ar voltando a seus pulmões famintos, como se ela tivesse engolido um punhado de lâminas.

Em seguida, desmaiou.

# Capítulo 33

LONDRES, TRÊS MESES DEPOIS...

TRACY PASSEAVA PELOS Jardins de Kensington, desfrutando a beleza do parque no outono e o calor surpreendente do sol de setembro em suas costas. Estava de calça listrada e usava botas de equitação, suéter azul-marinho, um cachecol azul para combinar, e um trench coat aberto. Seu cabelo castanho-escuro caía na altura dos ombros — nunca estivera tão longo desde a morte de Nick —, e suas bochechas coradas reluziam um rosado saudável enquanto ela caminhava. Tracy continuava magra — magra demais, segundo seus médicos —, mas sua silhueta já começava a ganhar contornos mais suaves. Ela já não era mais a criatura esquelética de junho, no auge da perseguição a Althea e a Hunter Drexel.

Era o fim da manhã de um dia de semana. As crianças londrinas já haviam retornado à escola, e seus pais estavam de volta ao escritório depois de um longo verão. Mas ainda assim o parque estava movimentado. Moradores das redondezas levavam os cachorros para passear, adestradores aqueciam seus clientes debaixo de faias, casais de aposentados passeavam de mãos dadas ou liam jornais sentados em bancos de madeira. E, claro, os turistas onipresentes se aglomeravam e conversavam perto do palácio, torcendo por uma rápida aparição de William e Kate, ou pelo menos para tirar uma selfie diante do lugar que já havia sido o lar da princesa Diana em Londres.

Tracy também se sentia em casa ali. Naquele parque. Naquela cidade.

Ela sempre adorou Londres. Nicholas foi concebido na cidade, e, embora logo depois Tracy tivesse fugido dali, assombrada pelo fim do casamento com Jeff, ela sabia que havia deixado para trás uma parte de seu coração. A ida para Steamboat Springs representara um novo começo, uma vida nova para ela e para o filho. Graças a Blake Carter, sua vida no Colorado também tinha sido uma época de muita felicidade. No entanto, com a morte de Nick e o fim iminente de seu trabalho para a CIA, era o momento de começar um novo capítulo em sua vida.

Tracy flertara com a ideia de voltar para Nova Orleans, onde cresceu. Ou para a Filadélfia, onde foi feliz por um breve período quando jovem. Antes do suicídio de sua mãe. Antes de ser presa, de Jeff e de Nicholas. Antes do início de sua vida real. Mas era Londres que falava mais alto, que parecia chamá-la de volta para casa.

Subindo a colina a partir da Kensington High Street, Tracy passou pela lateral do palácio e virou à esquerda, na direção da Fonte Memorial da Princesa Diana e de Notting

Hill, mais adiante. Um homem com um antiquado paletó de tweed se levantou de um banco e acenou quando ela se aproximou. Tracy acenou para ele e acelerou o passo.

— Foi muito amável da sua parte. — Ela o cumprimentou calorosamente com um sorriso e um abraço. — Estou certa de que tem coisas muito mais importantes para fazer hoje do que almoçar comigo.

— Mais importante do que um almoço com Tracy Whitney? — perguntou o general de divisão Frank Dorrien, erguendo a sobrancelha grossa. — Acho que não. De qualquer forma, não consigo pensar em nada divertido. Vamos?

Ele ofereceu o braço a Tracy. Era um gesto à moda antiga, cavalheiresco e — segundo Tracy havia descoberto — típico de Frank. Ela estava constrangida ao pensar em como havia se enganado redondamente a respeito dele.

Frank não havia tido participação alguma na morte do príncipe Achileas, embora admitisse não gostar do garoto.

— Não tinha nada a ver com ele ser gay. Eu estava me lixando para isso. Para mim, o imperdoável era ele apoiar o Grupo 99, ainda mais sendo quem era. Mesmo antes de eles se transformarem em uma organização violenta, eu já desprezava os ideais deles. Aquela inveja e aquele rancor travestidos de justiça social. Mas foi depois do sequestro de Bob Daley que a coisa ficou séria, pelo menos para mim. Bob era um homem maravilhoso e tinha sido um amigo para Achileas. Como o príncipe teve coragem de continuar flertando com o grupo depois disso...?

Frank balançou a cabeça com raiva.

Fora o general quem havia salvado a vida de Tracy na Villa Michele. Fora Frank quem atirara em Cameron Crewe e dera fim a seu reinado de terror. Tempos depois, ele explicou a Tracy que ele e seus chefes no MI6, inclusive a primeira-ministra, haviam começado a suspeitar que tanto o governo americano quanto Cameron Crewe estavam participando de um jogo duplo com o Grupo 99. Além disso, preencheu algumas lacunas deixadas por Hunter Drexel sobre os motivos que tinham levado Kate Evans a querer o envolvimento de Tracy na história.

— Como você sabe, Kate fazia parte da equipe americana encarregada de rastrear você, na época em que você e Jeff estavam no topo de todas as listas de mais procurados. Ela sempre admirou sua engenhosidade, sua capacidade de ficar um passo à frente da agência. Acho que ela começou a pensar em você como um símbolo. Alguém, que tinha jogado o jogo da CIA e ganhado. Uma espécie de anti-heroína. Kate sentia admiração por você.

— Ela teve um jeito bem peculiar de demonstrar isso.

Frank Dorrien deu de ombros.

— Ela não estava bem da cabeça. Não se esqueça disso.

Por um lado, havia sido bom descobrir tudo aquilo. Finalmente um ciclo se fechava. Mas, por outro, a situação deixava Tracy desconsolada, pois talvez ela nunca descobrisse quem havia sido responsável pela morte de Nick. Frank Dorrien tinha quase certeza de que Kate não fizera nada para ferir o garoto.

— Não existe uma evidência sequer que a ligue ao acidente — comentou Frank. — Na verdade, temos certeza absoluta de que ela estava na Europa quando aconteceu. Greg Walton inventou toda aquela baboseira para dar a você um motivo para ajudá-lo.

— Então, se não foi Kate, quem foi?

Frank segurou as mãos dela com gentileza.

— Talvez ninguém. Talvez realmente tenha sido um acidente, Tracy.

Para ela, o pior de tudo passou a ser conviver com as incertezas.

Mas ali, naquele dia, a vida parecia promissora, e o futuro, possível. Tracy e Frank passearam tranquilamente pelo parque. Tracy estava oficialmente recuperada de sua provação no lago Maggiore, mas seus médicos haviam lhe aconselhado a ir devagar, e pelo menos dessa vez ela lhes deu ouvido. A tensão dos seis meses anteriores havia cobrado um preço que Tracy só notou quando tudo acabou.

Relutante, ela se viu forçada a admitir que não era mais nenhuma jovem de 23 anos. Já não estava mais imune ao estresse e ao esgotamento. Eles batiam. E batiam forte.

— Você está linda — comentou Frank. — Com cara de francesa.

Tracy sorriu.

— É o cachecol.

— Caiu bem em você.

Por alguns minutos eles caminharam em um silêncio agradável, Tracy apoiada em Frank como uma árvore jovem envergada pelo vento. Então, ela disse:

— Sabe, acho que não cheguei a lhe agradecer devidamente.

— Pelo quê?

Tracy deu uma risada.

— Por salvar a minha vida naquele dia. Se você não tivesse aparecido... se não tivesse atirado em Cameron...

— É, bom... — disse Frank com aspereza. — Eu nunca deveria ter deixado as coisas chegarem tão longe, para começo de conversa. Nós não poderíamos ter perdido você de vista em momento algum.

— O que você quis dizer foi que Jeff não deveria ter me perdido de vista — comentou Tracy, maliciosamente.

— Não, não. Nada disso. Eu era o líder da equipe. A responsabilidade era minha.

*Ele é tão britânico*, pensou Tracy. *Tão sucinto e reservado. Que Deus o livre de demonstrar qualquer emoção ou levar crédito pelo próprio heroísmo.*

Eles chegaram ao topo da colina. Frank levou Tracy a um banco vazio, para que ela recuperasse o fôlego.

— Imagino que já tenha visto isto aqui — disse o general e, em seguida, entregou a Tracy uma cópia do *Times*.

— Não! — Tracy pegou o jornal com satisfação. — Quer dizer, eu li a reportagem na internet, claro. Mas não tinha visto o jornal impresso. Estava esgotado em todas as bancas pelas quais passei vindo para cá.

Ninguém havia ficado mais perplexo do que Tracy ao descobrir que Hunter Drexel estava vivo — que havia sobrevivido ao tiro à queima-roupa dado por Cameron na mansão aquela noite. Afinal, ela tinha visto com os próprios olhos Hunter cair no chão, o olhar vazio dele. Se alguém tivesse lhe perguntado, ela teria jurado que Hunter havia morrido. Mas, aparentemente, o jornalista estava usando colete à prova de bala por baixo da roupa durante o jantar. A ironia era que ele o havia vestido para se proteger de *Tracy*, e não de Cameron Crewe. Mas sua vida foi salva do mesmo jeito.

Tracy ficara aliviada ao descobrir que Drexel estava vivo, mas ainda não sabia como se sentir em relação a ele nem sabia a quem o jornalista era realmente leal. Ele se recusou a contar ao MI6 qualquer informação sobre o paradeiro de Kate Evans e parecia decidido a ajudá-la a escapar da justiça pelo assassinato de Bob Daley — de quem supostamente ele próprio era amigo — e pelos ataques virtuais que ela organizou com o Grupo 99. E, embora Hunter não estivesse envolvido nas mortes de Sally Faiers e Helene Faubourg, para Tracy ele havia superado essas tragédias de um jeito que não o tornava benquisto ou digno de confiança.

Por outro lado, Hunter havia vivido um inferno e se arriscado muito para levar a Crewe Oil aos tribunais e expor a verdade por trás da indústria do fraturamento global e do Grupo 99.

Mas, infelizmente, essa não era toda a verdade.

Tracy abriu o jornal com ansiedade e passou os olhos nas quatro primeiras páginas, todas dedicadas ao artigo de Hunter, que continha diversas revelações bombásticas, mas, para ela, o mais chocante foi o texto omitido.

Não havia menção alguma ao envolvimento do presidente Havers em atos de corrupção, tampouco qualquer alusão à fracassada tentativa de resgate na Bratislava. Em vez disso, uma falsa explicação dava conta de que Hunter havia escapado enquanto o Grupo 99 o transferia de um acampamento para outro. E pior: no texto, Drexel afirmava que vinha trabalhando *com* a CIA enquanto fugia do Grupo 99, atraindo Alexis Argyros — vulgo Apollo — para uma armadilha que resultou na morte do líder do grupo por meio de um ataque via drone. Nomes e lugares foram cortados, sob alegação de que eram "informações sigilosas", o que, convenientemente, tornava impossível comprovar a veracidade da história. Enquanto isso, Greg Walton e sua equipe saíam por cima e Hunter, aclamado como herói.

Tracy balançou a cabeça.

— Não acredito que ele se vendeu.

— Ah, eu não enxergaria as coisas exatamente dessa forma. O governo Havers nunca foi tão ruim quanto Drexel pintava. No fim das contas, tudo o que eles fizeram foi firmar alguns contratos de boca e por baixo dos panos para promover os interesses americanos. Nós fizemos a mesma coisa.

— Tenho certeza de que fizeram, mas alguém precisa pôr a boca no trombone!

— Sally Faiers tentou — lembrou-lhe Frank. — Veja o que aconteceu com ela.

Tracy lhe devolveu o jornal. Eles continuaram a caminhada.

— Acha que os americanos mataram Sally? — perguntou Tracy.

Frank balançou a cabeça.

— Não. Temos quase certeza de que foi Crewe quem ordenou o assassinato em Bruges. E também o de Helene. Hunter confiava nas duas, entende?

— Kate não foi mencionada no artigo. Depois de tudo o que passamos! Eles nem tocam no nome de Althea.

— Drexel insistiu em mantê-la fora disso. — Pela primeira vez, Dorrien pareceu tão indignado quanto Tracy. — É aquela história de que uma mão lava a outra. Ele mantém o bico calado sobre o que aconteceu na tentativa de resgate na Bratislava e sobre o presidente. Nós sabemos que Hunter deu a Kate mais de um milhão de dólares em ganhos com o pôquer, supostamente para começar uma nova vida em algum lugar. E, no fim das contas, era interessante para todos que ela saísse de cena, que tudo se concentrasse em Argyros. O ataque por drone a Apollo foi um sucesso. A fuga de Althea foi um fracasso. Com Crewe e Argyros mortos, o Grupo 99 saiu humilhado. Hunter Drexel é um herói, assim como o presidente. Todos saem ganhando.

— Diga isso à viúva de Bob Daley — comentou Tracy, amargurada. — Ou aos pais daquelas pobres crianças no Camp Paris.

— Concordo, minha querida. Não é justo. Mas a vida raramente é justa, não acha? Ah, chegamos. Chez Patrick. Espero que esteja com fome.

Eles tinham virado a esquina e entrado por uma charmosa ruazinha de paralelepípedos. Alguns metros à frente havia um lindo restaurante francês com mesas ao ar livre protegidas por um toldo de lona azul e branca, cadeiras simples de vime — típicas de bistrô — e floreiras repletas de cravinas-do-poeta acima da porta aberta. Um aroma maravilhoso de alho e vinho branco atravessou a rua e fez Tracy ficar com água na boca.

Lá dentro havia bastante movimento. Um francês idoso pegou o trench coat e o cachecol de Tracy. Quando ia pegar o paletó de tweed de Frank, o telefone do general tocou.

— Desculpe — disse ele, sem emitir som, olhando para Tracy. Em seguida olhou de volta para a rua. — Entre. Não vou demorar.

Tracy deixou Dorrien falando ao telefone e seguiu o maître restaurante adentro. Desviando-se de mesas cobertas com pano de algodão listrado e clientes que tagarelavam, ela foi conduzida a uma mesa escondida num canto — um pequeno refúgio dentro do estabelecimento.

Jeff Stevens levantou a cabeça e sorriu.

— Oi, Tracy.

# Capítulo 34

TRACY DEU MEIA-VOLTA e saiu às pressas do restaurante.

Na rua, procurou Frank Dorrien por todos os lados, mas o general havia sumido.

*Ele armou isso. O safado armou para mim.*

Quando ela se virou, Jeff estava do lado de fora. Com um terno escuro que realçava perfeitamente seus olhos cinzentos e o cabelo castanho cacheado bagunçado pelo vento, ele parecia tão bonito quanto no dia em que Tracy o conhecera, no trem a caminho de Saint Louis. Ela se lembrava daquele encontro como se tivesse acontecido no dia anterior. Havia acabado de realizar seu primeiro trabalho — o roubo das joias de Lois Bellamy para um joalheiro nova-iorquino desonesto chamado Conrad Morgan. Interpretando o papel de Thomas Bowers, um agente do FBI, Jeff enganou Tracy e fez com que ela lhe entregasse as joias, mas ela passou a perna nele e as recuperou logo depois.

Mas, claro, aquilo não tinha acontecido no dia anterior. Décadas haviam se passado desde aquela fatídica viagem de trem. Décadas de aventura e emoção, de amor e perda, de alegria exultante e dor insuportável. A vida e a morte de Nicholas se interpunham entre passado e presente, um intransponível Grand Canyon de tristeza que Tracy jamais seria capaz de cruzar, por mais que quisesse.

— Por favor — pediu Jeff, com ar de reprovação. — Não fuja. Almoce comigo.

— Não acredito que Frank fez isso — murmurou Tracy, furiosa.

— Não culpe Frank. Eu implorei para que ele me ajudasse. Disse que precisava ver você.

— E eu disse a ele com todas as letras que não queria ver você.

A expressão de mágoa no rosto de Jeff foi como um soco na boca do estômago de Tracy. Em um tom mais brando, ela continuou:

— É uma péssima ideia. Você sabe que é.

— É só um almoço.

Tracy olhou para Jeff com cara de quem sabia muito bem o que era aquilo. Com os dois, a coisa nunca se resumia a "só um almoço", e ambos sabiam disso.

— Precisamos conversar — insistiu ele.

Tracy hesitou por um piscar de olhos, e Jeff sorriu. Ele sabia que a convencera.

A COMIDA ESTAVA deliciosa. Nada muito temperado ou cremoso, como às vezes é a comida francesa. Tracy escolheu uma salada de lagostim extremamente saborosa, e Jeff pediu um bife com batatas fritas reforçado, acompanhado de um Borgonha para criar coragem.

Pois ele sabia que precisaria.

Durante a primeira meia hora eles falaram do caso. De Hunter e Kate e do ataque por drone que havia matado Alexis Argyros. Da indústria e corrupção no ramo do fraturamento hidráulico e de como os políticos eram traiçoeiros.

— Quem dera mais pessoas fossem tão honestas quanto nós, não é, querida? — brincou Jeff.

Tracy adorava o senso de humor de Jeff, e o invejava. Queria ainda ser capaz de rir do mundo como ele era. Ela costumava rir muito.

— Eu te amo, Tracy.

A cabeça de Tracy recuou de repente, como se ela tivesse sido atingida. Jeff havia dito aquilo tão sem mais nem menos, de um jeito tão inesperado. Ela o encarou quase com raiva.

— Pare.

Os olhos dele não desgrudavam dos de Tracy.

— Por quê?

— Você sabe muito bem por quê. Nunca daria certo.

— Por que não daria certo?

— Porque nós somos completamente incompatíveis!

— Isso é bobagem. Nós somos totalmente compatíveis.

— Nós enlouquecemos um ao outro.

— Eu sei. — Jeff sorriu. — Isso não é maravilhoso?

Tracy não conseguiu deixar de sorrir ao ouvir isso, mas o clima leve não durou. Jeff segurou as mãos dela.

— Fale de Nicholas.

Tracy fez cara de quem estava estranhando.

— Como assim? Falar o quê?

— Tudo. Como ele era quando nasceu. Qual o cereal preferido dele. Em que posição dormia.

— PARE!

Tracy balançou a cabeça com violência. Tentou puxar as mãos, mas Jeff as segurou com mais força. Os outros clientes olharam para os dois e tiveram uma visão terrível de Tracy se contorcendo e se debatendo para se livrar de Jeff, como um inseto com as asas pegando fogo.

— Não consigo falar dele — alegou ela. — Não com você. Não desse jeito.

— Desse jeito como?

Tracy engoliu em seco.

— Como se ele ainda estivesse vivo.

Tracy fitou a toalha de mesa, evitando o olhar de Jeff. Ele lhe deu alguns minutos, então segurou a mão dela outra vez.

— Você consegue falar dele, Tracy. Precisa falar dele — disse Jeff, delicadamente. — Se não deixar a tristeza sair, ela vai acabar matando você. Vai envenená-la de dentro para fora, como ácido de bateria. Do mesmo que jeito que aconteceu com Cameron Crewe.

Tracy levantou a cabeça de repente.

— Talvez seja isso que eu queira. Talvez eu queira que isso me mate.

— Eu não acredito nisso, e você sabe que Nick não ia gostar de uma coisa dessas.

Tracy secou as lágrimas com raiva.

— Você não entende, Jeff. Eu tenho medo de que, se deixar essa tristeza sair, se a deixar ir embora, também vou estar deixando *Nick* ir embora.

— Você nunca vai deixá-lo ir embora. Nenhum de nós vai.

— Certo, mas...

— Isso não tem a ver só com você, Tracy! — interrompeu-a Jeff, não exatamente com raiva, mas exasperado. Desesperado. — *Eu* preciso falar sobre ele. Preciso conhecê-lo, saber sobre a vida dele. Eu perdi isso. Eu perdi tudo isso e nunca vou poder recuperar esses anos. Se você não conversar comigo sobre ele, o que vai restar a *mim*? Pelo que eu vou lamentar?

Tracy se sentiu péssima. A dor gravada no rosto de Jeff era tão real quanto a dela. Como ela não notou antes, em Paris ou Megève, quando eles passaram um tempo juntos? Provavelmente aquela dor estava estampada em sua face. Como o rosto de Jeff se parecia tanto com o de Nicholas, será que Tracy havia parado de enxergá-lo como uma pessoa?

Sim. Era isso.

Mas ela o enxergou naquele momento. Jeff, seu Jeff. Tracy acariciou o rosto dele.

— Desculpe. Lamento muito.

Jeff beijou a mão de Tracy.

— Não lamente. Só fale comigo. Por favor. Fale comigo sobre o nosso filho.

Então, mesmo que hesitante no começo, Tracy falou. Falou até eles terminarem a refeição. Falou enquanto Jeff pagava a conta. Falou enquanto seus cafés esfriavam, o restaurante esvaziava e por fim o gerente se aproximou da mesa e, com toda a educação, informou que eles iriam fechar, pois precisavam preparar o estabelecimento para receber o serviço de jantar.

Lá fora, o sol ardia vermelho e baixo sobre os prédios da rua. Com o vento, folhas douradas e quebradiças giravam em volta das pernas de Tracy e Jeff, que as esmagavam enquanto caminhavam de mãos dadas na direção do Notting Hill Gate.

— Vai ficar em Londres por um tempo? — perguntou Jeff.

Tracy fez que sim.

— Por um tempo, sim. Talvez seja melhor. Ainda não me decidi. E você?

— Também ainda não me decidi.

O amor pairou entre os dois como algo vivo.

Tracy olhou Jeff nos olhos e disse o que os dois estavam pensando.

— Não sei se podemos voltar. Eu te amo, mas...

Ele a interrompeu com um beijo.

— Não podemos voltar — disse ele em seguida. — Só podemos seguir em frente. Mas não temos que fazer isso sozinhos.

Por um instante, Tracy se permitiu alimentar a esperança de que Jeff pudesse estar certo.

— É melhor eu ir — disse ela, por fim.

Jeff esticou a mão para chamar um táxi e ajudou Tracy a entrar.

— Não desapareça.

— Não vou. — Tracy sorriu. — Prometo.

— O amanhã é a maior das nossas aventuras, Tracy — comentou Jeff, dando batidinhas na porta enquanto o táxi começava a se afastar. — E ele vai chegar, quer a gente queira ou não.

Ele ficou observando enquanto o táxi se juntava ao tráfego londrino e sumia de vista.

# Epílogo

JEFF ESTAVA AGUARDANDO no escuro.

Era bem tarde, quase duas da manhã, e a garagem estava deserta.

Jeff começou a entrar em pânico, pensando que o desgraçado não iria aparecer. Que aquela era a única noite de sábado que ele não iria àquele shopping caindo aos pedaços fora da cidade para encontrar seu informante. Mas, no momento em que Jeff começou a perder as esperanças, ele surgiu, como sempre vestindo um conjunto caro de terno e gravata que lhe caía perfeitamente. Jeff esperou que a "fonte" dele chegasse, um sujeito maltrapilho, imundo e desesperado pelo dinheiro que estava prestes a receber por trair alguém do submundo para, em seguida, gastar com drogas.

Os dois conversaram por cinco minutos. Então, como sempre, o sujeito de terno entregou um envelope branco e impecável ao viciado, que saiu correndo.

O homem de terno já estava perto do carro quando sentiu o metal frio da pistola de Jeff em sua nuca.

— Quem é você? — perguntou o homem, tentando parecer calmo, mas Jeff sentiu o medo transparecendo na voz dele e exalando de sua pele. — O que você quer?

— A verdade — respondeu Jeff. Em seguida, enfiou a mão no bolso do homem e tirou sua arma. — Vire-se.

Milton Buck obedeceu.

— De costas para a parede — ordenou Jeff.

Buck deu dois passos para atrás, encarando Jeff com um olhar desafiador. O agente do FBI sempre detestara Jeff Stevens. Para Buck, o sujeito se via como uma espécie de Robin Hood, quando na verdade não passava de um ladrão comum.

— Por que isso, Stevens?

— Eu vi você nas imagens das câmeras de circuito de TV do hospital. Você estava lá na noite em que Nicholas morreu.

Milton Buck deu de ombros.

— E daí?

— E daí que foi você. Eu fui a Steamboat Springs. Investiguei. Foi você quem sabotou a caminhonete. Você queria que Nick morresse, mas ele não morreu, então foi ao hospital e adulterou o anestésico dele. Você matou um homem decente e uma criança inocente. Você matou o meu filho.

Milton Buck hesitou por um instante. Pensou até em negar, mas ficou nítido que não havia motivo para isso.

— Tracy sabe disso?

— Não. Ela acha que foi um acidente. A verdade acabaria com ela.

Milton Buck fitou Jeff com um ar desafiador.

— O que você quer? Um pedido de desculpas? Bem, não vai conseguir. Não de mim. Meu trabalho é defender os Estados Unidos, Stevens. Proteger os interesses nacionais. Minha missão era neutralizar o Grupo 99, que na época era uma ameaça *global* à estabilidade econômica. Nós achávamos que Tracy tinha uma ligação direta com Althea e precisávamos que ela fizesse o serviço para nós. Mas ela se recusou. Repetidamente. Então, eu fiz o *meu* trabalho. Às vezes isso significa tomar decisões difíceis. E sim: às vezes significa que pessoas têm que morrer.

Jeff ficou em silêncio por um bom tempo. Então assentiu com a cabeça e abaixou a arma.

— Tem razão.

Milton Buck fez cara de quem não tinha entendido nada. As palavras de Jeff o pegaram completamente de surpresa.

— Hein?

— Eu disse que você tem razão. — Jeff sorriu. — Às vezes as pessoas têm mesmo que morrer.

Dito isso, Jeff levantou a arma e disparou dois tiros na testa de Milton Buck.

Então, deu as costas e foi embora.

# Agradecimentos

ENVIO MEUS SINCEROS agradecimentos a toda a família Sheldon, por mais uma vez confiar em mim, especialmente a Mary — obrigada pelo apoio e por ter sido tão amável ao longo dos últimos anos — e a Alexandra, que deu contribuições inestimáveis para este livro. Agradeço também ao meu agente, Luke Janklow — um perfeito cavalheiro —, a Mort Janklow e a todos da Janklow and Nesbit, especialmente a Hellie Ogden, em Londres, e à adorável e astuta Claire Dippel, em Nova York. Um enorme agradecimento a todos da HarperCollins, sobretudo aos meus editores, May Chen, em Nova York, e Kim Young, em Londres, por todos os insights, pelo trabalho duro e, ah, pelo *tempo* que gastaram me ajudando a acertar este livro. É a pura verdade quando digo que sem vocês eu não teria conseguido terminar *Um amanhã de vingança*. Portanto, sou realmente grata. Por fim, agradeço à minha família, pelo amor eterno, sobretudo ao meu marido, Robin. Eu adoro você.

ESTE LIVRO É dedicado a Belen Hormaeche, uma das minhas mais velhas e queridas amigas. Bels, você é como uma irmã para mim. Obrigada por sempre estar ao meu lado. T

Este livro foi composto na tipologia Minion Pro,
em corpo 11,5/15,3, e impresso em papel off-set 75g/m²
no Sistema Cameron da Divisão Gráfica
da Distribuidora Record.